FEMMES CÉLÈBRES
SUR LE DIVAN

CATHERINE SIGURET

FEMMES CÉLÈBRES SUR LE DIVAN

ÉDITIONS DU SEUIL
27, rue Jacob, Paris VIe

ISBN : 978-2-02-094026-9

www.seuil.com

Introduction

Pas davantage que nous n'avons voulu orienter les biographies des femmes célèbres présentées ici en vue de quelque démonstration, nous bornant à rappeler les événements importants de leur vie et leurs émotions, nous n'avons souhaité influer sur le cours des pensées de chaque spécialiste, psychiatre, psychanalyste ou psychologue qui en propose une lecture. Nous n'avons pas davantage cherché à faire entendre ou taire le conflit, parfois vif, qui peut ou a pu opposer les différentes écoles de psychanalyse, ou ceux qui sont passés par le chemin de la faculté de médecine et les autres. Nous avons laissé chaque spécialiste travailler comme il le fait jour après jour avec ses patients, explorant des pistes, émettant des hypothèses, évoquant ponctuellement des théories généralement admises, nous renvoyant souvent à nous-mêmes, en miroir des portraits des femmes célèbres. Il nous a semblé que c'est cette démarche humaine, teintée de la personnalité de chacun, qui œuvrait le mieux à notre vœu le plus cher : donner un livre dont chaque lecteur tire le meilleur bénéfice pour lui-même et ses proches, et non une somme à l'intention des professionnels.

Catherine Siguret

Colette (1873-1954):
se libérer du joug de l'homme

Féministe avant l'heure, iconoclaste, inclassable, Gabrielle Colette vécut avec une liberté rare. Ni misandre – elle eut trois époux –, ni nymphomane – elle ne multiplia pas les amants –, ni profondément lesbienne – elle quitta ses maîtresses pour des hommes –, ni campagnarde – elle aimait trop les fastes –, ni citadine – elle ne put jamais se passer d'un refuge champêtre et de ses chères bêtes, Colette exista entre ces «ni», trouvant du plaisir à tout comme à son contraire, hédoniste au point de faire du bonheur sa seule religion. Rares sont cependant les femmes qui vécurent aussi inféodées qu'elle à leurs maris: Willy manqua lui voler la gloire littéraire en signant ses œuvres. Colette apprit l'amour au fil des expériences, se libérant progressivement des carcans qui emprisonnaient ses contemporaines: la dépendance financière, la fidélité en dépit des affronts, la culpabilité à prendre le plaisir quand il passe. Elle élut ses hommes selon une logique peu commune à l'époque: jeune, elle les choisit beaucoup plus âgés qu'elle et en apprit beaucoup; mûre, elle les prit beaucoup plus jeunes, et s'en fit dorloter. Colette préféra toujours son bonheur aux principes... qu'elle n'avait pas.

Sido et « Minet chéri »

L'enfance de Gabrielle Colette ne pouvait générer une adulte ordinaire. Dans le village bourguignon de Saint-Sauveur-en-Puisaye où elle a vu le jour en 1873, sa famille est scandaleuse. Sido, la mère, est une intellectuelle qui accouche pour la cinquième fois à 35 ans, âge auquel il est de bon ton à l'époque d'avoir renoncé à toute activité sexuelle. Plus grave encore, elle est folle amoureuse de son second mari, le capitaine Colette, après avoir perdu le premier dans des circonstances qu'on dit troubles. Au village, on se demande si elle n'aurait pas hâté son décès. En tout cas, son troisième enfant, le petit Achille, est trop chéri pour ne pas être de l'amant, le capitaine Colette, bientôt son mari. Avec lui, Sido eut ensuite Léopold, puis, six ans après, Gabrielle, dernière de la fratrie.

Dans la famille Colette, on se nourrit de livres du matin au soir sans considération pour l'âge des enfants – ainsi Gabrielle lit-elle Balzac à 6 ans. On joue du piano, on monte à Paris voir des spectacles, on a une conception très ouverte de la religion (le panthéisme de Colette est aussi celui de sa mère) et on inscrit les filles à la communale au lieu de les mettre en pension religieuse, en les exhortant même à faire des études supérieures : des gens bizarres ! À l'école, Gabrielle Colette est considérée comme une marginale. Elle apprend vite à passer outre les préjugés sociaux, se réconfortant par la lecture de ses romanciers préférés, ou auprès des animaux et de la campagne bourguignonne dont elle parcourt les chemins en compagnie de ses parents enlacés. Une enfance idéale, que Colette ne cessera de chanter. Alors qu'elle a 11 ans, ses parents sont en proie à de grosses difficultés matérielles : Juliette, la fille aînée, passablement perturbée et mal mariée, réclame sa part d'héritage, que le capitaine et Sido, mauvais gestionnaires, ont déjà dépensée. Nouveaux scandales. Sido, humiliée publiquement, enseigne à

Gabrielle, son «Minet chéri», qu'il reste les chats, les promenades en forêt et l'amour, pour rire de tout dans les pires moments de la vie – une leçon qui sera bien retenue.

Gabrielle, boulimique de lecture, obtient son certificat d'études, puis son brevet élémentaire, avec 17 sur 20 en composition française. Mais ses 18 ans atteints, on s'inquiète de son avenir conjugal : quel parti espérer pour elle, sans dot et isolée en pleine campagne ? La jeune fille est fort avertie sur l'amour physique, grâce à sa fine observation des coïts des mammifères, mais aussi aux journaux libertins rapportés par son grand frère Achille. Étudiant, celui-ci rend souvent visite à sa mère, accompagné de son ami Maurice. Colette a pour Maurice son premier béguin. Mais le jeune homme se trouvant sans le sou, Sido cherche un meilleur parti. Elle pense alors à Gauthier-Villars, éditeur à succès du quai des Grands-Augustins. Elle sait son fils Henry volage et, bien qu'encore célibataire à 33 ans, père d'un enfant naturel. Il a écrit de petits romans sentimentaux sous le pseudonyme de «Willy». Fou de musique, de littérature, de cafés et de femmes, de préférence mariées ou prostituées, Willy tombe vite amoureux du petit génie campagnard. Gabrielle, qu'il appelle «Colette», est vive, drôle, dégourdie – et innocente. L'idée de débaucher une telle âme n'est pas pour lui déplaire. Le mariage est conclu le 15 mai 1893, malgré la réticence de la famille Gauthier-Villars devant les ressources plus que modestes des parents de Colette. Mais l'union est d'amour, et non de raison, même si les époux nourrissent sans le savoir deux conceptions de l'amour tout à fait opposées. Solide comme le sont ceux qui ont été bien aimés, la mariée, déniaisée, philosophera plus tard : «Qu'aurais-je fait d'une vie qui n'eût été que roses ?»

Claudine, l'enfant de la désillusion

Le couple s'installe rapidement au 28, rue Jacob, dans le VIe arrondissement de Paris. Colette y découvre le vrai visage de Willy, un homme double, voire multiple : il exploite plusieurs « nègres », de jeunes lettrés heureux d'écouler leur encre auprès de celui dont le seul nom fait vendre ; il s'absente sans motif, annonce souvent qu'il ne rentrera pas dîner. À l'époque, les femmes n'ont rien à y redire. Six mois après le mariage, une lettre anonyme apprend à la jeune épouse que l'écrivain fréquente une petite actrice de Montmartre, Charlotte Kinceler. Colette, jalouse comme l'une de ses chères chattes, est prête à tuer. Quand elle surprend les amants penchés sur un livre de comptes comme un couple légitime, évidence que la liaison est régulière, c'est pire qu'un flagrant délit lubrique. Une dépression muette tient Colette au lit deux mois, jusqu'à ce que la providentielle Sido vienne à son chevet la ressusciter. Nul besoin de confessions : la mère a tout compris. Sido condamne la soumission comme la douleur, elle qui a su finalement faire un mariage d'amour. Colette finit par se relever et trouve un exutoire sentimental d'un genre nouveau, avec sa première maîtresse connue, Marguerite Moreno, une belle actrice volcanique. Les deux femmes ont le même âge et partagent la même vision de la vie, tandis que dix bonnes années et davantage de malentendus séparent Colette de son époux. Mais la jeune Colette pleure son paradis perdu, la Puisaye et l'amour maternel. Chaque jour, elle écrit de longues lettres nostalgiques à Sido… qui retiennent l'attention de l'avisé Willy. Celui-ci lui suggère alors, pour contribuer à l'économie familiale (car Colette mange, et pas qu'un peu !), d'écrire pour lui ses souvenirs d'enfance. Colette n'y voit pas malice, mais une façon de prendre sa vie en main, et un refuge. *Claudine à l'école*, composé en quelques mois, est jugé « médiocre » par son commanditaire et ne sortira du placard qu'après trois ans, en 1899, sous la signature de Willy malgré tout. Le succès sera immédiat : les femmes adoptent le « col Claudine » ou les nattes de Colette. Willy, lui, se pavane, mais des soupçons naissent au sujet de l'identité réelle de l'auteur. Colette et Willy voyagent, achètent une maison de campagne près de Besançon, les Monts Boucons, y trimbalent leurs animaux et leurs cahiers. « Pour moi, les vacances, écrira Colette, c'est changer de lieu de travail. » *Claudine à Paris* paraît en 1901, *Claudine en ménage* en 1902, chaque tome, signé Willy, sous un feu nourri de critiques élogieuses. Colette est heureuse, écrit sans plus cesser, convaincue que sa vie sentimentale est derrière elle, à 30 ans à peine, une fois passé l'épisode Moreno. C'est compter sans les autres femmes. Georgie Raoul-Duval, épouse lascive et très cultivée d'un milliardaire américain, a tout pour fasciner la provinciale Colette... jusqu'à ce qu'elle découvre que l'amie chère passe de son lit à celui de son mari. Mais la colère, elle en fait désormais des livres : elle se venge par un *Claudine amoureuse*. L'adaptation au théâtre de ses *Claudine* lui ouvre un nouvel horizon : elle y rencontre Polaire, célèbre actrice en redingote et cheveux courts, ne cachant pas ses penchants lesbiens. C'est ensuite le tour de la poétesse Natalie Barney, surnommée « la Sapho de Washington ».

En 1904, « le tombeur et la lesbienne », autrement dit Willy et Colette, établis rue de Courcelles, traînent une réputation sulfureuse. Colette s'en fiche. Des mois durant, aux Monts Boucons, elle arrose les plantes, ausculte passionnément la nature, chiens et chats à sa suite, avant de s'atteler jusqu'au soir à sa table de travail. Un texte coquin, *L'Ingénue libertine*, signé « Willy » comme d'habitude, sort en 1904, mais aussi, grande première, un petit livret signé « Colette Willy », intitulé *Quatre Dialogues de bêtes*. La critique Anna de Noailles encense Colette, et ils seront bientôt légion à faire chorus dans la presse : Maurras, Proust, Gide... Nul n'ignore plus l'imposture passée de Willy. Reste qu'on achète du Willy depuis des années, et que Colette débute. Elle redoute, si elle quitte son mari, la misère ordinairement réservée aux femmes qui s'émancipent.

La liberté

Willy craint-il que Colette ne hurle un jour la vérité à la face du monde ? Son épouse ne supportera pas sa servitude indéfiniment en tout cas, il le sait. Déjà, elle bouillonne, multiplie amants et maîtresses. En 1905, Willy prend les devants en la congédiant – une chance pour elle – au profit d'une jeunette. La séparation de biens est inéquitable, évidemment, mais Colette est suivie de ses animaux et de ses amis, et les êtres lui ont toujours davantage importé que les biens. C'est par l'extravagance qu'elle va oublier Willy. Elle s'installe aux Batignolles, près de chez sa nouvelle maîtresse, « Missy », Mathilde de Morny, fille du duc du même nom, divorcée, garçon manqué et milliardaire. Elle se lance dans la comédie, un terrain que Willy ne minera pas et sur lequel il ne pourra la doubler, en aucun sens du terme. Sur scène, c'est Colette Willy – encore affublée du nom de l'ex-époux pour assurer la transition – qui joue, demi-nue, qui pose en petit faune, qui remplit l'Olympia. Son corps est un bien inaliénable. Le scandale précipite les foules vers elle. C'est Colette qui restera dans les mémoires, infiniment plus célèbre que Willy.

Colette devient adepte de l'exhibition, des femmes, des parties fines et des dîners mondains. Elle fait de la libération du corps une profession de foi : « Je veux faire ce que je veux […]. Je veux danser nue si le maillot me gêne et humilie ma plastique. » Dans l'une des pièces coquines que lui écrit Missy sous le pseudonyme très lisible de « Yssim », Colette, déguisée en momie, se retrouve nue comme un ver une fois débandée. Des quatre coins du pays, on court voir ses seins et son corps encore svelte.

À ses heures perdues, Colette écrit *Sept Dialogues de bêtes*, une version augmentée des quatre premiers, préfacée par Francis Jammes, un inconditionnel et, deux ans plus tard, *La Retraite sentimentale*. Écrivain reconnu, elle s'affiche avec Missy, et parfois même désormais avec Willy et sa jeune maîtresse, Meg. Le quatuor maudit éclate en 1909, quand Colette découvre que Willy a vendu les droits des *Claudine* à un nouvel éditeur sans même l'en prévenir. Désormais, ce sera la haine. Au scandale de la partie carrée succède celui d'une partie triangulaire entre Missy, Colette et Auguste Herriot, héritier des magasins du Louvre. Les deux femmes le promènent jusqu'à Rozven, la retraite bretonne offerte par Missy à Colette, jusqu'à ce que cette dernière succombe au charme d'Henry de Jouvenel, le brillant directeur du *Matin*, où le succès des «Vrilles de la vigne» lui a valu un poste de chroniqueuse. Elle s'installe chez lui dans le XVIe arrondissement, tandis que Willy épouse Meg. Colette admire Henry, dont la gloire ne doit rien au plagiat. Lui apprécie l'indépendance de l'écrivain, ses reportages, ses livres qui se succèdent et sa folle liberté, puisqu'elle se paie encore le luxe de jouer à demi nue quand le cœur lui en dit. Leur intense passion sexuelle ne décroît pas. Sido, toujours bourguignonne, ne reste jamais sans nouvelles de son «Minet chéri», sa fille préférée, et se réjouit du bonheur retrouvé de sa digne descendante. Elle y puise son unique joie depuis que son bien-aimé capitaine est mort.

Sido s'éteint en septembre 1912, abandonnant Colette à un long deuil, dont on pourrait ne déceler la fin qu'avec la parution de *Sido* en 1930. Faut-il voir un hommage inconscient dans la grossesse tardive de Colette, la première et la seule, un mois après le décès de sa mère? Elle épouse Henry dans l'urgence et accouche de Colette-Renée, dite «Bel Gazou», en 1913. Elle la laissera grandir en Corrèze dans le fief de son époux, même après leur séparation, mais elle lui transmettra l'essentiel à ses yeux: aimer la vie, se ressourcer dans la nature, jouir des choses simples. Colette adore le soleil (incongruité à l'époque), les bons repas, l'amour, lire sous un arbre, caresser les chats, tous enseignements de Sido. Henry de Jouvenel reste un amant assidu… mais auprès de plusieurs femmes ! La déclaration de guerre accorde un sursis au couple condamné par cette pesante infidélité. Colette rejoint son époux au front, où ils font l'amour en clandestins, dans la peur, puis elle attend son héros en subsistant grâce à des reportages qui la conduisent jusqu'en Italie. À l'issue de la guerre, le couple va mal : Henry découche et Colette se gave. En 1920, elle pèse près de quatre-vingts kilos pour son mètre soixante-trois, un embonpoint qu'elle ne parviendra jamais à perdre. Abandonnée à Rozven durant l'été 1920, elle entame une liaison avec le propre fils d'Henry, Bertrand de Jouvenel, alors âgé de 17 ans (elle en a 47). Le jeune homme est fou d'elle, malgré son corps épaissi, sa maturité, son statut de belle-mère qui fait presque d'eux des amants incestueux. Colette, choyée et adulée, y trouve son compte. Elle s'affiche sans remords, ce qui pousse son époux à quitter le domicile conjugal en 1923 et à évincer Colette du *Matin*. Elle lui en gardera rancœur, et on a pu trouver là l'explication de l'éloignement où elle a laissé sa fille, copie conforme d'Henry. À 50 ans, grâce à *Chéri* et au *Blé en herbe*, Colette, désormais à l'abri de la misère, entend s'amuser, entre le fidèle Bertrand et des relations féminines, au hasard des rencontres.

Maurice : le bon mari

Deux ans plus tard, Colette rencontre l'homme qui ne la manipulera jamais et ne la trompera pas davantage, ou si peu. Qui l'aimera en tout cas avec ferveur jusqu'à sa mort. Comblée intellectuellement par ses nombreuses relations, socialement par son succès et physiquement par son jeune Bertrand, Colette n'attendait pourtant plus rien d'un homme… Restait l'amour.

Maurice Goudeket n'est pas de son monde : ni Pygmalion, ni directeur de journal, il est courtier en perles, juif, et très différent de ces bourgeois parisiens qu'elle a pris en horreur. De seize ans son cadet, il a lu ses œuvres complètes et s'est juré de l'approcher un jour et, pourquoi pas, de l'épouser. Ils se rencontrent sur la Côte d'Azur alors que tous deux sont engagés. Mais la cour de Maurice est irrésistible : cultivé, riche, romantique, fou amoureux, il signe très vite des lettres qui révèlent un talent épistolaire. Colette succombe en quarante-huit heures. Maurice la gâte, lui offre son nouveau paradis d'écriture près de Saint-Tropez, village alors perdu et plein de charme. À la Treille muscate, telle une adolescente découvrant la passion, Colette dépérit souvent, entre deux lettres-fleuves, dès que Maurice est à Paris pour affaires. Quand elle le rejoint, elle vit confortablement près du Palais-Royal, rue de Beaujolais, ou au Claridge, sur les Champs-Élysées, où ils occupent deux chambres distinctes afin qu'elle jouisse d'un havre d'écriture. Elle y dispose d'un coiffeur, d'une secrétaire et profite d'un luxe qui lui permet de se consacrer uniquement à son œuvre. C'est à cette époque faste que Colette achète la chartreuse de concours qui sera immortalisée dans *La Chatte* (1933). Le couple voyage, en Espagne, en Allemagne, sur la Côte d'Azur, et Maurice investit dans une maison à Montfort-l'Amaury, plus commode pour les weekends. Lorsque son bienfaiteur fait faillite après une crise de la perle, Colette pourvoit un temps aux besoins du ménage, grâce à ses livres, mais aussi à des sous-titrages de films et à des critiques de théâtre. Sa fille, toujours résidente en Corrèze, vole désormais de ses propres ailes, assistante de Marc Allégret, puis de Max Ophüls. C'est une Colette comblée qui épouse Maurice en 1935, après dix ans de liaison, et part en voyage de noces à New York, telle une jeune mariée. Elle s'étonne qu'on l'y fête, et ne prendra conscience de sa notoriété hexagonale qu'avec son entrée à l'Académie des Goncourt, en 1945. Maurice supporte son rythme, entre soirées mondaines et moments de réclusion consacrés à l'écriture. Elle lui en sait gré, elle est heureuse. Mais la Seconde Guerre mondiale vient faucher ce bonheur.

Le pire et le meilleur

Colette a toujours cru Maurice protégé, en dépit de sa judéité, par ses relations haut placées et son mariage avec une catholique. Après deux ans à vivre ici et là dans la moitié sud du pays, tous deux s'autorisent à rejoindre la capitale, où Colette compte des amis chers : Cocteau, Jean Marais, François Mauriac. Maurice, prudent, sort peu. Mais, en 1942, on vient l'arrêter à leur domicile. Colette vit dans l'angoisse. L'activation de ses réseaux n'aboutit à aucun résultat, si ce n'est en échange d'une collaboration avec l'occupant. « Nous préférons mourir ! » refuse-t-elle tout net, d'un « nous » qu'elle sait cautionné par son époux captif. Grâce à l'entremise d'ambassadeurs lettrés, admirateurs de Colette, Maurice revient finalement après deux mois de terreur, amaigri et choqué. Contraint au port de l'étoile jaune, il se réfugie chez des amis tropéziens, la Treille muscate ayant été vendue au moment de sa déroute financière. Colette, qui reste parisienne, et lui s'écrivent tous les jours, se retrouvent secrètement pour Noël, amoureux plus que jamais.

Dans une France libérée et euphorique où tous deux récoltent les honneurs, Colette est heureuse. Comme mère, car sa fille est désormais maire de Curemonte, son village corrézien, où elle vit au milieu d'innombrables animaux, et comme écrivain, puisqu'elle est élue à l'unanimité à l'Académie Goncourt en 1945 et devient une vedette nationale. En 1948, l'année de ses 75 ans, la presse la couvre d'éloges, tandis qu'un Truman Capote assure avoir beaucoup appris sur le vice auprès de cette vieille dame indigne lors d'une de leurs rencontres ! Colette sait dénicher les talents, celui de Jean Marais qui triomphe dans *Chéri*, ou d'Audrey Hepburn qu'elle choisit pour l'adaptation américaine de *Gigi* (paru en 1944). Soignée avec tendresse par Maurice et sa gouvernante indéfectible, Pauline, elle ne se plaint pas de son arthrite avant sa dernière année, quand la maladie gagne ses mains, constatant : «Je suis un écrivain qui ne peut plus écrire.» Pour la première de l'adaptation cinématographique du *Blé en herbe* par Claude Autant-Lara, Colette se déplace, mais Maurice a fait enregistrer son discours ; elle n'a plus la force de s'exprimer en public. À partir de juin 1954, Colette ne quitte plus son lit, même si, goûtant la vie jusqu'au bout, il lui arrive encore d'y boire du champagne. Au soir du 3 août, elle s'endort pour ne plus se réveiller. La France entière portera son deuil, mais on ne lui accordera qu'un enterrement civil (elle a divorcé deux fois). Peu importe, Colette préféra une vie heureuse à un enterrement convenable.

La vocation à la jouissance

par Serge Hefez*

Recevoir le monde

Colette est absorbée par le monde qui l'entoure, occupée à être, dans une totale réceptivité aux êtres et aux choses. Cette façon d'accueillir la réalité évoque l'attention de l'analyste : une attitude d'éveil intérieur permanent qu'on pourrait baptiser *ne uter*, « ni l'un ni l'autre » : ni oui ni non, ni moi ni autrui, ni masculin ni féminin, mais aussi l'un et l'autre, vie et mort, activité et passivité, les deux dimensions confondues et séparées, harmonieusement enlacées.

Colette est l'illustration du *first being* de Winnicott. Ce pédiatre anglais, précurseur de l'application aux enfants des leçons de la psychanalyse, insistait beaucoup sur cette aptitude innée de l'esprit qui fonde notre vie psychique : une présence au monde, une sensation d'être, et rien d'autre, à la base de la découverte de soi et du sentiment d'exister. De cette réceptivité naît la capacité de développer une intériorité, d'être un contenant, d'introjecter le monde extérieur dans un mouvement d'avalement, d'invagination, de pénétration. Ce mouvement informe la matière psychique, transforme sa trame, sa texture, sa

* Serge Hefez, psychiatre et psychanalyste, est responsable de l'unité de thérapie familiale dans le service de psychiatrie de l'enfant et de l'adolescent à l'hôpital de la Pitié-Salpêtrière, à Paris. Il est l'auteur de *La Danse du couple* (Paris, Hachette, coll. « Pluriel », 2005), *Quand la famille s'emmêle* (Paris, Hachette Littératures, 2004) et *Dans le cœur des hommes* (Paris, Hachette Littératures, 2007).

densité. Colette a su garder cet émerveillement du nourrisson qui découvre le monde.

La bonne santé psychique pourrait se résumer à cette position dans l'existence : renouer avec une certaine animalité, ne pas penser mais être, ne pas théoriser mais ressentir. Quand Colette écrit, elle nous transmet exactement cette leçon de vie : héberger en soi, très sensuellement, la jouissance de toutes les perceptions et le plaisir de se sentir vivant. Colette n'est pas comme ces écrivains chez qui on perçoit, et on lit, une césure entre les mots et le corps. Chez elle, il y a continuité. En cela, elle est de ceux qui, comme Proust, partent de la sensation pour dire le monde, et pour sonder les mystères de l'inconscient. Mais, contrairement à Proust, Colette est un corps pensant et non une pensée qui s'origine dans le corps. Toute son œuvre découle de sa façon d'appréhender le monde, de se l'approprier et même de le préempter : elle se remplit de sensations, son corps vibre au fil des saisons, elle se gave du contact des plantes et des animaux, de tout ce qui frémit, prospère, est riche en sève et en sang chaud, pour nous le rendre en mots.

Cette vampirisation créatrice implique une forte attention à soi. Si dans toute son œuvre Colette se met en situation, se contemple dans le miroir d'une autocélébration parfois complaisante, elle se sert d'elle-même comme d'une caisse de résonance aux mouvements du monde pour nous les restituer, mais ne se noie pas dans sa propre image. Entre la vie et sa célébration, il y a toujours l'écart de l'écriture.

Elle fut certainement égoïste (« Une vraie vache, oui ! » disait tendrement d'elle Carco, un de ses meilleurs amis), mais elle demeura bien différente de ces vedettes dont l'appétit de regards est une fin et non un moyen. Les stars remplissent un tonneau des Danaïdes, mais abîmées dans leur image, trop préoccupées d'elles-mêmes, elles sombrent souvent dans le désespoir, dans le vide.

Colette aurait pu, compte tenu de ses dispositions de jouisseuse, se contenter de paresser sur un canapé en caressant distraitement ses chats, allant de spectacle en mondanité, de maîtresse en amant, mais elle s'astreint à écrire, et ne cache pas qu'elle doit se faire violence pour suivre cette discipline et se mettre chaque jour à sa table de travail. «L'Art, c'est le mensonge, et c'est parce que je mens que mes livres existent[1].» Par ce travail quotidien, qui n'est pas tant un mensonge qu'une transmutation, elle sait qu'elle trouvera le salut. Elle quitte la jouissance du corps à corps avec les choses pour entrer dans le bonheur de dire et de transmettre. L'écriture est son combat, un défi à remporter sur sa nature indolente, doublé du défi propre à tout écrivain d'ajuster le mot à la chose, le verbe à l'émotion. Ce qui lui a évité l'ordinaire destin d'une bourgeoise de l'époque, c'est son travail de retranscription du monde, agissant sur son lecteur à la façon dont un psychanalyste agit sur son patient : elle cherche à délivrer le mot juste qui va bouleverser le corps, qui va s'incarner pour enrichir la pensée. Par le biais de cette transmission sensuelle, son empathie avec l'univers est telle qu'elle en devient empathie avec le lecteur. Pour elle la chair se fait verbe, en sorte que pour l'autre le verbe se fait chair. Ils sont peu d'auteurs à avoir écrit ainsi, gouvernés par l'éprouvé et non par la pensée. Cette prouesse résulte de deux phases clés de son existence : une enfance dédiée au corps, et un mariage malheureux qui, paradoxalement, fut sans doute la chance de sa vie.

Une enfance édénique

Colette a dépeint une enfance dont le souvenir et l'empreinte ne l'ont jamais quittée, une vie au jardin d'Éden, avec une mère mythifiée au point qu'elle en a fait un personnage de roman.

---

1. Interview parue dans la revue *Sur la Riviera* en 1931 ; cité par Michel del Castillo, in *Colette : une certaine France*, Paris, Stock, 1999.

Sido est une Mère avec un grand M. Il règne une forte incestualité entre Colette et les siens, avec sa mère, mais aussi avec ses frères, qui lui servent indirectement, et plus ou moins sciemment, d'initiateurs aux « choses de la vie », que ce soit en lui prêtant des ouvrages érotiques ou en l'associant à leurs sorties. Avec sa mère, Colette est dans un corps à corps permanent, au point de former une sorte de couple fusionnel, de monstre à deux têtes, la fille étant implicitement chargée d'accomplir le destin fantasmé de la mère. Bien des filles ne se remettent jamais du ravage de cette emprise, et, nourrissant à perpétuité l'insatisfaction maternelle, elles finissent par abandonner toute velléité d'autonomie. Mais la réussite par procuration de Colette n'est pas malsaine, car Sido n'a pas vécu sa vie comme un échec, mais comme un choix, sans frustration. Elle a choisi de cantonner ses travaux intellectuels au rang de loisirs parce qu'elle a rencontré le grand amour et préféré sa seconde vie conjugale, gagnée « par miracle », aux gloires parisiennes. Elle a programmé à accomplir un destin d'exception la seule de ses filles qui lui semble susceptible de mener à bien la mission. Juliette, « l'agréable laide aux yeux tibétains », a souffert très jeune de troubles psychologiques et n'était pas l'enfant de l'amour que fut Colette, issue du second mariage. Sido a donné à Colette les moyens de devenir une femme forte, une femme de lettres (et de l'être !).

Mère et fille n'ont jamais été dans une relation fusionnelle destructrice parce qu'elles ont toutes les deux cultivé leurs personnalités. Colette, enfant de l'amour et de la subversion (le mari de Sido a d'abord été son amant), est dotée dès l'origine de la capacité à éprouver du plaisir, et à savoir le dire. Le prolongement de la mère dans la fille se lit symboliquement dans cette grossesse tardive de Colette quand Sido meurt : la maternité se prolonge, la vie continue.

Colette a bénéficié d'une liberté de pensée rare pour l'époque, avec des parents qui se sont affranchis du regard des autres, se sont cultivés hors des castes, et ont eu à cœur de laisser leur fille devenir une femme atypique. Sido avait triomphé de son temps en réussissant à épouser l'homme qu'elle aimait, en refaisant sa vie, chose courante aujourd'hui, mais pas au XIXe siècle ! Elle n'était pas de ces mères castratrices ou débilitantes pour qui l'amour implique une appropriation des âmes parce qu'elle aimait ailleurs, et pas seulement un homme. Sido était elle-même très occupée par sa personne, à la façon décrite chez Colette, c'est-à-dire dans un mouvement vers le monde. Sa passion insatiable pour l'observation de la nature lui faisait vivre des émotions insaisissables et palpitantes, qui la détournaient d'un amour exclusif pour ses enfants. En témoigne cette missive de Sido au second mari de Colette, Henry de Jouvenel : « Monsieur, vous me demandez de venir passer une huitaine de jours chez vous, c'est-à-dire auprès de ma fille que j'adore. Vous qui vivez auprès d'elle, vous savez combien je la vois rarement, combien sa présence m'enchante, et je suis touchée que vous m'invitiez à venir la voir. Pourtant, je n'accepterai pas votre aimable invitation, du moins pas maintenant. Voici pourquoi : mon cactus rose va probablement refleurir... »

À réception, Colette s'écrie : « Puissé-je n'oublier jamais que je suis la fille d'une telle femme qui penchait, tremblante, toutes ses rides éblouies entre les sabres d'un cactus sur une promesse de fleur, une telle femme qui ne cessa elle-même d'éclore, infatigablement, pendant trois quarts de siècle... » *(La Naissance du jour)*.

Tout en les aimant passionnément, Sido a poussé ses enfants vers la vie. Elle leur a montré jour après jour l'intérêt de prendre son destin en main. L'éclosion des fleurs de cactus, la célébration du vivant cohabitent étroitement avec la célébration de la pensée et du savoir. Les livres circulent librement, la culture se mêle à la nature, et Colette a ainsi été dotée d'un bon sens paysan fondé sur l'observation, et des capacités de retranscription de cette expérience.

Un sujet en mouvement

Le mariage de Colette avec Willy a sans doute été la grande leçon de son existence. S'il avait été moins goujat et prédateur, jusqu'à lui ponctionner la sève de sa vie, l'écriture, elle n'aurait pas été contrainte de combattre pour devenir sujet de sa destinée.

Après son divorce, spoliée, dépossédée de ses premières œuvres, elle se bat pour récupérer ses droits sur ses livres. Si elle est triste et amère, elle ne se cantonne pas dans le ressentiment. L'état infantile de dépendance dans lequel la maintenait Willy, une transition vers l'âge adulte, ne relevait pas du hasard après la jeunesse extrêmement protégée qu'elle avait connue : Colette a quitté le confortable cocon maternel pour ce qu'elle croyait se révéler un cocon conjugal. Que Willy l'y ait traitée en pantin qu'on manipule pour écrire et qu'on sort dans le monde pour l'exhiber a été la raison du remarquable sursaut et le moteur d'une nouvelle vie. Colette accepte les années matériellement difficiles comme le prix de sa liberté et se venge en redoublant de jouissance, entre sorties et exhibitionnisme sur scène, dans l'excès de ceux qui ont été enchaînés, dé-chaînée au sens propre. Elle est comme une prisonnière qu'on libérerait de sa cellule : avide de lumière, elle choisit celles du music-hall. Pourquoi pas ? Quel meilleur moyen d'être reconnue que par le biais de cette surexposition de soi ? Colette n'a pas l'esprit victimaire et sait que l'on ne trouve le salut que dans le mouvement, l'action. Dévouée au bonheur à tout prix, elle ne laisse jamais passer une expérience sans en tirer une leçon, ce qui la pousse en avant, un peu plus heureuse, un peu plus au point dans la réalisation de son idéal d'une existence épanouie. Contrairement à ses contemporains, marqués par une morale judéo-chrétienne qui considère la vie comme un fardeau, comme une lutte entre le bien et le mal, Colette a identifié le « bien pour elle » et trace son chemin sans s'attarder sur des considérations qui la dépassent. Cette attitude explique qu'elle soit restée assez insensible aux combats collectifs, peu active pendant la guerre, si ce n'est pour sauver son mari, et féministe seulement dans sa propre vie, non au bénéfice des autres. L'exemple ne vaut-il pas autant que la théorie ? Dans cette mesure, elle est une anti-Simone de Beauvoir. La philosophe estime que, pour penser la femme, il faut renoncer à l'incarner, tourner le dos à la séduction et à la maternité. Simone de Beauvoir prône l'émancipation des mœurs quand Colette prône l'émancipation de la jouissance. Chez l'auteur des *Claudine*, la pensée s'enracinant dans le corps, dépasser la triste condition féminine de l'époque exige au contraire d'affirmer sa féminité, jusqu'à l'excès, même, en assumant sa nudité sur scène. C'est en s'appropriant son corps que Colette s'affranchit du joug masculin, en devenant femme objet de regards multiples qu'elle tourne le dos à Willy et devient sujet. Elle y gagne en outre une indépendance économique qui lui est chère. Sa force terrienne, son fort ancrage dans la réalité lui permettent toutes les audaces sans courir le risque de s'y perdre. Les divorces, les guerres, Colette y survit sans trop de dégâts parce que l'essentiel, son animalité, sa capacité de jouissance et, dans une certaine mesure, son égoïsme sont imputrescibles. À force d'être en mouvement, en apprentissage permanent, elle a fini sa vie dans les bras de l'homme qu'il lui fallait, qui n'était pas un rival, qui ne pouvait pas l'utiliser et qui s'est montré jusqu'au bout d'une dévotion totale.

Une drôle d'aimante

À l'image du bébé qui reçoit le monde en « transcodant » ses perceptions, Colette passe d'un registre de sensation à l'autre, de l'odorat à la vue, de l'audition au toucher, du goût à la parole – « Que j'ai du goût ! » s'exclamait-elle quand elle était contente, une expression qui revient souvent sous sa plume, notamment dans les *Claudine*. C'est à partir de la sensation qu'elle met des mots sur son lien à autrui, de la même manière que le bébé voit « maman » là où il y a le lait et l'apaisement de la faim, l'arrivée de la couverture et l'apaisement du froid. La peur du manque crée chez l'enfant la représentation de la mère, celle qui comble et efface l'angoisse. Or Colette n'a jamais tout à fait vaincu cette peur. On se trompe en effet si l'on s'imagine que cette poétesse du bonheur de vivre était inaccessible à la souffrance. Colette, dans la nostalgie de l'état fusionnel avec sa propre mère, se goinfre, de nourriture, d'amour, de lectures… le pourvoyeur étant indifférent ou du moins très mouvant. Ce manque fondamental, elle le connaît parfaitement et cherche à l'apprivoiser. « Je crois d'ailleurs que c'est parce que je passe mon temps à faire des choses que je regrette, que je les sens si vivement et que je les écris d'une manière un peu personnelle. Les gens parfaitement contents, parfaitement équilibrés ne font pas de bonne littérature, hélas [2] », confie-t-elle à Missy, son amante et sa mécène.

La boulimie alimentaire de Colette est le symptôme même de son angoisse fondamentale, négatif de l'écriture qui la soulage plus durablement. Être dans la création, c'est par définition puiser dans cette angoisse, au-delà du plaisir qu'on peut prendre à cet acte. Sans angoisse créatrice, on ne s'emploie pas à « faire » mais uniquement à « être ».

Du reste, la fêlure de Colette disparaît vite dans le tourbillon de son existence. Absorbée par son propre bien-être, se remplissant du monde, elle a certes dû se montrer parfois difficile à vivre pour ses proches. Mais si nul ne s'en plaignait, il faut croire que le spectacle réjouissant de sa gourmandise de la vie insufflait du bonheur, un élan vital à ceux qui l'entouraient.

Colette a suscité l'amour, aimanté les amis et éveillé de grandes passions, notamment celle du fils de son propre mari, Bertrand de Jouvenel, âgé de 17 ans, alors qu'elle avait plus de 50 ans et

2. Collection Michel Remy-Bieth ; cité par Michel del Castillo, *ibid.*

qu'elle pesait quatre-vingts kilos ! N'a-t-elle pas elle-même baigné dans un bain d'incestualité au-delà des codes moraux généralement admis ? En entretenant une liaison avec ce jeune homme, elle cherche la sève, comme elle l'a toujours fait. Quand, jeune, elle porte son dévolu sur des hommes plus âgés qu'elle, c'est pour la même raison, parce qu'ils sont davantage du côté de la vie. Il est vraisemblable que, pour sa part, Bertrand de Jouvenel choisit aussi la vie en elle, Colette étant plus vivante que bien des femmes plus jeunes. À 50 ans, elle a gardé l'émerveillement des enfants, et le vert paradis des amours enfantines est demeuré son royaume.

C'est sa force vitale et sa capacité de jouissance qui fascinent les autres, plus que ce qu'elle leur donne, et plus qu'une beauté qui lui manque tout à fait à la fin de sa vie. Aimant tout le monde et toute chose, Colette séduit en étant le reflet du vivant. Mais on pourrait aussi dire qu'elle n'aime rien ni personne. Son amour est intransitif, et sa vie une lettre d'amour dont le destinataire n'est personne en particulier, pas même une enfant bien-aimée, pas même sa fille[3]. Elle est une femme, gourmande de plaisirs sexuels, en perpétuelle évasion du joug de la relation amoureuse – l'expérience Willy lui a suffi ! – et dans un arrachement permanent à la vie de couple, hétéro- ou homosexuel. Elle aime un chat, un homme, père ou fils, une femme, un enfant, sa mère, la vie tout court, captivant l'autre tant est manifeste sa capacité d'aimer. Profondément laïque, voire païenne – d'un « paganisme géorgique », écrit Thierry Maulnier[4], l'amour est sa seule transcendance et elle lui confère une dimension mystique.

Mais elle vit dans une telle boulimie du monde que l'autre peut peiner à se sentir identifié, individualisé. On peut en particulier penser au sort de sa fille, dont elle ne s'est pas beaucoup occupée, sinon à distance. Certes, sa propre mère, Sido, était une

---

3. On lira à ce propos le passionnant essai de Julia Kristeva, *Le Génie féminin*, t. III : *Colette*, Paris, Fayard, 2002.
4. Thierry Maulnier, *Introduction à Colette*, Paris, La Palme, 1954.

femme également habitée par l'appétit du monde extérieur. Elle a pourtant offert à ses enfants cette vie familiale solidement structurée, dans la nostalgie de laquelle ils ont tous vécu. Colette a gardé tout au long de son existence une façon infantile de goûter le monde, et être sa fille fut sans doute moins simple qu'on peut le croire. Enfant quasiment abandonnée par des parents déchirés par la passion, Colette de Jouvenel a possédé tous les talents, mais n'en a exploité aucun. Tout ce qu'elle entreprenait, à commencer par aimer et haïr, sa mère l'avait déjà accompli, et mieux qu'elle-même ne l'accomplirait jamais.

La vie androgyne

« Je vise le véridique hermaphrodisme mental, qui charge certains êtres fortement organisés » *(Le Pur et l'Impur).*

Toute la vie, toute l'écriture de Colette sont un culte à la bisexualité psychique, à ces marques des identifications inconscientes qui nous impressionnent et nous font incorporer des éléments masculins et féminins des figures qui nous environnent. Au gré de ses pratiques mystiques, Shiva remplace Shakti, un dieu une déesse, un phallus une vulve. Dans les mythologies indiennes, les divinités se transforment à volonté et en permanence. L'être accompli est celui qui a su faire cohabiter pacifiquement sa part masculine et sa part féminine. Colette est instinctivement plus proche de ces philosophies du vivant qu'elle n'est imprégnée par les carcans et les idéaux de la morale chrétienne de son pays.

Toute la psychanalyse s'articule autour de l'expérience de la sexuation, qui est avant tout une section, une rupture intérieure d'avec l'autre sexe, un deuil primordial du masculin ou du féminin. Colette sera toute sa vie dans le déni de ce deuil, de cette castration que constitue l'abandon de l'autre sexe en soi. Elle est dans une quête mystique qu'on peut rapprocher du tantrisme, pour lequel une personne ne peut accéder à sa globalité, être délivrée, qu'en dissolvant son identité de genre dans une certaine forme de bisexualité psychique.

Colette veut faire l'expérience de la masculinité *et* de la féminité, recréer une androgynie primordiale, faire exulter le corps au travers de cette expérience du «deux en un». Lorsque l'acte sexuel se déroule au niveau du corps unifié, chaque pore de la peau peut s'invaginer dans la jouissance. Certains y verront une régression, un «déni de la castration». Ne peut-on pas y voir plutôt un signe d'épanouissement? Aujourd'hui, l'effacement de la différence des sexes fait peur à certains qui exhortent hommes et femmes à cultiver les dissemblances pour éviter la confusion.

La fusion avec la Mère s'est prolongée chez Colette dans le culte des corps, la symbiose avec les femmes et les hommes, les bêtes et les plantes. Colette traque le masculin dans la femme, le féminin dans l'homme et l'animalité dans les deux. Elle transsexualise les êtres par la magie de sa plume. Ainsi, dans *La Fin de Chéri*: «Pourvue de patience et souvent subtile, Edmée ne prenait pas garde que l'appétit féminin de posséder tend à émasculer toute vivante conquête et peut réduire un mâle magnifique et inférieur à l'emploi de courtisane.»

Tout comme Sido appelait sa fille «Minet chéri», Colette appelle Henry de Jouvenel, son deuxième mari, «la Sultane» et baptise sa fille «Bel Gazou». Elle exalte la virilité des femmes et débusque l'intimité sensitive des hommes, diffusant une excitation érotique par une sorte de perversité polymorphe qui est celle des jeunes enfants que la morale n'a pas encore dressés: tous les objets du monde sont source de frustration ou de satisfaction.

Il ne s'agit pas là d'une confusion des sexes, mais d'une intégration de l'un et de l'autre qui enrichit l'existence, illustrant l'alliance de notre part masculine et de notre part féminine, une grande leçon pour nous qui sommes aujourd'hui dans l'interrogation permanente sur l'essence du féminin et du masculin. Toute son œuvre transmet cette exigence d'esthétique et d'harmonie, cet éblouissement des formes.

Virginia Woolf (1882-1941) :
le bonheur contrarié

C'est l'image de la tristesse qu'on associe à Virginia Woolf, figée en des postures mélancoliques par des photos presque plus familières au grand public que son œuvre elle-même, et assurément davantage que son existence. Or Virginia Woolf aimait le bonheur, la vie, les mondanités et la légèreté. Éprise de liberté, elle lutta pour s'affranchir des contraintes qui pesaient sur la femme à l'ère victorienne. Au lieu de devenir une épouse dévouée à son foyer, elle jeta son dévolu sur un intellectuel qui comprendrait son sacerdoce, l'écriture. Le couple n'eut pas d'enfant, mais Virginia donna sa chair et son âme à onze romans, un essai, une pièce de théâtre et des centaines d'articles. Sa vie, communautaire avant l'heure au sein du groupe de Bloomsbury, une bande d'intellectuels iconoclastes, la faisait parfois échapper à ses démons (hallucinations, cauchemars, insomnies, anorexie) et, le 28 mars 1941, elle écrivait dans sa lettre d'adieu à Leonard, son mari : « Tu m'as donné le plus grand bonheur possible. Tu as été en tout point le meilleur des hommes [...]. Je ne pense pas que deux personnes aient pu être plus heureuses que nous l'avons été. » Alors pourquoi, l'encre à peine sèche, aller se jeter dans une rivière et mourir au faîte de sa gloire, à 59 ans à peine ? Virginia ne souhaita jamais recourir à la psychanalyse, alors que la Hogarth Press, sa maison d'édition, avait lancé la collection « Bibliothèque de psychanalyse ». Dans son *Journal*, l'écrivain avouait redouter qu'une thérapie n'annihile son inspiration et acceptait ce qui lui semblait le prix du talent, une forme de folie. Elle avait échappé à sa principale hantise, devenir «l'ange du foyer», la femme soumise : «Ce fut un cas de légitime défense : c'était elle ou moi – ou l'écrivain en moi.» À l'ange elle préféra les démons. Ils l'engloutirent.

Un début de vie meurtri : 22, Hyde Park

Virginia Woolf naît à Londres, dans une belle maison sombre réglée par les usages de la bonne société, au 22, Hyde Park, dans le quartier huppé de Kensington. Sa mère, Julia, est une femme cultivée, veuve et jeune encore quand elle tombe amoureuse du futur père de Virginia, Leslie Stephen, son voisin, un écrivain beaucoup plus âgé qu'elle. Déjà mère de trois enfants, Stella, George et Gerald, aînés de Virginia d'une petite dizaine d'années, elle épouse Leslie, père d'une fille unique internée, et de ce fait peu enclin à supporter les égarements ultérieurs de Virginia. De ces secondes noces naîtront quatre enfants : Vanessa, en 1879 ; Thoby, en 1880 ; Virginia, en 1882 ; puis Adrian, en 1884, avec qui elle aura moins d'affinités. Leslie Stephen se révèle acariâtre, toujours cloîtré dans son bureau à s'éreinter sur le *Dictionnaire biographique national*, immense entreprise qui ne lui laissera jamais le temps de prendre soin des siens ni de les écouter. À en croire Virginia, il n'est d'ailleurs pas certain qu'il en aurait eu le cœur sans œuvre à réaliser. L'atmosphère de la maisonnée doit toute sa douceur à Julia, qui se partage entre l'éducation des enfants, la tenue de la maison et les nombreux dîners qui voient défiler les penseurs et artistes conservateurs reconnus de l'époque, dont Henry James. Ce dernier restera proche de Virginia et considérera d'un œil sévère la mouvance d'intellectuels bohèmes de Bloomsbury.

L'aventure intellectuelle des Stephen n'empêche pas le traditionalisme qui bride les corps et les cerveaux des enfants dans un carcan de convenances, les filles surtout, dressées à paraître plus qu'à exister, non scolarisées et guère instruites. L'unique royaume de liberté, relative, est Saint Ives, la maison des week-ends et des vacances, plantée face à la mer, en Cornouailles. Virginia montre très bien dans son *Journal*, et dans ses romans ponctués d'hymnes à la nature, le rôle apaisant que joua dans sa vie la campagne, et plus encore la mer (*La Promenade au phare*, 1927 ; *Les Vagues*, 1931), image du vivace toujours renouvelé, vrai rempart contre l'inquiétude. Elle découvre un horizon bienfaisant en participant à une sorte de quotidien domestique, chronique rédigée par la fratrie à l'attention des parents qui se dérident brièvement à la lecture de la feuille humoristique. Virginia en gardera un regard inquiet et scrutateur sur son public et la critique, au point de sombrer dans la dépression à chaque nouvelle parution de roman. Elle se construit comme elle peut, sans regard parental véritablement bienveillant puisque celui de sa mère, le plus affectueux, vient à manquer dès ses 13 ans. La mort de Julia d'une mauvaise grippe, en 1895, sous les yeux d'un époux dépassé et infantile, plonge la jeune fille dans une détresse d'autant plus indicible que Leslie Stephen s'enferme plus que jamais entre les trois cent soixante-dix-huit entrées de son dictionnaire. Il ne sera jamais payé de reconnaissance à hauteur de son œuvre, et on a pu dire que Virginia cherchera à corriger cette injustice par sa propre quête. Elle restera surtout marquée par ce couple pathologique.

Virginia accusera toute sa vie son père d'avoir tué sa mère par sa tyrannie mêlée à l'indifférence, comme elle en voudra à sa mère de s'être montrée si docile. Ses attaques contre la société victorienne (notamment dans *Les Années*, 1937) sonnent comme un reproche à Julia de l'avoir abandonnée, à Leslie de les avoir tous meurtris. Longtemps Virginia semble occulter le souvenir de sa mère, mais elle garde la mémoire vive du marbre froid de la mort, son père l'ayant forcée à embrasser le cadavre. C'est en plein deuil qu'elle est victime de ses premières hallucinations auditives : la nuit, elle entend sa mère lui parler. Alors que Virginia affirme ne garder que des souvenirs flous de la défunte, Vanessa, la sœur bien-aimée, restera stupéfaite devant la précision du portrait qu'elle en livrera dans *Une esquisse du passé* (1939) : « Tu l'as ressuscitée ! » Plus troublant encore, parmi les femmes dont Virginia s'éprendra plus tard follement, souvent plus âgées qu'elle, Vita Sackville-West aura un visage d'une ressemblance troublante avec celui de sa mère.

La mère disparue, Stella, la sœur aînée, qui tente de pallier le manque affectif de ses cadets, subit à son tour l'autoritarisme paternel. Deux ans plus tard, elle se marie, et rentre précipitamment de son voyage de noces en Italie où elle est tombée malade : elle décède d'une péritonite aiguë. Virginia, 15 ans, s'effondre, au point que Vanessa, la nouvelle maîtresse de maison, craint pour sa santé mentale. Virginia portera à cette sœur, substitut maternel et tuteur mental, un amour qu'on a pu qualifier d'incestueux. Elle lui confiera plus tard l'illustration des livres au sein de la Hogarth Press. C'est Violet Dickinson, une femme de lettres et amie de la famille, au physique monumental et réconfortant, qui comprend que l'équilibre de Virginia passe par le chemin de la lecture et de l'écriture. L'adolescente, privée d'instruction au nom de principes éducatifs comme pour des raisons financières, profite des enseignements de Thoby, le frère adoré, étudiant à Cambridge parmi les esprits les plus brillants et les plus libéraux. Il est plein d'affection pour sa curieuse petite sœur, étrange autant que gourmande : elle lit tout ce qui lui tombe sous la main, les Grecs, les grands tragiques français, mais aussi Flaubert et les nouveaux talents. Elle développe vite un esprit fin et critique grâce à la très complète bibliothèque paternelle. Mais aucun refuge ne sera suffisamment puissant pour l'extraire du cauchemar que lui font vivre, à elle comme à Vanessa, Gerald et George, coupables d'abus sexuels – et pour George peut-être même de viol – sur leurs demi-sœurs.

Dans *22 Hyde Park Gate*, un texte autobiographique publié une vingtaine d'années plus tard, Virginia jette un voile pudique sur la nature exacte des relations que lui imposa ce «rustre dépourvu de cerveau». Sur ce point plus encore que sur les autres, le silence, en famille, est de mise – *« Never explain, never complain* [5] *»* est la devise qui régit la bonne société anglaise de l'époque. De nombreux biographes ont invoqué cet inceste pour expliquer les crises de terreur de Virginia, ses visions de «monstres velus» et autres créatures diaboliques, ainsi que son peu d'appétence pour l'hétérosexualité. Surexposée précocement au malheur, livrée adolescente aux pires outrages, Virginia resta cette petite fille terrifiée, incapable de risque sentimental dans son aventure sociale de femme écrivain. Alors que Virginia a 23 ans, Leslie disparaît à son tour, emportant avec lui l'âme intellectuelle et mondaine du 22, Hyde Park. Les visites qu'il recevait éveillaient Virginia, mais l'emprise de Leslie Stephen était telle que sa mort est une libération, au point que Virginia écrira des années plus tard : «Quelle horreur, s'il avait vécu, je n'aurais jamais écrit.»

La bande de Bloomsbury

Virginia et Vanessa, libérées du père comme des demi-frères abusifs désormais mariés, s'installent à Bloomsbury, quartier londonien où vivent nombre des brillants étudiants amis de Thoby, non-conformistes ayant à cœur d'assouplir les règles de la société comme de bousculer celles de l'art. La maison devient leur lieu de réunion et le lieu de naissance de ce qui restera dans l'Histoire sous le nom de «groupe de Bloomsbury». Parmi eux on compte le psychanalyste James Strachey, son frère Lytton, écrivain et critique, l'économiste John Maynard Keynes, le romancier Morgan Forster, le peintre Roger Fry… et, bien

5. «Ne jamais expliquer, ne jamais se plaindre. »

entendu, le trio Stephen – Thoby, Vanessa et Virginia. On abolit la cérémonie du thé, on garde deux domestiques pour mieux tenir table ouverte, on refait le monde jusqu'au bout de la nuit, on parle philosophie, politique, littérature – sexualité aussi. La plupart des amis du beau Thoby sont homosexuels. Virginia, hôtesse drôle et pleine d'esprit, apprécie leur compagnie singulière et profite de la cour qu'on lui fait, sans enjeu érotique. Mais à l'automne 1906 le sort frappe à nouveau, plus durement que jamais : âgé de 26 ans, Thoby, le frère modèle idolâtré, meurt d'une fièvre typhoïde contractée en Grèce. Un an plus tard, Virginia doit faire face à ce qu'elle vit comme l'ultime trahison : le mariage de sa sœur à l'écrivain Clive Bell, l'un des fidèles de la maison.

Les deux sœurs entretiendront durant toutes les années à venir une relation ambiguë. Malgré leur proximité affective et intellectuelle, Virginia a développé à l'égard de son aînée un sentiment d'infériorité teinté de jalousie et nourri de complexes : on a toujours courtisé sa sœur avant elle (à commencer par son futur mari), ou bien joué à séduire Virginia avant de jeter son dévolu sur Vanessa (Clive Bell le premier). L'horrible George, dès leur adolescence, avait perçu cette rivalité et n'avait pas manqué d'en jouer, exhortant Virginia à plus de docilité que l'« ingrate » Vanessa. La vie se charge d'enfoncer le clou : Vanessa se marie, Virginia n'en éprouve nul désir ; Vanessa réussit dans la peinture, Virginia écrit chaque jour son *Journal* mais va peiner neuf ans sur son premier roman (*La Traversée des apparences*, enfin paru en 1915) ; Vanessa devient rapidement maman, Virginia jamais ; Vanessa prendra des amants, sous l'œil complaisant de son époux lui-même plus ou moins homosexuel, tandis que Virginia bridera ses amours saphiques sous le regard sévère du sien. La vie par procuration de Virginia la poussera même à écrire un essai biographique en hommage à un amant de sa sœur, Roger Fry, peintre de Bloomsbury, décédé en 1940. Aucune inimitié entre les deux sœurs, mais plutôt une envie muette de Virginia devant l'insouciance de Vanessa et son aptitude au bonheur. La sœur aînée jouit de la vie quand la cadette lutte contre la mort, sa peur, sa menace ou son appel. Des deux lettres que Virginia laissa avant de se suicider, l'une était pour son mari, l'autre pour sa sœur.

Après le mariage de Vanessa, Virginia s'installe dans une maison qui anticipe l'esprit communautaire des années hippies. Chaque étage est occupé par un colocataire : son petit frère Adrian, Duncan Grant, peintre et futur amant de Vanessa, et, sous les combles, un certain Leonard Woolf, ancien ami de Thoby fraîchement rentré de Ceylan où il occupait un poste de fonctionnaire. Repas, thé et soirées se passent en commun. Virginia gagne sa vie depuis quelques années, d'une part grâce à des cours du soir dispensés à des ouvrières, début d'exploitation de sa veine féministe, d'autre part grâce à des critiques littéraires pour le *Manchester Guardian*, dont sa grande amie et substitut maternel Violet Dickinson lui a ouvert les portes. Elle officie ensuite au *Times Literary Supplement*, la revue littéraire qui fait autorité. Alors qu'elle paraît trouver un semblant d'équilibre mental, qu'elle n'est plus sujette à des voix ni à des apparitions, elle juge venu le temps de se marier. Elle décline d'abord l'offre de Lytton Strachey, homosexuel, dandy et fort laid, mais brillant esprit ; il deviendra son meilleur ami. À Leonard Woolf, le locataire des combles, elle ne cache pas sa préférence, notamment parce qu'il est hétérosexuel, mais, paradoxalement, il ne l'attire pas davantage. Prête à « faire avec », elle lui met pour ainsi dire le marché en main. Écrivain également, et conscient du génie de Virginia, Leonard sait respecter ses accès de mélancolie comme ses accès d'écriture. En 1912, Virginia l'épouse, avant de sombrer dans l'un des pires épisodes dépressifs de son existence.

Dès l'année suivante elle attente à ses jours, reste alitée des semaines durant, et subit à nouveau des hallucinations visuelles et auditives terrifiantes. Elle s'alimente avec difficulté, le moins possible, et l'anorexie restera un symptôme récurrent : lire la remplit, écrire lui coupe l'appétit, et quand elle ne fait ni l'un ni l'autre, c'est comme si son organisme, mis en veille, ne réclamait plus rien. La faculté préconise l'internement, mais Leonard refuse. Afin de ménager la jeune femme, il décide de quitter Londres pour la verte banlieue. Si tous les amis de Bloomsbury viennent volontiers leur rendre visite, Virginia pleure les fastes londoniens qui l'enivraient et lui faisaient oublier sa mélancolie endémique. L'allant émoussé par les médicaments mal adaptés et surdosés de l'époque, elle achève cependant son premier roman, publié par son demi-frère Gerald, ce qui la conforte dans l'idée que son texte n'est sans doute pas si bon que cela ! Leonard cherche des solutions, parfois surprenantes, au mal qui ronge sa femme. Persuadé que l'écriture la fatigue et aggrave son état, il rationne son accès à la feuille blanche : une heure par jour, pas davantage ! Elle affirme au contraire que la création la fait vivre et la soigne. Leonard, quant à lui, a cessé d'écrire pour devenir à plein temps l'infirmier de son épouse. Il n'est pas lui-même exempt de troubles psychologiques, souvent déprimé à défaut d'être dépressif, et agité de tremblements permanents. Des biographes l'ont longtemps accusé de s'être avant tout soigné lui-même à travers les soins prodigués à son épouse. Son meilleur rôle est celui de relecteur et, dès 1917, d'éditeur, avec le lancement de la Hogarth Press. Installée au milieu du salon, l'imprimerie devient rapidement rentable grâce aux succès de Virginia. Bénéfice secondaire : elle sert de catalyseur de rencontres. En 1919, la publication de la nouvelle « Kew Gardens » amorce le succès, et, avec *Mrs Dalloway* en 1926, la réputation d'excellence de la Hogarth aimante les meilleurs auteurs. Les Woolf ont ainsi lancé T. S. Eliot, considéré comme le plus grand poète de langue anglaise du XXe siècle, publié Gorki, Rilke, Freud et... refusé Joyce, leur seul faux pas. C'est pour alimenter leur maison d'édition qu'ils vont rencontrer des femmes de lettres qui font davantage battre le cœur de Mrs Woolf que celui de son époux.

L'écrivain Katherine Mansfield, découverte en 1917, vite agréée par le groupe de Bloomsbury, est une invitée régulière de la Hogarth House. Sa correspondance nourrie avec Virginia fait écho à leurs rencontres, parfois violentes, l'éditrice ne goûtant pas toujours pleinement le talent de l'écrivain. Ouvertement féministe, Katherine Mansfield ne se cache guère d'être lesbienne et Virginia prend plaisir à cette ambiguïté. Elle écrit dans son *Journal* ne plus savoir qui elle est sans ce miroir ami/ennemi avec lequel elle joue au chat et à la souris jusqu'à ce que Katherine meure de tuberculose en 1923, à l'âge de 35 ans. C'est sans doute ce décès prématuré qui pousse Virginia à passer à l'acte avec l'auteur non moins extraverti, et lesbienne assumée, Vita Sackville-West. Elle découvre le plaisir physique. Ses relations charnelles avec Leonard sont quasiment inexistantes, mais celui-ci fait tout pour circonscrire cette idylle, et sans doute Vita, la passionnelle, se lasse-t-elle d'une tiédeur convenue et coupable qui lui est étrangère. La vie de Vita a inspiré le roman *Orlando*, publié en 1928, dont le personnage principal change de sexe au fil des pages. En 1930, c'est un amour platonique qui prend le relais, avec Ethel Smyth, 72 ans, une femme compositeur extravagante et féministe qui conduit Virginia à militer à la London Society for Women's Service. Virginia gardera l'étiquette d'écrivain féministe pour avoir été l'une des premières à remettre en cause la prétendue supériorité masculine. Mais elle ne sera jamais allée au bout de ce qui aurait probablement fait son bonheur personnel, la vie avec une femme.

Courtisée par la meilleure presse littéraire, indépendante financièrement, et éditorialement grâce à la Hogarth Press, c'est de retour à Londres en 1922, après sept ans d'exil champêtre, d'angoisse et d'ennui, que Virginia entame sa décennie la plus sereine, faite d'amour pour Vita, puis d'autres, de succès littéraires, de rencontres stimulantes intellectuellement et de quelques sorties mondaines. C'est quand elle s'enfonçait trop profondément en elle-même, confrontée à la solitude de l'écriture de façon prolongée, qu'elle sombrait. Leonard n'avait pas tort, mais Virginia avait raison aussi : elle trouvait dans son art un ancrage à la raison, nécessaire mais non suffisant. À Londres, elle demeure cyclothymique, mais de la manière dont la vie peut y conduire, entre accents extatiques et creux de vague, épousant de trop près le réel, une des dispositions qui la fait malgré tout écrivain. L'embellie psychologique prend fin avec une nouvelle série de décès qui vont clore sa vie aussi tristement qu'elle s'était ouverte : le cher Lytton Strachey en 1932, le très proche Roger Fry ensuite, puis son neveu en 1937, en Espagne. Alors que la guerre s'annonce, Virginia, en proie à une dépression qui ne finira pas, se lance dans un récit quasi psychanalytique sur sa famille, *Esquisse du passé* (1939). Comment ne pas supposer que les tensions trop longtemps tues aient eu raison de sa santé mentale précaire ? que sa tentative de libération par cette auto-biographie interprétative eût bien lieu là, mais trop tard ?

En 1941, tandis que les demeures londoniennes des souvenirs heureux ont été réduites en cendres par les bombardements, elle se réfugie à Monk's House, la maison de campagne du Sussex. «Contre la guerre, l'écriture est vaine», constate-t-elle. Comme trahie par son «meilleur antalgique», Virginia décide que la vie n'offre plus d'issue de secours. Elle aurait sans doute aimé que nous gardions comme leçon de son histoire que personne ne pouvait la sauver, si ce n'est elle-même, par ses chers livres. Du point de vue de l'histoire de la littérature, elle le fut.

Captive de la mélancolie

par Patrick Delaroche*

L'écriture, une planche de salut

À lire les repères chronologiques de la biographie de Virginia Woolf, on ne peut qu'être frappé par le caractère implacable de la *répétition* : mort de la mère, première dépression ; mort du père, deuxième dépression ; mariage, troisième dépression ! Sur le plan psychiatrique, le fait que celles-ci s'accompagnent d'hallucinations aggrave le pronostic, mais n'empêche nullement de considérer le caractère cyclique des troubles qui inaugurent la carrière du célèbre écrivain. Entre les dépressions, en effet, surgissent des périodes d'exaltation bientôt tempérées par la difficulté d'écrire. Il paraît donc assez légitime d'évoquer Virginia Woolf comme un authentique cas de psychose maniaco-dépressive. Sur le plan psychanalytique, cette réaction à la perte, dont le mécanisme nous est connu depuis la géniale étude de Freud (*Deuil et Mélancolie*, 1915), entraîne le sujet à refuser cette perte et à s'identifier à l'objet perdu. Cette identification, parfaitement mortifère quand il s'agit d'un décès, entraîne un conflit psychique intense et insoutenable, car le sujet s'accuse lui-même de la haine censée avoir causé cette mort. Pourquoi une telle

* Patrick Delaroche est psychanalyste et pédopsychiatre. Il a publié, entre autres, *De l'amour de l'autre à l'amour de soi : le narcissisme en psychanalyse* (Paris, Denoël, 1999), *La Peur de guérir* (Paris, Albin Michel, 2003) et *Psychanalyse de l'adolescent* (Paris, Armand Colin, 2005).

morbidité ? C'est que notre patient a, selon Freud, une relation *narcissique*, c'est-à-dire fusionnelle, avec son objet d'amour, dans laquelle ni l'un ni l'autre n'a de contours bien définis. La mort d'un parent n'est pas seule à provoquer ce genre de dépression psychotique, puisque aussi bien le mariage et son enfermement éventuel peuvent, sous la menace de la perte de liberté ou le rappel d'un lien parental, produire des effets aussi ravageurs. Or c'est à la suite de son troisième épisode dépressif, lequel correspond à l'achèvement de son premier roman (*La Traversée des apparences*, 1915), alors que son époux a décidé de s'occuper de sa santé, que va débuter véritablement la carrière d'écrivain de Virginia Woolf. Désormais, les événements dépressifs avec hospitalisation à la clé vont coïncider avec la production des œuvres. Simplement, la dépression qui suit la parution, classique chez les écrivains, prend chez Virginia Woolf l'allure morbide qu'on lui connaît. Et, comme cela arrive, l'écrivain tire profit de sa course vers l'abîme : elle écrit son deuxième roman, intitulé *Nuit et Jour*, « dans le but avoué de tenir la maladie à distance[6] ». Maladie et création sont alors définitivement associées dans un cercle infernal, la création jouant le rôle de cause autant que de remède. L'écriture serait alors cette « suppléance » du défaut psychotique dont parle Lacan à propos de Joyce.

Virginia disait elle-même qu'écrire, c'est « détecter la structure cachée derrière la surface des courants de la vie ». L'écriture supplée au manque psychotique de repères. Elle rend possible, et digne d'intérêt, le lien au monde parce que celui-ci lui sert, parce qu'elle y puise sa sève. C'est en ce sens qu'elle est un moyen de survivre. L'exemple le plus frappant en est peut-être Antonin Artaud, qui ne recouvrait un semblant de raison qu'en écrivant. Aussi Leonard fait-il un infirmier critiquable : restreindre l'accès de Virginia à la page blanche à une heure par jour, c'est aggraver son mal, accroître le risque qu'elle se retire

6. Alexandra Lemasson, *Virginia Woolf*, Paris, Gallimard, coll. « Folio », 2005, p. 159.

de la réalité, et sombre. Heureusement, Virginia refuse fréquemment d'obéir, consciente qu'elle est de dériver loin du monde et d'elle-même lorsqu'elle ne fait « rien ». Car pour un écrivain, ne pas écrire, c'est ne rien faire ; et pour un psychotique, c'est risquer d'être pris par le délire – on peut lire des réflexions incroyablement aiguës à ce sujet dans son *Journal*, où Virginia Woolf présente son travail comme la seule réalité. Elle perçoit spontanément qu'écrire, c'est se mettre à distance, tenter de symboliser ce qu'elle vit : le langage, maîtrisé, construit, organise et donne sens à son expérience du monde et d'elle-même. Il ne serait pas abusif de dire qu'il s'agit là d'une tentative de guérison qui devient analogue à une psychanalyse grâce à la *reconnaissance* même qu'elle conquiert dans le public.

Le climat incestuel

L'absence de limites, les relations fusionnelles sont, semble-t-il, la règle chez les Woolf. Virginia adore sa mère, qui est d'une beauté extraordinaire et dont la vie se résume à une seule erreur à ses yeux : « avoir épousé en secondes noces son père[7] » – ce qui dit bien sa haine pour un personnage paternel dont elle donne une image de « patriarche despotique » faisant régner la terreur. Mais cela nous renseigne aussi sur un autre reproche qu'elle lui adresse, inconscient celui-là : ne pas avoir fait régner la loi (d'interdiction de l'inceste) dans sa famille. Cette déconsidération du père dans sa fonction ne va pas sans une profonde admiration, laquelle préfigure une véritable *identification* à lui. C'est, soit dit en passant, cette admiration qui a présidé au mariage des parents. Car Leslie Stephen, le père, est un écrivain. Taciturne, pessimiste, il se réfugie dans son bureau pour créer

7. *Ibid.*, p. 23.

une œuvre monumentale. Il joue au « solitaire abandonné », au « vieillard malheureux », écrira Virginia Woolf, ajoutant : « En fait, il est possessif, blessé, jaloux [8] » (en l'occurrence du jeune homme qui vient d'épouser sa fille). Ce climat fusionnel se concrétisera dans les passages à l'acte incestueux des deux demi-frères de Virginia – sur sa sœur, puis sur elle-même –, sans qu'il soit imaginable de se plaindre.

Si l'on excepte la mention de sa beauté, on a peu d'informations sur Mrs Stephen. Mais, comme on le voit fréquemment dans d'autres familles, les imagos [9] parentales se retrouvent chez les frères et sœurs de Virginia, qui lui permettent ainsi de projeter sur eux des aspects méconnus de son père et de sa mère. Ce rôle est joué par Vanessa et Thoby, les frère et sœur adorés. Âgée de trois ans de plus que Virginia, Vanessa est le modèle absolu pour sa cadette : aux yeux de Virginia, elle *a* et *est* tout ce qu'elle-même n'a et n'est pas. Inversement, Vanessa ne cessera de s'occuper de sa sœur, jusqu'à conduire Leonard, avant son mariage avec l'écrivain, chez le propre psychiatre de Virginia. La symbiose entre les deux filles Stephen est telle que bien des garçons de leur petit groupe iront de l'une à l'autre. C'est Lytton Strachey, dandy homosexuel et ami de Leonard, qui présentera ce dernier à Virginia, non sans avoir auparavant… demandé celle-ci en mariage ! Quant à Thoby, le frère qui lui succède immédiatement, Virginia entretient avec lui une relation de complicité et d'admiration : on lui a payé des études à Cambridge, alors il lui parle des Grecs. Et elle se met à dévorer ces auteurs et à apprendre leur langue. Vanessa, Thoby et Virginia font partie du groupe de Bloomsbury, où se côtoient des jeunes gens promis à la célébrité : les Strachey, Maynard Keynes, Morgan Forster, Roger Fry, mais aussi Dorothy Bussy, féministe militante, sœur de Lytton Strachey et amie de Gide. Dans cette bande où coexistent allégrement bisexualité, féminisme, homosexualité et psychanalyse, la liberté de ton est totale.

8. *Ibid.*, p. 82.
9. Images inconscientes des parents.

Homosexualité et mélancolie

On a vu comment, chez Virginia Woolf, ce qu'on appelle les « investissements d'objet », c'est-à-dire sa façon d'aimer les êtres ou les choses, se fait sur un mode fusionnel, que l'on peut qualifier de narcissique au sens freudien. Qu'est-ce que cela signifie ? Que la moindre défaillance de l'objet, voire *a fortiori* sa disparition, entraîne une *identification* avec l'objet perdu, parce que les limites respectives du sujet et de l'objet sont justement bien trop fragiles. Cette identification peut aller jusqu'au suicide, et c'est bien ce qu'on observe chez Virginia Woolf : défenestration, prise de véronal, noyade terminale dans l'Ouse, les poches remplies de cailloux. Cette bascule identificatoire (de l'amour à l'identification) commence chez elle à l'âge de 13 ans avec la mort de sa mère ; elle recommence neuf ans plus tard avec la mort du père – on a vu l'*ambivalence* qu'elle nourrissait à son égard. Mais cette fois-ci avec une conséquence inattendue : c'est à partir de ce décès que Virginia pourra non seulement écrire, mais vivre son homosexualité. Avec son père, l'identification a sûrement précédé le deuil. Comme l'écrit Alexandra Lemasson, « à première vue, le père et la fille ne sont pas faits pour s'entendre. Et pourtant, c'est vraisemblablement parce qu'elle lui ressemble trop que Virginia est si virulente avec son père [10] ». On peut penser, sans trop craindre de se tromper, que cette identification concerne le moi de la fille dans son contenu essentiel : l'identité de genre. En d'autres termes, l'homosexualité de Virginia a été favorisée par l'identification au père, au lieu de celle avec le parent du même sexe.

La mélancolie de Virginia en revanche, c'est sa mère, pourrait-on dire, objet d'amour perdu parce que l'objet d'un amour éperdu : l'amour de Virginia pour elle est tel qu'elle incorpore sa mère,

10. Alexandra Lemasson, *Virginia Woolf, op. cit.*, p. 33.

l'avale – *devient* elle. Il s'agit là aussi d'une identification ; car au lieu d'en tenir l'objet à distance, Virginia le garde en elle. Le lien qui en résulte est très puissant, parce qu'il noue indissolublement la fille à la mère. Ainsi, quand sa mère disparaît, Virginia s'accuse de ne pas l'avoir laissée vivre. Mais le lien est très fragile aussi : devant l'irréparable incestueux auquel il invite, la mère ne peut que vouloir le rompre, et sembler menaçante à Virginia. De même, elle ne peut que décevoir, puisque Virginia attend tout d'elle. Or la déception va être d'autant plus insupportable que Mrs Stephen meurt. Et elle meurt alors que Virginia est adolescente, en pleins remaniements psychiques. Si l'écrivain ne porte pas d'enfant, ne devient jamais mère, c'est sans doute parce qu'elle porte en elle une mère morte. Et sa culpabilité est d'autant plus forte qu'incorporer l'objet d'amour qu'était sa mère, c'était déjà le tuer.

La mère et la mort, la vie et la mort s'enlacent dès les premiers romans de Virginia Woolf. Dans *Les Vagues* ou *La Promenade au phare*, œuvres construites autour de la présence de l'eau, symbole de la mère, les mères meurent. Virginia se suicidera en disparaissant dans l'eau – dans la mère –, enfin. Le deuil impossible de sa mère est l'essence même de sa mélancolie. Puis les morts successives des substituts maternels : sa demi-sœur Stella, Thoby, le frère nourricier garant du bonheur, viennent raviver et répéter cette perte, mêlant toujours plus intimement la mère et la mort. Dans le suicide de Virginia s'achève en quelque sorte l'identification à l'objet perdu : elle le rejoint dans la mort.

Contrairement à la phrase de Nietzsche souvent citée : « Ce qui ne tue pas rend plus fort [11] », il faut rappeler que ce qui ne tue pas peut laisser brisé.

---

11. *Ecce Homo.*

Captive de son époque, mais avant tout d'elle-même

Virginia Woolf avait beau être une femme émancipée, son évolution dans la bourgeoisie victorienne, à la charnière du XIXe et du XXe siècle, l'a empêchée de vivre pleinement son homosexualité. Or, si l'on ne peut présumer avec certitude qu'elle eût été totalement épanouie en la vivant, son angoisse ne se bornant pas à cette seule question, cela aurait probablement contribué à alléger sa souffrance.

Toutefois, par « vivre » on n'entend pas nécessairement le passage à l'acte – plutôt le fait d'assumer psychiquement son homosexualité. Si le taux de suicides des jeunes homosexuels est supérieur à celui de l'ensemble de la population, ou même à celui de la population homosexuelle globale, c'est précisément parce que la difficulté de ces jeunes personnes à assumer leur sexualité peut rendre la vie si douloureuse qu'elle en devient insupportable. Plus que social, l'empêchement de vivre l'homosexualité est avant tout psychique, et tout ce que nous savons de Virginia le donne à penser. Rares sont en effet en son temps les femmes qui jouissent d'une liberté de pensée et d'une liberté sexuelle comme les siennes. Le groupe de Bloomsbury est un véritable laboratoire d'idées ; s'y rencontrent de jeunes esprits brillants, décapants. Parmi eux, plus libre encore, Virginia n'éprouve aucune fascination pour l'intellect, défend la « hardiesse du scepticisme » et n'épargne aucun de ces esprits « allumés à Cambridge qui brillent tous du même éclat ». Il y a plusieurs couples de lesbiennes au sein de cette bande, et les hommes y sont pour la plupart homosexuels. Un tel environnement, loin d'interdire à Virginia la pratique de l'homosexualité, aurait pu au contraire l'y encourager, du moins l'y autoriser. Mais le modèle de vie sociale, l'image de la conjugalité traditionnelle hérités de ses parents et reconnus en son temps – quelle que soit l'aversion consciente qu'elle en ait conçue, si souvent exprimée dans ses écrits – restent dans une contradiction non résolue avec la vie personnelle à laquelle elle aspire. Dans cette microsociété sans tabou, elle demeure prisonnière d'elle-même, de sa culpabilité, très probablement, plus encore que de son éducation ou de son époque.

On comprend la dépression majeure qui l'a accablée sitôt après son mariage, un renoncement symbolique, mais également réel, à ses penchants. Ce n'est que tardivement, en 1916 avec Katherine Mansfield, mais surtout à partir de 1922 avec Vita Sackville-West, qu'elle est venue à l'homosexualité, et non sans culpabilité. La nature quasi fraternelle de sa relation avec Leonard témoigne de façon assez parlante de ce conflit intime.

Un mari thérapeute… et asexué

La relation que Virginia entretint avec Leonard Woolf fut plus fraternelle et asexuée qu'hétérosexuelle et génitale. Et c'est sans doute cette perspective qui l'a finalement décidée, après de longues hésitations, à accepter le mariage avec lui, après avoir refusé, au bout de quarante-huit heures, la demande de Lytton Strachey. Leonard était un homme à la virilité fragile, estompée – un homme qui ne pouvait l'inquiéter. C'était aussi un ami de Thoby, le frère bien-aimé, ce qui contribuait encore à désexualiser leur lien. Virginia a donc choisi un compagnon qui la connaissait bien puisqu'ils vivaient déjà ensemble dans la maison dont il était colocataire, et qui la comprendrait, pour ainsi dire, comme un frère.

Au-delà de ces considérations, Leonard, d'abord séduit par Vanessa, est un «idéaliste ténébreux», frêle et tendre, timide, «semblant avoir renoncé au bonheur»[12], qui a l'immense avan-

---

12. Alexandra Lemasson, *Virginia Woolf, op. cit.*, p. 134.

tage de raviver chez Virginia l'imago paternelle! Et pour les psychanalystes cette manifestation de l'inconscient est déterminante: on y verrait même pour « preuve » cette troisième dépression grave qui suit le mariage et signe la répétition.

Or, très vite, Leonard s'engouffra dans la fonction de soignant, entérinant la dimension parentale et fraternelle de leur lien, évacuant la dimension sexuelle. Étrange thérapeute puisque, selon ce que l'on sait, il était lui-même très névrosé. Selon un processus quasi universel, il est vraisemblable que, en traitant Virginia comme une malade, il projetait sur elle sa propre souffrance et, en la soignant, traitait aussi son propre mal. Mais la possible perversion de son assistance est qu'elle naissait d'une confusion entre thérapie et compassion. Leonard n'était pas thérapeute et manquait tout à fait de recul. Du fait de son attachement à Virginia comme du fait de sa propre souffrance. C'est pourtant en thérapeute qu'il lui imposa certaines décisions: restreindre son accès à l'écriture ou le nombre de visiteurs qu'elle recevait, par exemple.

Cela dit, son rôle n'est pas négatif puisque c'est à partir du mariage que Virginia Woolf produit son œuvre. Certes, Leonard la prend en main, la tient un moment éloignée de Londres, ce dont elle souffre énormément. Mais il fait figure de véritable ange gardien et, malgré des erreurs dues à son statut et à l'ignorance de l'époque, témoigne d'une magnifique tolérance.

Virginia a sans doute vu, ou rêvé, un psychanalyste en ce soignant plein de bonne volonté qui lui évita l'internement, seul moyen de protéger le malade contre lui-même, compte tenu de l'état embryonnaire des soins psychiatriques.

Lorsque, avant de se suicider, elle écrit à son mari qu'elle n'aurait pu être plus heureuse qu'elle ne l'a été avec lui, c'est en partie parce qu'elle le pense vraiment… et en partie par culpabilité de ne plus vouloir de ce bonheur-là. Aucune relation n'empêche de mourir. Ce serait simple. Son suicide, elle l'a sans doute perçu comme une tentative de guérison. Cela se rencontre fréquemment: comme si l'on pouvait mourir à sa douleur pour renaître neuf. Le suicide a souvent lieu dans une période où le patient va mieux, où il peut mesurer le gouffre dans lequel il a sombré – et il « meurt alors de peur » d'y sombrer à nouveau. Si Virginia Woolf a réussi à retarder si longtemps l'échéance fatale, c'est grâce à l'écriture.

Une psychothérapie psychanalytique

Certes, de nos jours, on dispose pour les troubles de l'humeur[13] de toute une panoplie médicamenteuse adaptée à chaque patient, mais, ne serait-ce que pour permettre l'*observance* des prescriptions, le traitement devrait s'appuyer sur une psychothérapie, voire une psychanalyse. Seule la psychanalyse (et la psychothérapie psychanalytique) peut en effet permettre au sujet de devenir auteur de ses actes au lieu d'en être le jouet. Car si le déterminisme de la maladie épouse le spectre de la fatalité, le sujet peut néanmoins comprendre quel est son rôle dans le projet d'une vie meilleure grâce à la prise de conscience de ses mécanismes intimes.

Dans le cas de Virginia Woolf, on ne peut pas éviter de se demander pourquoi, alors qu'elle avait la psychanalyse à portée de main puisqu'elle éditait Freud et assistait à des conférences de Melanie Klein, elle ne s'est pas soumise à l'analyse – et ce terme, « soumise », n'est pas indifférent. Nombre d'homosexuels s'y sont également soustraits, au temps de Virginia Woolf comme jusqu'à une époque récente, de peur qu'on ne les « guérisse ». Il n'y a pas si longtemps encore, beaucoup d'analystes avaient ce fantasme. Or le traitement analytique n'a pas pour vocation de « soigner » l'homosexualité – encore faudrait-il prouver qu'il s'agit d'une maladie –, mais au contraire de rendre

---

13. Autre dénomination de la psychose maniaco-dépressive.

à chacun, homosexuel ou non, une bisexualité psychique, c'est-à-dire les moyens d'entretenir des relations normales avec les autres, indépendamment de son sexe. Les intellectuels de l'époque ont compris l'intérêt des travaux de Freud sur la question précise de l'homosexualité – Gide notamment (ami de Dorothy Bussy, la sœur de James Strachey, l'un et l'autre amis de Virginia et membres du groupe de Bloomsbury), qui envisageait de faire préfacer son *Corydon*, dans lequel il parle pour la première fois de son homosexualité, par le fondateur de la psychanalyse. Freud écrit en effet : « Du point de vue de la psychanalyse, l'intérêt exclusif de l'homme pour la femme [et inversement] est aussi un problème qui requiert une explication, et non pas quelque chose qui va de soi et qu'il y aurait lieu d'attribuer à une attraction chimique en son fondement [14]. » James Strachey est allé à Vienne se faire analyser par Freud, et Gide lui-même s'est soumis à six séances de psychanalyse avec Eugénie Sokolnicka, une Polonaise élève de Freud. De Virginia, on sait qu'elle a refusé de lire tout ouvrage de psychanalyse jusqu'en 1939, alors que la Hogarth Press avait publié Freud dès les années 1920. Ses textes attestent sa méfiance à l'égard du danger de colonisation de la littérature par les théories freudiennes : toute œuvre risque selon elle d'être traitée comme une collection de cas lus à travers une grille doctrinale. Elle se sentait plus proche des critiques d'art de Bloomsbury, Clive Bell ou Lytton Strachey. Mais la lecture de Freud, qui a suscité chez Virginia Woolf un grand intérêt pour les sources anthropologiques de la théorie sexuelle, comme l'a montré Maud Mannoni [15], a fini par la passionner, et Jane Dunn souligne une influence jungienne sur ses derniers textes, notamment *Entre les actes*, avec des références implicites au concept d'inconscient collectif, selon lequel l'individu, par le rêve, le souvenir, fait

14. Sigmund Freud, *Trois Essais sur la théorie sexuelle*, Paris, Gallimard, coll. « NRF », 1962, p. 51, note ajoutée en 1915.
15. Maud Mannoni, *Elles ne savent pas ce qu'elles disent*, Paris, coll. « L'Espace analytique », Denoël, 1998.

remonter à la conscience les ressources de la distillation de toute expérience humaine. On lit chez Virginia Woolf cette conviction que nous sommes tous connectés au monde, qui est une œuvre d'art. Mais, on l'a vu, elle avait surtout peur de perdre, avec la « guérison », la source de son inspiration.

Freud, en 1908, dans « La morale sexuelle civilisée [16] », écrivait : « L'une des injustices flagrantes de notre société est qu'elle impose la même conduite sexuelle à tous, et que les uns y parviennent sans effort, tandis que les autres ne le font qu'au prix de lourds sacrifices psychiques. » Une partie du drame de la vie de Virginia Woolf trouve sans doute là son explication.

16. « La morale sexuelle "civilisée" et la maladie nerveuse des temps modernes », *in La Vie sexuelle*, PUF, 1969.

Marlène Dietrich (1901-1992) :
la mère hystérique et maltraitante

Qui était Marlène Dietrich ? C'est la question qu'elle aurait adoré que nous nous posions, une énigme qu'elle s'est employée à construire tout au long de sa vie, contrôlant étroitement son image, en mesurant l'impact auprès de ses proches, y compris sa fille, Maria. L'Ange bleu perd quelques plumes au fil des huit cent cinquante pages de la biographie que Maria Riva lui consacre après sa mort, mais le mystère demeure. Comme si l'enfant de Marlène ne pouvait se dégager de l'emprise de la légende Dietrich. «Ma mère, ce pouvoir sur ma vie», songea-t-elle au-dessus du cercueil de la défunte. Illusionniste et actrice jusque dans ses rapports humains, Marlène joua à être mère ; sa fille manqua ne pas y survivre.

La volonté d'un destin à part

Marlène a vu le jour en 1901. Un secret bien gardé, au point que seul son décès permit à sa fille de connaître sa véritable année de naissance. Maria-Marlène est née Magdalena Dietrich à Schöneberg, district de Berlin, dans une famille aisée dont elle est la seconde fille. À 7 ans, elle perd son père, dont elle parlera peu, évoquant davantage son beau-père qui s'installe au foyer quand elle a 11 ans. Dès l'adolescence, elle est fascinée par les hommes, au premier rang desquels ce beau-père, officier prussien comme son père défunt. Mais il disparaît à son tour, tué au combat en 1916. Marlène ne le pleure pas. Elle a déjà horreur des larmes, de la faiblesse. Elle travaillera toute sa vie à se montrer solide, et y parviendra – jusqu'à ce que la force s'apparente à la dureté, pour ne pas dire à la monstruosité. Très tôt, elle affiche un sacré tempérament et se veut différente du reste de la famille. À 13 ans, elle impose à tous qu'on l'appelle « Marlène », comme à 25 elle exigera qu'on l'appelle « la Dietrich », parlant d'elle-même à la troisième personne. Sa sœur est une jeune fille placide, sa mère une digne veuve, mais Marlène, elle, rêve vite d'un grand destin et d'amours passionnées. Le journal intime de ses 15 ans la montre préoccupée par la question de la pérennité sentimentale : « Je n'arrive pas à me réjouir des rares moments de bonheur parce que je me dis toujours : pourquoi commencer à aimer ? Ça ne durera pas, et ensuite je serai encore plus triste. » Elle résout vite l'équation en accumulant les coups de cœur, suivis de promptes ruptures. À ses 18 ans, un séjour à Weimar, la patrie de Goethe, n'arrange rien, au grand dam de sa mère : le professeur de violon censé susciter sa carrière musicale devient son premier amant. « Un événement que je trouvais déjà pénible », dira Marlène à sa fille, qui n'ignorera jamais rien de l'intimité de sa mère ni de son dégoût paradoxal pour la « chose obligatoire ». Marlène dressera la plupart de ses amants à avoir avec elle des « relations de lesbiennes », pour reprendre les termes de l'écrivain Erich Maria Remarque qui le lui promit gentiment après avoir tout compris... par la force des choses, il est vrai. Marlène racontera à sa fille : « Quand il m'a dit qu'il était impuissant, j'ai pensé : quel homme délicieux ! » Délices qui expliquent leurs trois ans de liaison, non sans infidélités de l'actrice. Être une icône sexuelle et le demeurer resta la priorité de la Dietrich, même si sa famille devait devenir son seul miroir.

Mère par calcul

Joséphine Dietrich, obéissante fille d'un joaillier mariée à un bon parti, ne peut ignorer que sa fille Marlène file un mauvais coton : à 20 ans, ayant échoué à son concours de musique, elle se tourne vers le théâtre, sans jamais parvenir à intégrer les célèbres cours de Max Reinhardt, contrairement à ce dont elle se prévaudra toute sa vie. (N'ayant pas à rougir de cette élève fictive, l'intéressé ne démentira jamais formellement.) Dans le Berlin des années folles, Marlène navigue au milieu des artistes, en quête de petits rôles et de grands plaisirs : en témoignent les robes transparentes et les boas qui débordent de ses armoires ! Quand elle rencontre le réalisateur Rudolf Sieber – il n'appartient pas à l'aristocratie, mais c'est un homme relativement convenable, contrairement aux nombreux amants précédents –, Joséphine encourage vivement le mariage, dans l'espoir que sa fille rentre dans le rang. Hélas ! Le 17 mai 1923, Marlène, 21 ans, et Rudolf, 27 ans, se marient bien, mais c'est pour mieux festoyer ensemble dans les cabarets jusqu'au bout de la nuit. Il arrive que Marlène découche ; Rudolf tolère, déjà dépassé, conscient d'avoir épousé un fantasme plus qu'une compagne. Exigeante, capricieuse, débordante, elle lui fait admettre que la décadence relève presque de l'action militante dans le contexte culturel germanique de l'époque. Marlène aime Rudolf, elle le dit, mais elle nourrit une conception toute personnelle de la conjugalité. Joséphine, qui regarde le couple dissolu d'un œil sévère, l'encourage à devenir mère : le corps gravide, les responsabilités devraient domestiquer sa fille. Maria naît le 13 décembre 1924, une date qui sera également sujette à variations puisque, mentant sur son âge, Marlène devra répercuter la tricherie sur celui de sa fille. Maria apprend à se taire quand sa mère la présente comme « grande pour ses 5 ans », alors qu'elle en a 8. Elle apprend très jeune également à se sentir coupable : de la poitrine tombante de sa mère, résultat prétendu de l'allaitement, comme elle est responsable de l'épisiotomie horriblement douloureuse qui lui évita d'être défigurée !

Marlène joue brièvement la mère bourgeoise dans la belle demeure où elle règne, puis reprend du service dans le monde de la nuit berlinoise, parfois avec son époux, parfois sans. C'est le début d'une maternité en dents de scie : tantôt mère aveuglante (elle écrase sa fille de baisers), tantôt mère fantôme (elle passe en coup de vent), Marlène est toujours dévorante. Elle déclare en 1926 : « Cet enfant est mon seul bien. Je ne possède rien d'autre. » Elle hait les psychiatres et les psychanalystes qui font alors leurs premiers pas. On peut le comprendre : ils l'auraient sans doute interpellée sur cette étrange « possession » !

Une mère hermaphrodite

Marlène fait preuve dès l'adolescence d'une énergie débordante et d'une sexualité non moins débridée : elle vit comme une tornade, adore sans avoir le temps d'aimer, donne à tous du « mon amour » pour les oublier aussitôt. La séductrice d'avant *L'Ange bleu* (1930) court les bouts d'essai sans grand succès, mais ne se ménage pas pour garder un rôle de premier plan : celui de reine de la nuit et de l'ambiguïté. Mariée mais libre, bourgeoise mais débauchée, intouchable mais poule de luxe, elle ne cache pas sa fascination pour les travestis et les prostituées, ses comparses des bas-fonds. Rudolf s'y fait, plus ou moins complice ; Maria ne s'étonnera que plus tard d'avoir vu sa mère rentrer à l'aube un vison sous le bras alors que tout le pays crève de faim. Finalement, c'est avec un homme sous le bras qu'elle rentre un beau matin : le réalisateur Josef von Sternberg. Il lui donne son premier rôle, le meilleur, celui de *L'Ange bleu*.

Sept films communs suivent, jusqu'à leur rupture en 1935, mais Marlène Dietrich restera la femme d'un seul film, même si elle se bat contre cette évidence, et finira par se consacrer exclusivement à la chanson. Elle a d'autant mieux servi *L'Ange bleu* et son mentor qu'elle en a elle-même réuni les costumes, choisi porte-jarretelles et autres accessoires en écumant les bouges. Plus vraie que nature, elle s'est plu à incarner cette prostituée manipulatrice devant les caméras de Sternberg. En rentrant du visionnage des rushes, elle déclare solennellement : «Dietrich est merveilleuse…»! Rapidement, elle installe Josef à la maison, prépare des dîners pantagruéliques qui resteront dans l'Histoire, ensorcelant époux et amant, tous forcés de s'accommoder de cette vie à trois. Rudolf prend toutefois rapidement une maîtresse, Tamara, qu'il gardera à demeure. Elle sera une mère de substitution pour Maria, élevée entre quatre parents, Marlène seule portant la culotte.

L'Ange bleu est davantage qu'un film, une carte de visite. Dietrich est devenue une icône sexuelle internationale en chantant «Je suis faite pour aimer de la tête aux pieds». Elle considère désormais sa liberté sexuelle comme un corollaire indissociable de sa carrière, ce que son époux admet d'autant mieux qu'il dispose désormais d'une fidèle compagne. En 1930, Marlène part vivre avec Sternberg à Hollywood, où la Paramount lui a proposé un contrat, dans l'idée qu'elle peut concurrencer Garbo, de la MGM. Naturellement, c'est Rudolf et Tamara qui gardent la maison de Berlin, et Maria, alors âgée de 6 ans. Marlène inonde sa fille de photos d'elle en robe du soir, légendées de sa propre main : «Ici la star éblouissante.» Elle veille cependant aussi à entretenir sur place son image de respectable épouse. Rudolf, bon prince, coopère, pour sauver les apparences, tandis que sa femme lui envoie une copie carbone de tous ses propres courriers adultères, enflammés et pornographiques.

La petite Maria rejoint Marlène à Hollywood un an plus tard, en compagnie de son père et de Tamara. Ils suivent, comme ils le feront toujours, jusqu'à ce que l'actrice décide de s'établir définitivement à Paris. En 1934, pour marquer son farouche anti-nazisme, Marlène Dietrich demande et obtient la nationalité américaine. Quand Maria, enfant, sans doute en manque de repères, demande à sa mère quelle est sa vraie patrie, l'actrice lui répond sans ambages : « Tu es à moi. » De maisons luxueuses en palaces, Maria voit sa mère passer de lit en lit, d'autant que Marlène ne cache rien, s'exhibe, même, avec des femmes aussi bien que des hommes. Maria mettra un certain temps à comprendre que toutes les mères ne sont pas semblables à la sienne. « Ni homme, ni femme, Dietrich était Dietrich », écrit Maria, à qui un amant de sa mère confiera un jour : « Ta mère avait un sexe, mais elle n'avait pas de genre. » Marlène explique bientôt à Maria que sa préférence va sans conteste aux rapports sexuels entre femmes, mais elle s'avoue aussi incapable de résister aux hommes éperdus de désir qui se pâment devant le mythe vivant qu'elle est devenue. La tactique Dietrich est de céder après un ou deux assauts, avant de convertir les mâles aux pratiques saphiques. Au palmarès nourri de ses amours, on note deux figures plus durables car sans doute plus compréhensives, Josef von Sternberg (de 1929 à 1935) et Erich Maria Remarque (de 1937 à 1939 ; il épousa ensuite Paulette Goddard). Mais il y eut aussi Douglas Fairbanks Jr, Maurice Chevalier, Frank Sinatra, James Stewart (en 1939), Jean Gabin (en 1941), Brian Aherne (qui épousa Joan Fontaine), Richard Barthelmes, John Gilbert (qui mourut dans le lit de la star), Yul Brynner (en 1951), Michael Wilding (en 1951 aussi ; il épousa Liz Taylor), Kennedy père (en 1938) et fils (en 1962), une milliardaire canadienne, Mercedes de Acosta, une scénariste espagnole ex de Garbo, déli-cieuse vengeance (en 1932), Piaf a-t-on dit parfois (en 1952), et tant d'autres célèbres et inconnus qu'un livre ne suffirait pas à en établir la liste.

Peu importerait si Marlène n'en racontait les moindres détails à sa fille, la mêlant à son intimité dès l'adolescence et la pour-suivant dans sa vie d'adulte jusqu'à atteindre son mari : en ren-trant de la Maison-Blanche où elle a « vu » John, elle brandit sous le nez de son gendre sa culotte en clamant : « Ça sent le président ! » Ce serait sordide si ce n'était avant tout tragique. De tous ses amants et maîtresses, elle exige la passion et la soumission, même lorsqu'elle mène trois ou quatre relations parallèles, les honnit quand ils osent se marier, enfin guéris d'elle. Erich Maria Remarque y perdit l'inspiration, et presque la raison : « Mon puma, les rues parlent de toi… », écrit ce demeuré – par miracle – grand romantique, qui lui trouva là son meilleur surnom ! Marlène les a tous consommés, et consumés, excepté John Wayne. Elle tenta de l'acheter avec force cadeaux, et lui voua finalement une haine éternelle pour avoir résisté. Il expliquera un jour son stoïcisme face au « puma » : « Je n'ai jamais aimé faire partie d'une écurie. » Maria, elle, n'eut d'autre choix que se soumettre.

Une fille accessoire

Marlène a toujours considéré sa fille comme sa chose, une chose jugée parfois embarrassante, comme lorsque Maria la rejoint aux États-Unis : le symbole de l'érotisme à l'aura sulfureuse peut difficilement s'accommoder de la maternité. La solution est de transformer le « fardeau » en accessoire de mode ou en enfant de Madone. Ainsi Marlène incarne-t-elle l'image de la mère exemplaire, l'un de ses rôles préférés. Malgré son dilettantisme en matière de présence et de tendresse, elle crie haut et fort : « Ma fille est l'amour de ma vie. » Maria est dressée à être parfaite, en digne reflet de sa mère. Muette surtout : « Tais-toi ! Ce qu'ont à dire les enfants est rarement intéressant ! » La petite signera longtemps ses courriers : « Maria, fille de Marlène Dietrich », et c'est elle qui tamponne les photos à dédicacer de l'actrice, qui l'en prie ainsi : « Mon ange, tu vas être moi. » On ne saurait être plus clair ! Quand, dans *L'Impératrice rouge*[17], un rôle de petite fille se présente, c'est Maria qui joue celui de sa mère enfant. Elle voyage en Rolls et grandit dans les studios de la Paramount, sans éducation ni scolarité ; occupe son temps à embellir sa mère dans sa loge, la coiffant, l'habillant, lui collant des bandes de soutien sous la poitrine. Sa fille étant coupable, il paraît naturel à l'actrice qu'elle répare ! À l'occasion, Maria est instrumentalisée pour séduire un futur amant (« Ma fille n'a eu d'yeux que pour vous », ment Dietrich à sa proie) ou pour consoler le dernier en date (Maria passe des soirées à écouter, et à plaindre les éconduits, sincèrement du reste). De la même manière, la petite fille est submergée de cadeaux de soupirants qui se servent d'elle comme ambassadrice. Quand l'affaire est conclue, elle est reléguée à la maison.

Lorsque Maria atteint 12 ans, Marlène Dietrich négocie habilement le virage de sa puberté : elle l'envoie en pension en Suisse, et à Noël la couvre de cadeaux à l'hôtel George-V, à Paris, loin d'elle. En effet, avoir une fille adolescente ne la rajeunit pas et risque même de dénoncer ses persistants mensonges sur son propre âge. Ainsi annonce-t-elle un jour à tout le studio que Maria est réglée, en minaudant : « À 9 ans, l'enfant est très précoce. » « L'enfant » a en réalité 13 ans et, souvent, se consume de honte.

Une adolescente qui nie le temps

Marlène détourne aussi la naissance de ses petits-enfants, occupant la place du père devant la salle d'accouchement (« Elle jouait le rôle du mari à la perfection », écrit Maria) ; ravissant la une de *Life* qui titre en 1948 : « La plus resplendissante des grand-mères » ; endossant la douleur d'un petit-fils né handicapé

17. De Josef von Sternberg, 1934.

(elle annonce aux journaux : « *Je* suis frappée par le destin »). Elle n'aimera pas ce garçon, elle qui voulait les enfants parfaits, et n'aimera guère les deux aînés non plus, notamment Peter, puni à vie d'avoir dit à 2 ans : « Tu es vieille maintenant. » Elle qui avait décidé qu'elle ne le serait jamais ! Elle avait tant espéré ne jamais être grand-mère ! Lorsqu'elle avait quitté la maison « familiale », Maria avait reçu en guise de cadeau… une poire à lavements afin d'éviter les grossesses, avant de bénéficier de nombreux conseils pour avorter et d'écoper d'un écrasant mépris une fois le pire advenu : « Cette grossesse te rendra bien plus difficile de quitter ton mari. » Marlène, alors en Europe, phagocyte la première grossesse de sa fille en venant s'installer près d'elle à New York, garde le bébé quelques jours, avant de reprocher à Maria de l'avoir immobilisée et monopolisée ! Alors qu'elle a déjà 51 ans, la maternité de sa fille suggère à Marlène un caprice imprévu : faire un enfant avec Yul Brynner (qui n'en a jamais émis le désir). Durant des heures, au téléphone, elle raconte ses cycles menstruels et son attente à Maria, patiente mais excédée.

Sauvée par son intelligence, Maria n'a jamais contredit sa mère, pour en être aimée – avant de trouver l'amour ailleurs, à 23 ans ; ensuite, pour en être quitte – et elle abandonne alors sa mère à sa mythologie. À 70 ans, Marlène, plus attachée que jamais à sa féminité, laisse traîner des serviettes hygiéniques dans sa loge lors des tours de chant, en espérant qu'on la croira non ménopausée ; en réalité, elle souffre d'incontinence urinaire ! Dès ses 20 ans, le temps qui passe fut sa hantise.

Ma fille, mon bourreau

Le rôle de mère modèle étant passé de saison, Marlène endosse le rôle de mère martyre d'une fille à qui elle a « tout donné ».

Ainsi parle-t-elle souvent à la presse d'une maison qu'elle a généreusement offerte à Maria – en réalité, un legs de Sternberg ! Mais Marlène se plaint surtout, publiquement, du manque de reconnaissance de sa famille : elle affirme ne recevoir aucun cadeau des siens pour son anniversaire... après leur avoir formellement interdit de le lui souhaiter ; elle envoie de curieux télégrammes aux médias, tel celui-ci : « J'étais seule quand Remarque est mort » (*nota bene :* elle a refusé de se rendre à son enterrement, mais porte avec ostentation le deuil de cet amant quitté trente ans plus tôt). Elle se comporte en veuve de toutes ses anciennes victimes, sans délai de prescription ni considération aucune pour les péripéties éventuelles de leur vie depuis leur séparation (le mariage avec une autre, par exemple) : veuve et abandonnée, y compris de son époux officiel, dont elle « sèche » également l'enterrement avant d'en accuser sa fille ! Elle consigne dans son journal l'ingratitude de « l'enfant ». Elle refuse toute aide médicale ou ménagère lors de sa longue période grabataire, à partir de 1980, mais exige une visite quotidienne de Maria, chargée de vider son seau d'aisances ou d'écouter ses dernières folies sexuelles, par téléphone, avec un vieillard américain. Abrutie par les psychotropes, alcoolique et violente, elle souhaite tout haut qu'on la retrouve « morte dans sa crasse », afin que le monde sache enfin comment les siens l'ont traitée. En 1992, elle a droit à de belles funérailles en l'église de la Madeleine avant de rejoindre le cimetière de Schöneberg, où fut enterrée sa propre mère en 1945 (l'événement ne l'avait pas émue outre mesure puisqu'il avait été court-circuité par un amant croisé en chemin !).

Maria, la fille rescapée

Maria s'est construite en réaction contre les mœurs de sa mère, par dégoût et non pour des raisons morales, dont elle ignora longtemps la seule existence. La rupture psychologique est consommée quand Maria quitte le territoire américain pour rejoindre l'Europe, à l'heure de la Libération. Marlène rentre alors de sa mémorable tournée de chant auprès des Alliés en Afrique du Nord. *Lili Marlene*, chanson allemande, est devenu l'hymne des GI dans la version en langue anglaise que Marlène interprétait pour eux, mettant le feu aux bataillons. L'actrice avouera ne regretter qu'une chose de son année au front : n'avoir eu qu'un seul corps pour satisfaire tant d'hommes qui vivaient peut-être leurs derniers instants. «Pour Dietrich, le moral des combattants était un sacerdoce», plaisante Maria, qui eut droit au récit complet des opérations. Quand sa fille part, Marlène l'encourage donc vivement à emporter des diaphragmes avec elle : qu'irait-elle donc faire d'autre en Europe ? «Tu as couché au moins ?» était la question récurrente au retour de ses soirées de jeune fille. Maria ne se fait plus d'illusions sur les capacités de guérison de sa mère et avoue dans son livre que celle-ci l'aurait souhaitée «pire qu'elle», pour asseoir en vis-à-vis sa propre sainteté, ou encore «lesbienne», pour la venger des hommes dont elle estimait sans doute n'avoir pas assez été aimée.

Une nuit de son adolescence, Maria s'est fait violer. Par une femme. Une maîtresse de sa mère installée un temps à demeure. L'effraction se reproduisit, bien que Maria soit allée trouver sa mère le lendemain. Hélas ! Marlène se trouvait alors terrassée par la migraine, et c'est Maria qui finit à son chevet, pour la plaindre et la consoler. «L'enfant», devenue grande et lucide, pense avoir été victime d'un arrangement entre les deux maîtresses, cette initiation forcée étant sans doute pour Marlène une forme de preuve d'amour. Et puis une fille lesbienne a plus de chances de ne jamais vous faire grand-mère...

Alcoolique et suicidaire entre 18 et 20 ans, Maria trouva le bonheur aux antipodes du spectacle qui lui était donné : actrice elle-même, elle renonça à sa carrière pour se consacrer à sa famille, et vécut quarante-cinq ans de félicité et de fidélité avec un seul mari, de sexe masculin.

Ange et démon

*par Sophie Marinopoulos**

Défense d'aimer : la genèse

Actrice au cinéma comme dans la vie, exhibitionniste, cachant mal un désir inassouvi d'être regardée, utilisant indifféremment les hommes, les femmes et sa fille pour nourrir un rapport abusif à l'autre, se livrant à des mises en scène orchestrées pour son propre plaisir d'être : de ses abus Marlène a tiré un personnage de légende. C'est la face lumineuse de l'histoire, du moins celle qui se trouve sous les projecteurs ; la face sombre, c'est une petite fille en souffrance, à l'enfance brisée et marquée par la disparition précoce de son père, puis par celle de son beau-père. Dans l'enfance de Marlène, les hommes viennent et disparaissent sans crier gare. On peut penser que la déchirure a été réelle, peut-être vécue dans une grande solitude, comme nous pousse à le croire la biographie de l'actrice, qui ne dit rien de la considération qui lui était portée par les adultes de son entourage d'alors. La supposition est sévère, mais la personnalité de Marlène, de plus en plus dure et affirmée avec le temps, est un indice sérieux de son bien-fondé.

Vers 13 ans, Marlène sort de l'enfance avec une personnalité

* Sophie Marinopoulos, psychologue-psychanalyste, exerce à l'hôpital mère-enfant du CHU de Nantes. Elle est spécialiste des questions de filiation et de parentalité. Elle a notamment publié *Dans l'intime des mères* (Paris, Fayard, 2005) et *Le Corps bavard* (Paris, Fayard, 2007).

déjà complexe, exigeante. Projet étonnant à cet âge, elle décide de changer d'identité. Elle ne pleure déjà plus depuis longtemps, contenant ses larmes et, avec elles, ses émotions, comme si elle s'était juré de ne jamais se laisser aller au moindre affect, signe coupable de faiblesse et de perte de soi. À l'adolescence, elle joue déjà de sa séduction avec une maîtrise absolue, sans rien céder d'elle-même : l'autre n'est qu'un miroir de soi. Elle insuffle la passion sans rien donner en échange, si ce n'est l'illusion d'un possible sentiment amoureux. Déjà actrice !

Une fois adulte, les hommes au bras desquels elle se montre servent à son exhibition. Capter les regards lui procure le sentiment de vivre plus intensément. Sa personnalité se structure autour de ce plaisir d'être vue dans un jeu où elle maîtrise son image, recevant des regards ce qu'elle-même refuse de donner. Elle possède les autres comme on possède des objets, se nourrit de leur présence, exige qu'ils l'aiment et ne leur offre en retour que le plaisir d'être vus avec elle. Marlène pourrait être un prototype de l'hystérie [18].

L'hystérique s'élabore au moment de la traversée de la phase œdipienne et s'origine dans une angoisse naissant dans des relations excessives, que l'enfant ne sait contenir. Son monde émotionnel le déborde. Les adultes qui l'entourent l'oppressent sans en avoir conscience, tant ils sont avides de lui, l'envahissent, lui faisant interpréter les relations de tendresse et d'amour comme des agressions. Incapable de s'en défendre, l'enfant les redoute. Il n'en garde aucun souvenir car ce rapport à l'autre est précoce et hors les mots, mais son corps s'en souvient, conservant la trace d'un vécu qui viendra ensuite prendre une part active dans sa personnalité. L'empreinte est là, en la peau, fabriquant une sorte de seconde peau constituant un *état d'être* que Didier Anzieu appelle « peau psychique [19] ». L'enfant, atteint en sa chair,

18. Et c'est avec cette hypothèse que nous allons nous aventurer du côté de l'inconscient et de ses effets.
19. Didier Anzieu, *Une peau pour les pensées*, Paris, Apsygée, 1991.

se méfiera de la relation, de la séduction, du plaisir, et jettera un regard de défiance sur ceux qui s'aventurent auprès de lui. Ce comportement, indétectable chez un bébé, prend une forme plus active au fur et à mesure que l'enfant grandit. Il ne dira rien, on ne décèlera rien chez lui. C'est la façon dont il avancera dans sa vie qui permettra de revenir sur de tels événements ou tout du moins de supposer leur existence.

La disparition successive des hommes aimés par sa mère, et sans doute par Marlène elle-même, lui a infligé une blessure qu'elle a dû garder secrète. Très vite, son regard froid sur la vie devient un trait de caractère majeur. Pas de larmes – les larmes sont du côté du féminin, du maternel, de la faiblesse qu'elle y associe et qu'elle dit haïr. Au lieu d'intégrer les disparitions successives de son père, puis de son beau-père à son histoire, ce qui consisterait à les garder en elle, à en cultiver la mémoire comme un enrichissement intérieur, et à les pleurer, elle refuse tout souvenir d'eux. La mort reste suspendue sans jamais être métabolisée. Le père est celui qui l'a trahie, à la fois par son départ inattendu et parce qu'il l'a livrée à sa mère. Croyant chasser le père en chassant la douleur, Marlène serre les dents. Elle les serrera toute sa vie, allant jusqu'à bannir tout lien affectif.

Le risque de la perte est si inhérent à l'amour que Marlène refuse d'aimer, au point d'en devenir incapable. Cette attitude, signe apparent d'une force, est en fait celui d'une souffrance lancinante qui ne lui laisse aucun repos. Marlène lutte pour ignorer l'angoisse. Au fil des ans, cette défense devient symptôme, faisant de Marlène une adulte névrotique dont les excès ne sont que des tentatives répétées – et *inconscientes* – de salut. Bien sûr, en refusant d'aimer, Marlène s'interdit une forme de bonheur. Mais, à un certain stade de la névrose, on agit seulement en fonction de sa propre économie psychique, avec pour seul objectif celui de tenir debout sans souffrir. Rien de raisonnable dans tout cela. Et Marlène ne se *raisonne* pas, elle se contente de *résonner* avec son propre vécu intérieur affectif et émotionnel, quitte à passer à côté de la vie. Son interprétation du monde

passe par le filtre de ses ressentis exacerbés. La réalité, menaçante, est transformée, jouée, parfois même surjouée. Marlène
se blinde, fabrique un décor qu'elle appelle sa vie, y installe des
« acteurs » qui sont les hommes et les femmes qu'elle rencontre,
subjugués par son élan qui n'est autre qu'une pulsion de défense
contre l'angoisse. Jusqu'à sa disparition, elle a survolé les êtres
sans jamais se laisser atteindre par eux.

La construction psychique d'un être relève toujours d'une histoire qui s'inscrit dans un processus comparable à un puzzle
dont la forme définitive ne s'obtient que par la combinaison de
multiples pièces. Nous connaissons quelques pièces du puzzle
de Marlène, mais certaines se sont égarées dans sa légende, ce
qui ne serait pas pour lui déplaire. En l'occurrence, le deuil non
fait du père constitue une pièce, et non le puzzle.

Dans nos cabinets, il nous arrive de rencontrer des femmes
dans cet état psychique, surexposées à la phobie de l'amour
quand les liens précoces ont été abandonniques, dépressifs, mal-
traitants, en particulier dans la relation de maternage. On détecte
alors que la « passeuse de féminité » qu'incarne normalement la
mère n'a pas pu/dû remplir son office ou bien n'a pas été perçue
comme telle par l'enfant. Marlène a-t-elle reçu plus de larmes
que de mère ? Plus d'abus que de maternage ? Sa mère s'est-elle
trouvée seule et toute-puissante face à un corps d'enfant qu'elle
a pu manipuler à sa guise sans qu'un tiers, le père, fasse obstacle
à ses excès ? Le tableau des enfants surinvestis présente généralement des traces de maltraitance identiques à celles des enfants
délaissés. L'angoisse infantile, qui a fait le nid de la névrose hystérique de Marlène, ne proviendrait-elle pas d'une position
maternelle soignante dominée par une séduction déplacée ?

S'occuper d'un enfant ne suffit pas, encore faut-il l'inscrire
dans un lien symbolique avec un autre qui, assigné à une place
précise, devient un personnage référent. Ces nécessaires relations symboliques permettent la mise en scène de l'Œdipe. Or,
de toute évidence, Marlène n'a pas connu cette scène. Quand le
scénario du film familial ne s'est pas écrit autour de rôles claire-

ment définis et signifiés, l'intrigue se brouille, perturbant l'enfant dans sa construction.

Marlène a vraisemblablement été une enfant surexposée psychiquement, car les disparitions de ses père et beau-père, le rôle de sa mère, sa propre interprétation de ces événements et de ces liens en ont fait une personnalité dominée par l'angoisse de l'amour, de l'autre, du lien. Elle est devenue une femme fragile qui a masqué sa faiblesse dans la possession, la mise en scène, les excès en tout genre, s'appuyant sur sa notoriété pour alimenter son symptôme hystérique.

La sexualité comme effraction

À cause de cette peur de l'autre, Marlène transforme les hommes et les femmes en objets de gain narcissique : ils lui servent, et ce, quelle que soit leur appartenance sexuelle. Elle prend les autres, les jette, en fait des miroirs qui doivent lui refléter une image toujours neuve d'elle-même. Les relations en deviennent imprévisibles, changeantes, et ont pour fonction de la nourrir, de lui faire ressentir un état de bien-être, état narcissique qu'elle ne sait pas trouver en elle.

Les seules relations suivies dont Marlène est capable sont épistolaires, comme avec Erich Maria Remarque, c'est-à-dire virtuelles, et surtout vertueuses : sans contact physique, la rigidité émotionnelle de l'actrice ne court pas le risque d'être mise à mal – ni au mâle ! L'important n'est pas de s'acheminer vers le plaisir d'un moment sexuel ou de tout autre type de partage, mais de séduire, et de mettre en scène cette opération.

Les femmes comme Marlène redoutent avant tout la soumission au désir de l'autre, la dépendance qu'entraîne le plaisir ou l'attachement amoureux. Vus à travers le filtre de ce fantasme infantile, tous ses prétendants sont équivalents. Marlène a bien choisi sa profession : vigilante, altière, actrice à plein temps, elle incarne son personnage, l'agit, même quand elle ne tourne pas. Sa vie est un cinéma, chaque homme est un film, elle choisit les angles de prises de vues et maîtrise le scénario. L'autre tombe amoureux, en pâmoison, peu importe, Marlène ne cède jamais : il est au spectacle, il reste à la surface d'une image, sans jamais pouvoir y pénétrer. Cet homme à conquérir n'a d'intérêt que le temps éphémère de la séduction. Les femmes hystériques sont connues pour jeter de préférence leur dévolu sur des hommes impuissants ou violents. Les premiers parce qu'ils sont malléables, les seconds parce qu'il faut les dompter, et que, comme elles, ils ne réclament pas une relation d'amour mais un rapport de forces. Marlène, par sa position de star, n'a pas eu besoin d'aller puiser dans le réservoir masculin. Un tas d'hommes, impuissants ou non, étaient à ses pieds, ce qui la confortait dans l'idée que la raison d'être de ses partenaires était de la servir, et qu'ils étaient remplaçables. Elle choisissait ceux qui se laissaient prendre par sa mise en scène. Sans doute ces hommes ne prévoyaient-ils pas d'être évincés si rapidement. Mais certains furent probablement comblés, car avoir, aussi brièvement que ce soit, séjourné dans les bras de Marlène Dietrich devait leur conférer la puissance qui leur manquait. Et le comblement d'une faille narcissique peut tenir lieu de bonheur un temps, et même longtemps, si l'on en croit les années de « bonheur » à distance qu'évoque Erich Maria Remarque. Romancier, celui-ci devait en outre avoir son monde parallèle, un monde d'écriture qui le nourrissait. Nul besoin que Marlène habite sa réalité, le rêve suffisait.

Si pour la femme hystérique ordinaire l'autre est un fairevaloir, la célébrité de Marlène lui a donc indiscutablement facilité les choses. Quant à son mari, elle l'a admirablement choisi. Il n'existe pas, il est fantomatique, absent. Après avoir été un temps complice et victime de son cinéma, il a entériné son départ sans s'en attrister outre mesure.

La vieille femme hystérique

Le jeu théâtral permanent de Marlène Dietrich obéit à une logique psychique pour partie inconsciente, qui ne prend pas en compte la réalité ni ne s'y adapte. Les traumatismes de l'enfance non élaborés dominent sa vie. Les années passent et n'y changent rien : l'hystérie n'est pas une féminité exacerbée susceptible d'évoluer, vers un rôle de grand-mère maternante par exemple. Les femmes « carapacées » dans des comportements problématiques vivent le poids des ans avec douleur, cherchant – en vain – à dompter les années. Enfermées dans leur logique, rien ne peut les détourner de leurs excès ni les conduire à raisonner. Sur le plan affectif, aucune vie conjugale stable n'est envisageable. Quant à s'interroger sur ce qu'elles traversent, c'est pour ainsi dire exclu. Elles consultent rarement les « psys » : ils ne peuvent rien pour elles, pensent-elles, s'octroyant un savoir sans faille sur ce qu'elles considèrent subir. En revanche, elles assaillent les médecins, car le corps manifeste bruyamment leur état psychique, avec des symptômes en tout genre. Marlène échappe toutefois à cette règle : on ne lui connaît pas plus de médecin traitant que de psychanalyste.

Le film doit-il ne jamais s'arrêter ? Était-ce le vœu de cette femme que rien ni personne ne pouvait freiner ? Probablement. Sa souffrance cherche à éviter toute démarche de transparence : il s'agit de tout mettre en œuvre pour que l'illusion perdure, alors qu'une thérapie psychique la dissiperait. Marlène, prisonnière de son image et première victime d'elle-même, dissimule une immense souffrance, usant de ses dernières ressources pour rester sur scène alors qu'elle n'est plus qu'une vieille femme, prête à sombrer dans le sordide, comme lorsqu'elle laisse traîner ses serviettes hygiéniques pour faire croire qu'elle est encore dans la fleur de l'âge.

La mise en scène de la femme vieillissante a beau être pathétique, elle ne met pas fin à la névrose : jamais Marlène ne se remet en cause ou ne cherche à changer. Au risque d'être sévère, on ne peut pas voir une prise de conscience dans ses tentatives de suicide à la fin de sa vie, mais encore et toujours une position théâtrale. Du reste, en appelant sa fille au secours, elle se met en scène, dans la grandiloquence d'une mort sordide. Afin de repousser l'idée de sa monstruosité, elle inverse les rôles : elle se pose en victime de son enfant, et s'assure ainsi une nouvelle fois un destin grandiose, une position tragique. C'est un des rôles qu'elle affectionne. Au cinéma déjà, qu'elle soit pute ou déesse, elle ne sait être que l'extrême, femme fantasmatique et manipulatrice sans scrupules : l'Ange bleu. Dans la vie, elle fréquente les bas-fonds, le sordide la fascine. Les prostituées, méprisées par la société mais vivant de la maîtrise de leur sexualité, l'attirent. Lors de ses passages dans des cabarets malfamés, elle prend toutefois soin de se démarquer : si elle emprunte les accessoires des travestis, c'est pour le besoin d'un tournage, car elle, Marlène Dietrich, a un destin d'étoile. Et l'étoile ne cesse de dévorer la vie à pleine bouche pour ne pas être dévorée elle-même. Cette appétence se manifeste dans son comportement alimentaire, qui passe aussi d'un extrême à l'autre. Elle s'active derrière les fourneaux, mange gras et trop, puis adopte brutalement un régime draconien. L'aliment, ingéré ou refusé, subit le sort de tout objet dans les mains de Marlène : réduit à la nourrir psychiquement et non alimentairement ou affectivement. Ainsi l'oralité, zone érogène privilégiée, est, comme la sexualité, malmenée, exagérée. De tels comportements sont bien entendu exhibés, puisque l'essentiel est d'offrir une image forte.

Or un tel fonctionnement est impossible l'âge venu : à 80 ans, on ne peut plus tour à tour jouer les reines et les dépravées, organiser des banquets et surveiller sa taille de guêpe. Marlène le ressent plus qu'elle ne le sait et s'enfonce dans une consommation d'alcool ou de médicaments qui prend une tournure addictive, nécessaire pour lui éviter de se questionner sur son état. L'ivresse par les psychotropes prend le relais de l'ivresse psychique. Marlène n'a pas su s'adapter, devenir une vieille dame, ou même une vieille star, bien que les multiples personnages qu'elle ait interprétés aient pu la leurrer sur sa capacité à endosser des rôles différents, à jouer de sa plasticité psychique, comme de sa plastique. La vie de l'hystérique, paradoxalement, n'est pas un film qui laisserait son actrice libre d'interrompre le tournage : l'hystérique est prisonnière de l'excitation qu'elle lit dans les yeux de ceux qu'elle contraint à être ses spectateurs ; elle dépend de leurs regards. Le drame de la vieillesse de Marlène n'est donc pas que ses proches lui témoignent moins d'amour – elle n'a jamais cherché l'amour –, mais qu'il y a moins de spectateurs autour d'elle et qu'ils se réduisent aux familiers. Ses amants, malgré la fascination dans laquelle elle les a longtemps maintenus, ont fini par s'éloigner. Seule Maria reste : l'enfant, lui, n'a pas le choix de mettre fin à la relation.

Maria aurait pu faire les frais de la fraîcheur de son âge : il aurait suffi que sa jeunesse ou son charme ravisse les regards destinés à Marlène, et la haine de l'actrice aurait été à la mesure de cette insupportable frustration. Celle-ci écrit d'elle-même, dans la biographie qu'elle a consacrée à sa mère[20], qu'elle n'était pas très belle. Cette réalité fut sa chance. Sans doute même s'est-elle sinon enlaidie, du moins débrouillée pour passer inaperçue, en une sorte de transparence qui pouvait la préserver du regard colérique de sa mère.

Marlène ne supportera de vieillir que sous l'empire de l'alcool ou des tranquillisants, une issue fréquente chez ces personnages qui ont choisi de jouer leur vie plutôt que de la vivre pleinement. Car le refus d'être ce que l'on est rend, dans des moments de lucidité, la mascarade insupportable. Les stars autrefois adulées sont plus touchées que les autres femmes quand elles perdent leur séduction. Elles interprètent leur vieillesse comme une déchéance et le suicide peut alors apparaître comme la seule sortie de scène supportable.

20. Maria Riva, *Marlène Dietrich par sa fille*, Paris, Flammarion, 1993.

La séduction agissante

La maternité offre à Marlène Dietrich une scène de théâtre supplémentaire. Les premières années, Maria est instrumentalisée pour faire la démonstration de la puissance de sa mère, réduite en quelque sorte à la fonction de miroir. Invitée à rester muette, à demeurer à la maison, pour ne pas trop gêner le cours magique et singulier de la vie de l'actrice, elle est brandie comme un trophée dès qu'il y a un auditoire. L'enfant qu'on exhibe est d'un «bon rapport»: la Vierge et l'enfant, dans l'imaginaire collectif, est une image frappante. De la même façon que l'amant faisait valoir la femme, Maria fait valoir sa mère, son talent à être mère. En public, elle est surinvestie affectivement, priée de briller, adorée si elle réussit, et couverte de cadeaux, de façon grotesque, voire gênante, pour les tiers, conscients parfois que la mise en scène est due à leur présence. En privé au contraire, Maria subit froideur et distance. Sauf quand Marlène apprend qu'elle a décroché un rôle: le succès déclenche alors une excitation dont Maria peut profiter un peu, recevant de sa mère un contact réel même s'il est dénué d'affection véritable. Le spectacle de sa mère heureuse la rend vivante et lui permet de se sentir de nouveau reliée à elle. Marlène a besoin que quelqu'un la regarde réussir, et Maria a besoin de voir sa mère pleine de vie. L'échange est pauvre, mais le gain réciproque. Maria tire de cette relation pathogène une forme de bénéfice secondaire qui consiste à tenter d'extraire *un peu de bon* dans ce qui ne l'est pas.

Marlène fait venir sa fille auprès d'elle dès qu'elle est en déficit narcissique, théâtralise alors ses déclarations d'amour, tout à son rôle maternel. Dès que l'image renvoyée par ce jeu l'a rassurée, elle écarte Maria, ainsi réduite à lui servir épisodiquement de perfusion narcissique. Qu'elle lui envoie des photos d'elle en star signées «Marlène» et non «Maman» témoigne bien du fait qu'elle ne se considère pas comme sa mère : dans son monde, il n'y a pas les adultes d'un côté et les enfants de l'autre ; il y a Dietrich d'une part et la multitude d'autre part, dont sa fille fait partie. Maria est soumise à une alternance ininterrompue d'effusions grandiloquentes et de froideur, une sorte de douche écossaise affective. C'est par miracle qu'elle a échappé à des troubles psychiques comme le retrait relationnel, l'inhibition massive ou même la folie.

Les mères comme Marlène, prises par leurs excès, peuvent érotiser très tôt les soins à leur enfant, garçon ou fille, par des caresses prolongées, des étreintes physiques étouffantes qui n'ont rien de ludique, en privé comme en public. Une mère, normalement, materne dans une érotisation contrôlée, ses caresses sont dénuées de caractère sexuel : elle câline sans exciter. Celle qui ne sait pas se tenir à une telle vigilance devient abusive. On peut alors parler de liens incestuels, du fait de leur caractère érotisé excessif, qui disent l'ambiance permanente d'intrusion, de viol psychique. Le fait que Marlène demande à sa fille de lui bander les seins – zone érogène évidente – confirme l'ambiguïté de leur lien. Marlène n'autorise jamais personne à interférer dans sa relation avec sa fille. Soit elle reste en tête à tête avec elle, soit elle exhibe devant d'autres l'exclusivité de leur relation, donnant dans les deux cas de figure un caractère incestueux à leur lien.

Peu conscientes de l'intimité de leur enfant, les mères hystériques lui administrent des soins sans aucune empathie, c'est-à-dire sans tenir compte de ses besoins réels. Le corps de leur enfant est leur objet. À ce titre, on atteint un sommet quand Marlène répond « Tu es à moi » à sa fille qui lui demande quel est son pays. Elle l'inscrit non pas dans une culture, ou une société, mais uniquement dans son désir de possession. Elle s'impose en terre mère, hors de laquelle sa fille ne peut aller : « Tu n'es rien, si ce n'est par moi », pourrait-elle dire. Ce message est d'une grande violence. Laisser Maria s'éloigner ou vivre de façon autonome, c'est pour Marlène perdre son identité, et même ne plus être. Au-delà de l'hystérie, on peut voir dans ce lien incestuel des traits de perversité : annulé dans ses besoins propres, l'enfant devient un jouet, un objet de jouissance. Il ne s'agit pas de le combler, mais d'en tirer profit.

De ce corps objet qu'elles ont engendré les mères comme Marlène font ce qu'elles veulent, refusant de le considérer dans sa différence, y compris quand vient l'adolescence. Elles projettent la sexualité de leur fille à un rythme qui n'est pas le sien, sans respecter sa pudeur, communiquant à d'autres des informations à caractère intime (les règles, par exemple). Très tôt, et sans la consulter évidemment, elles lui choisissent un homme, comme elles se seraient choisi une paire de chaussures. Elles ne lui reconnaissent pas de désir, si ce n'est celui de les regarder, elles. À Maria Marlène demande exactement de prendre le relais sexuel, de se donner sans compter aux soldats, comme elle-même l'a fait. Le paroxysme est atteint quand cette injonction se passe de mots et que sa propre maîtresse se glisse dans le lit de Maria – celle-ci ne l'aurait pas écrit, on croirait vraiment à une rumeur.

L'enfant miraculée

On retrouve chez Maria, qui a finalement réussi à sortir indemne de son « éducation », semble-t-il, la force fantastique dont font preuve certains enfants face à l'adversité. Cyrulnik parlerait de résilience, mais nous pouvons tout simplement les considérer comme miraculés, puisqu'ils ont échappé aux effets destructeurs de la défaillance parentale. Ces enfants développent une forme de précocité dans la mesure où, pour survivre, ils comprennent très tôt – trop tôt – le fonctionnement de leurs parents. Ils se tiennent dans une hyper-vigilance à leur égard, apprennent à décrypter l'état émotionnel du père ou de la mère, afin de se retrancher en cas de danger ou, au contraire, de se montrer s'il y a quelques miettes d'affection à prendre. Contraints de s'adapter aux excès de leurs parents, ils développent des stratégies pour entretenir des bribes de relation positive avec eux, qui puissent leur donner l'illusion d'être quelqu'un à leurs yeux. Sans être dupes de cet ersatz, ils préfèrent ce peu de vie avec eux à rien du tout. Certains restent marqués par cette enfance, devenant des personnalités graves, assez énigmatiques, contrôlant l'expression de leur visage, reflet de la stratégie de neutralité relationnelle qu'ils ont mise en œuvre et qui les a sauvés.

Maria, elle, était reconnue par sa mère, même si c'était une reconnaissance à éclipses, et elle a sans doute, nous l'espérons, trouvé quelques bénéfices à sa filiation : c'est tout de même grandiose d'être la fille de Marlène Dietrich ! Sans doute a-t-elle développé une intelligence rare de la relation à l'autre. Sans doute aussi a-t-elle pu expérimenter, hors de la vue de sa mère, des moments de tendresse et de rencontre affective avec d'autres modèles, entre autres son père et sa belle-mère avec qui il lui arrivait de partager du temps, quand Marlène se lassait d'elle. Car pour posséder tant de ressources et une telle structure protectrice, il faut avoir rencontré des substituts parentaux de qualité, qui enseignent un autre mode de relation, dans lequel on a une place à part entière. La chance de Maria a été que, malgré sa terrible emprise, Marlène était trop demandée pour être omniprésente : il y avait sa carrière, ses déplacements, autant d'occasions pour que sa fille découvre d'autres types de relations humaines. C'est sans doute grâce à cela que Maria a pu trouver les outils pour aimer et devenir une mère aimante.

Bien sûr, Maria a vécu une période douloureuse, en particulier avec l'entrée dans l'âge adulte, période complexe où elle semble avoir craint de devenir identique à sa mère. Elle a d'abord fui cette image en se réfugiant dans la drogue et l'alcool, deux pourvoyeurs d'illusions qui lui ont permis un temps de ne pas s'effondrer sous le poids d'un héritage destructeur. Mais elle a décidé d'affronter la réalité, celle de sa mère comme sa place de fille, et elle s'est relevée, quand certains laissent leur vie sur de semblables parcours. Une fois devenue épouse et mère, elle a dû s'atteler à une épreuve également difficile : mettre sa mère à distance. Sans doute a-t-elle rencontré en son époux un homme suffisamment solide pour faire barrage à Marlène sans rompre tout à fait les liens avec elle. Car mettre des kilomètres entre soi et des parents néfastes est illusoire sans la capacité psychique de les maintenir à leur juste place.

L'hystérie au cinéma

Le métier d'actrice a permis à Marlène de vivre pleinement son hystérie, et au grand jour. Sa névrose a probablement dû être un atout aux yeux de certains metteurs en scène : une femme qui se prend pour une star et joue jusque dans la vie annonce une authentique comédienne. Le public a répondu à son besoin frénétique d'être vue, car un seul regard ne pouvait la porter. Une femme aux manifestations hystériques peut exercer n'importe quel métier du moment qu'elle se trouve en représentation. Et il est des lieux où la représentation est un *état de droit*. Dans cette mesure, l'écran de cinéma, qui attire et piège les regards du plus grand nombre, ne peut que combler ce type de personnalités.

Marlène le démon est celle qui a été incapable de don, de générosité et s'est nourrie de tous sans jamais rien donner à personne. D'une certaine façon, elle a eu la chance de trouver le cinéma comme débouché à sa névrose : certes, le métier a entretenu son cinéma intérieur, mais elle aurait sans doute vécu dans une grande détresse sans ce dérivatif à sa souffrance.

Mais Marlène l'ange n'a-t-elle pas merveilleusement bien incarné le rôle que nous attendions d'elle quand, rivés à l'écran, nous ne voulions qu'une seule chose, rêver ?

« Vue du ciel » et sur la toile de l'écran, la vie de Marlène est un modèle de réussite, d'un genre qui lui plairait beaucoup si elle revenait la contempler. Belle, incarnation parfaite et éternellement jeune du désir, objet de biographies, d'admiration, son vœu le plus cher s'est réalisé : elle est immortelle.

Joséphine Baker (1906-1975) :
une résistante

Joséphine Baker a davantage œuvré pour l'évolution des mentalités racistes et pour la cause des femmes que bien des théoriciens respectés. Libre et iconoclaste sur scène comme dans la vie, elle sut se montrer sensuelle et provocante sans jouer d'un érotisme vulgaire. Armée de sa seule audace, elle débarqua en France avec l'espoir de faire carrière dans le music-hall, et finit par se battre pour des valeurs en lesquelles elle croyait : résistante distinguée pendant la Seconde Guerre mondiale, elle consacra sa fortune d'artiste à l'édification d'un monde meilleur en en érigeant un modèle réduit dans son domaine des Milandes, arche multi-ethnique et base de loisirs dont elle tenta de faire profiter le grand public, en plus de son cortège d'enfants adoptés. Joséphine Baker fut une « militante par instinct », elle vécut selon ses convictions humanistes sans se laisser guider par aucune morale ni influencer par le regard des autres. Elle entendait montrer la viabilité de son rêve de fraternité universelle aux Milandes, et elle ne perdit pas la foi quand le projet de son existence la ruina après une vingtaine d'années. Signe que l'amour de la vie la portait plus que l'utopie, elle parvint à sauver ses enfants du marasme dont ils auraient pu souffrir et resta jusqu'au bout une mère énergique doublée d'une star infatigable.

Une enfance à la Cosette

Freda Josephine McDonald naît le 3 juin 1906 à Saint Louis (Missouri) d'un père blanc et d'une mère noire. Artistes misérables chassant le cachet, tous deux se séparent un an plus tard. La mère de Joséphine aura trois enfants d'un autre homme : Richard, Margareth et Willie Mae, sans accéder à une meilleure situation sociale. La petite Joséphine est encouragée très jeune à vivre d'expédients, au fil des rues, une initiation rude qui l'éclaire de bonne heure sur le sort réservé aux Noirs dans une Amérique où les émeutes raciales sont souvent sanglantes. À 10 ans, elle gagne son premier dollar en remportant un concours de danse et entrevoit l'espoir d'une vie meilleure, mais c'est un autre destin que lui réserve sa mère : pour soulager le budget familial, elle la marie de force à un homme violent. Joséphine, à peine âgée de 13 ans, n'est pas de nature à se laisser malmener. Un an plus tard, elle s'enfuit en assommant son bourreau et vivote grâce à des petits travaux ici et là. La chance sourit à l'audacieuse quand elle croise le chemin du Jone's Family Band, une famille de chanteurs et de danseurs, qui l'emmène en tournée. C'est à Philadelphie que son second mari, Willie Baker, dont elle gardera le nom, l'aperçoit pour la première fois, en train de tricoter des jambes, de gonfler les joues et de rouler des yeux ronds. Le style Baker est né : une danse sexy et clownesque à la fois. Après deux ans de mariage, Joséphine décide d'aller tenter sa chance à New York et abandonne son époux. L'accueil est hostile : pour les Noirs, il n'y a pas plus de place sur scène qu'ailleurs. Mais Joséphine persévère. Habilleuse de la première troupe noire de Broadway, elle attend son heure. Qui ne tarde pas : le jour où une danseuse du show est portée souffrante, Joséphine la remplace au pied levé. Le succès est total, et Joséphine se trouve en mesure de proposer un nouveau spectacle, *Chocolate Dundies*, dont elle est la vedette. En 1925, rescapée de la rue et de la haine raciale, elle gagne 150 dollars par semaine, une somme qui lui permet de vivre comme une petite-bourgeoise. Mais quand, un beau soir, la conseillère artistique du théâtre des Champs-Élysées, en repérage aux États-Unis, lui propose un contrat à Paris, elle n'hésite pas. Elle a entendu parler de la tour Eiffel, elle n'a rien à pleurer en Amérique : elle quitte tout.

La gloire d'une petite Française

Pour le théâtre des Champs-Élysées le pari est audacieux : un show avec cette danse « démantibulée » qu'on appelle le « charleston », et des seins nus – ceux d'une Noire en plus –, il faut oser ! Les concepteurs de *La Revue nègre* ont dû argumenter pour convaincre Joséphine : « Nue mais noire, ça fait comme habillé. » La nouvelle recrue a tout compris. Pour vaincre les préjugés, il va lui falloir marquer les esprits par l'outrance et la provocation, quitte à tolérer une forme de condescendance : « le Noir » est alors une bête curieuse. Mais elle accepte, pour un temps, le rôle de « bonne petite sauvage ». L'heure venue, elle montrera que « le Noir » pense aussi.

La première a lieu le 2 octobre 1925 devant une salle comble. À la sortie, la foule des spectateurs est divisée : tandis que les enthousiastes applaudissent à la nouveauté, les esprits réactionnaires manifestent devant le théâtre contre la « pornographie » du spectacle aux cris de « Scandaleux immondice ! ». Mais Joséphine Baker est lancée. L'année suivante, elle est la vedette du show des Folies-Bergère *La Folie du jour*, celui qui l'immortalisera ceinte d'une suggestive ceinture de bananes – un « costume » dont Cocteau, spectateur de la première heure, aurait eu l'idée. Il nourrit en tout cas les fantasmes d'un Picasso, d'un Philippe Soupault ou d'un Man Ray, tandis que Georges

Simenon devient le secrétaire et l'amant de la danseuse, et Jean Gabin son partenaire dans un film oublié, *La Sirène des tropiques*. Joséphine fait preuve d'une volonté et d'une résistance physique hors du commun, enchaînant les représentations en France comme à l'étranger, sans oublier quelques films, restés sans grand succès (*Zouzou* de Marc Allégret en 1934, *Princesse Tam-Tam* d'Edmond T. Greville en 1935, *Moulin-Rouge* d'Yves Mirande en 1940 ou *Fausse Alerte* de Jacques Baroncelli en 1945). Sa première tournée européenne est initiée par un certain Pépito, Italien plus ou moins gigolo mais fourmillant d'idées et d'ambition pour celle qui sera sa compagne de 1926 à 1936. Au début des années 1930, dans une Europe où couve le fascisme, Joséphine sème le scandale partout où elle passe, quasi nue et ouvertement provocatrice : Paul Derval, le directeur du Casino de Paris, lui a offert un léopard pour égayer son show, et elle le promène parfois en laisse sur les Champs-Élysées ! Accessoire professionnel ou cadeau d'amant ? On ne sait. On l'a dite nymphomane, ce que son fils salue avec humour dans sa biographie : « Si elle a eu beaucoup d'amants, j'ai envie de dire : tant mieux pour elle ! » Sa vigueur et sa sensualité ont en effet de quoi émoustiller l'imagination. Fêtarde invétérée, travailleuse acharnée, la chanteuse cache ses amours dans une villa du Vésinet, désormais star au même titre que Mistinguett, à qui elle fait de l'ombre et qui la hait, en vertu de leur rivalité artistique comme de préjugés racistes.

En 1931, Joséphine lance le tube intemporel *J'ai deux amours* (« mon pays et Paris »), créé pour elle par Vincent Scotto. Son premier amour, elle veut le conquérir comme elle a conquis l'Europe. En 1936, elle part en tournée aux États-Unis. Mais la liberté de pensée et l'esprit décadent ne sont pas au goût du jour outre-Atlantique. Et puis, en s'exilant, la chanteuse a trahi sa patrie : c'est l'échec. L'aventure a raison de son premier amour comme de Pépito. De retour dans la capitale française en 1937, Joséphine a tôt fait de le remplacer par Jean Lyon (Levy de son vrai nom), bel homme et fondateur des confiseries la Pie qui chante. Elle l'épouse et, pour en finir avec un passé révolu, prend la nationalité française.

Une femme engagée

Le mariage ne dure que trois ans, mais il initie l'engagement politique de Joséphine Baker. Sa réputation artistique est suffisamment solide pour qu'elle puisse défendre ses convictions et s'engager au service de causes qui lui sont chères. D'abord militante contre un antisémitisme en plein essor, elle adhère à la Ligue, créée en 1927 pour lutter contre les pogroms. Plus tard, elle soutiendra tous les combats antiracistes, en Europe comme outre-Atlantique, où elle participera à la marche de Martin Luther King, le 28 août 1963. Gaulliste de la première heure, elle tiendra à se démarquer des idées de gauche. En septembre 1939, alors qu'elle vient de triompher au Casino de Paris dans la revue *London*, elle rejoint la Croix-Rouge et les rangs de la Résistance. Le domaine des Milandes, immense propriété fraîchement acquise en Dordogne, lui sert de QG. Elle y installe une radio pour correspondre avec la Résistance qui s'organise et y cache toute la famille de son mari, malgré leur divorce en 1940, avant de l'aider à fuir le territoire français. Au premier appel du Général, elle gagne Londres. L'espionne noire, insoupçonnable tant elle est repérable, est envoyée en mission en Afrique du Nord, au Portugal, les précieuses informations écrites à l'encre invisible camouflées dans son soutien-gorge ! Le général de Gaulle lui remet personnellement la croix de Lorraine et, après la guerre, une médaille de la Résistance, ainsi que les insignes de la Légion d'honneur. Car Joséphine Baker a aussi mis son talent au service du moral des troupes en allant chanter en Libye, en Syrie et en Palestine, en sa qualité de sous-lieutenant des troupes féminines de l'armée de l'air ! Elle a également suivi la libération progressive du pays, donnant un concert sur la scène de chaque grande ville délivrée et, si saugrenu que cela puisse paraître, a chanté au camp de concentration de Buchenwald, dans la « salle des intransportables ». Les images de l'horreur s'impriment fortement en elle et la confortent dans la nécessité de militer pour la dignité humaine, la justice et la paix. Accueillie à Paris comme un héros national, elle fête dignement l'armistice en donnant durant des semaines des spectacles gratuits dans des théâtres ou des restaurants, au petit bonheur de ses sorties. Ce sacré tempérament, toujours porté à chanter, danser et célébrer la vie, séduit un jazzman réputé, ancien violoniste classique de renom, Jo Bouillon, qui dirige le nouvel orchestre de la chanteuse. En 1947, il devient son troisième et dernier mari. Les amants de la belle continueront de se succéder, mais Jo épouse les causes durables de sa compagne, les plus sages, qui sont parfois les plus folles. C'est avec lui qu'elle va travailler activement à la construction du monde dont elle rêve : un espace où les différences coexistent sans violence, parmi les hommes comme parmi les bêtes, une espèce d'arche de Noé modèle, sise au domaine des Milandes.

L'aventure des Milandes

Le rêve de Joséphine, marquée dans son enfance par les scènes de violence raciste et assez au fait de l'injustice du monde à force de le parcourir, va devenir réalité aux Milandes. De 1947 à 1967, la vedette et son époux engrangent des millions, de quoi mener grand train et vivre sereinement jusqu'à la fin de leurs jours si tel était leur but : Joséphine accumule les tournées, les saisons dans des cabarets parisiens, enregistre des disques, accepte les invitations des gouvernements algérien ou cubain aussi bien que celles de son amie Jackie Kennedy. Mais la construction de son État dans l'État au cœur de la Dordogne engloutit toutes ses ressources.

Première étape de ce projet grandiose : constituer une *Rainbow Tribe*, une « Tribu Arc-en-Ciel », réunissant des enfants de tous pays, toutes couleurs et toutes religions. L'adoption s'impose. D'autant que, longuement hospitalisée après la naissance d'un enfant mort-né en 1941 – on ne possède aucune information sur le géniteur –, Joséphine a subi une hystérectomie et sait qu'elle ne sera jamais mère biologique. Rallié à son projet, Jo Bouillon ne se doute pas que les deux premiers orphelins, accueillis en 1954, se verront rapidement entourés de huit autres, six frères et deux sœurs, soit une tribu de dix. De sa tournée au Japon, Joséphine n'a pu se contenter de ramener Akio, comme convenu ; elle n'a pu résister à embarquer aussi un petit Jeannot ! L'un est bouddhiste, l'autre shintoïste. Suivront, au fil des tournées, Luis, un Noir colombien, trois Français de confessions différentes : Jari, un protestant d'origine finlandaise, Jean-Claude, un catholique d'origine française, et Moïse, un juif d'origine israélienne, puis, en 1956, Brahim, dit « Brian », musulman né en Algérie, Marianne, née là-bas également, sous X, d'une mère française, et, en 1959, Mara, un Indien du Venezuela, Koffi, un Ivoirien, ainsi que deux Français de souche métropolitaine, Noël et Stellina. Il ne faut pas voir là une maladie, mais le fruit d'une sensibilité exacerbée : Joséphine croise le regard des enfants et succombe. S'ajouteront quantité d'animaux de toutes espèces, domestiques comme sauvages (un boa, notamment, qui s'égare dans le village et n'est jamais retrouvé…).

Pour s'occuper de tout ce monde et gérer le domaine, Joséphine Baker s'est entourée d'un personnel nombreux, précepteurs, nurses, jardiniers, encadrés par son frère Richard et sa sœur Margaret, qui tentent vainement de tenir un budget. Car Joséphine entend que ses enfants ne manquent de rien et se montre d'une générosité débordante. Ce que l'on a appelé sa mégalomanie ne s'arrête pas au cercle familial. Elle crée autour du château des Milandes un centre touristique dont le succès est national : trois cent mille visiteurs par an, auxquels il faut ajouter des colonies de vacances d'enfants défavorisés. Elle fait venir l'eau courante et l'électricité pour tout le village, construit une piscine, un hôtel, monte des commerces, une guinguette... Gilbert Bécaud, Hervé Vilard ou Dalida, qui viennent se reposer chez elle, y chantent parfois. À 40 ans, Joséphine reste une bête de scène, mais elle vit le plus souvent possible aux Milandes, entre l'organisation de festivités collectives et un emploi du temps de mère bien chargé.

Dans un livre, son fils Brian a évoqué avec tendresse cette «drôle de maman». Au titre de ses drôleries, la volonté de trimbaler partout ses petits, dans les grands magasins, dans le monde entier, de les maintenir coûte que coûte en contact avec leur culture d'origine. Joséphine reste cependant une maman conforme aux normes : elle prépare des repas pantagruéliques pour sa grande tablée, elle câline, gronde, éduque. Elle fait respecter sans concession les valeurs morales qu'elle défend, et les punitions tombent immanquablement en cas de lâcheté, d'égoïsme ou de malhonnêteté, le mensonge étant le péché capital sur l'échelle Baker. Si aux Milandes les enfants vivent à l'abri du monde, Joséphine les prépare à cette vaste jungle lors de «dîners-leçons» où elle traite des sujets d'actualité, tensions internationales ou racisme par exemple. Elle les exhorte à une profession à l'écart du show-business (ils s'y conformeront), et il s'écoulera plusieurs années avant qu'ils ne découvrent l'époque où leur mère défrayait la chronique, seins nus et ceinture de bananes autour de la taille. Car la chanteuse éteint la télévision dès qu'il est question de son passé. Artiste, oui, délurée, non. Du reste, la maturité a changé la «petite sauvage» en «diva à fourreaux».

Bien que la Tribu Arc-en-Ciel suscite quelque suspicion au village, on s'y fait : sans Joséphine, les Milandes seraient demeurés une commune abandonnée, comme tant d'autres. Aujourd'hui encore, le château abrite un musée Joséphine qui fait sa fierté. Pourtant, la fin de l'aventure des Milandes ne présageait guère d'un tel hommage.

1968 : la « chienlit »

La fameuse expression du général de Gaulle à propos de la France de 1968 caractérise assez justement la vie de la chanteuse à l'époque et la gaulliste inconditionnelle qu'elle était n'aurait pas renié le terme. Quelques années plus tôt, le départ de son mari à Buenos Aires, où il allait installer un restaurant, aurait pu lui apparaître comme un signal d'alarme : las de cette débauche d'enfants et de dépenses, il pressentait la faillite du domaine et s'était longuement agacé que Joséphine n'en fasse qu'à sa tête, tout à son rêve, loin des considérations financières. On entrait aux Milandes pour quelques francs symboliques, et les pensionnaires à titre gracieux étaient légion. Parti en 1961, Jo Bouillon revient chaque fois qu'il y a péril en la demeure et continue à veiller sur ses enfants, sans discuter son soutien financier. Richard et Margaret tentent de préserver les biens de leur sœur, mais sans parvenir à éviter l'inéluctable : il faut vendre.

Quelques semaines avant la fin, Brigitte Bardot, au nom de la cause animale, lance un appel déchirant à la solidarité pour sauver le « rêve », tandis que Trigano, *alias* « M. Club Med », propose de racheter l'arche de Dordogne. Joséphine résiste jusqu'au bout. Elle espère un sponsor, un sauveur, elle fait même appel au Général. En vain. Vidée des lieux par la force un sale jour de l'été 1968, après que le domaine a été bradé, elle est victime d'un malaise cardiaque. Mais elle reprend vite le dessus et installe sa tribu à Saint-Germain-en-Laye grâce à l'argent de la vente des Milandes. Pas question pour elle de réduire les dépenses !

Alors que la jeunesse française se révolte, Joséphine inscrit ses enfants dans de stricts pensionnats de jésuites. Ayant toujours été tenus à l'écart des brouilles parentales comme des aléas matériels, ceux-ci ne comprennent rien à leur déménagement soudain, début 1969, pour l'onéreux hôtel Scribe, puis pour le Grand Hôtel, près de l'Opéra, qui offre des tarifs préférentiels à leur pensionnaire de renom. Ce sont pourtant les enfants qui prendront l'initiative prudente de ne plus déjeuner chaque jour à quinze au café de la Paix ! Fin 1969, un nouveau déménagement conduit la famille dans un vaste appartement de l'avenue Mac-Mahon. Joséphine, 63 ans, décide de reprendre du service pour faire rentrer des fonds. L'ami Jean-Claude Brialy, tuteur officieux des enfants, l'associe aux bénéfices du cabaret la Goulue, où elle lance un nouveau show, chic et *glamour*. Malheureusement, les temps ne sont plus au music-hall. Et même si Joséphine Baker a su opérer un virage artistique au début des années 1950, en cette aube des années 1970 on guette Janis Joplin et Marianne Faithfull. La jolie négresse ne fait plus recette.

Sauvée par la princesse Grace de Monaco

La même année, au cours de ses vacances estivales à Monte-Carlo, Joséphine retrouve une compatriote, artiste comme elle, souvent venue l'applaudir, la princesse Grace. Pleine de sollicitude, celle-ci comprend que la chanteuse brûle ses dernières ressources pour tenir ses enfants à l'abri du besoin, mais que l'opération d'illusionnisme touche à sa fin. Elle lui propose d'habiter gracieusement une magnifique villa à Roquebrune-Cap-Martin contre – l'échange est généreux – quelques galas de charité, notamment en faveur de la Croix-Rouge. Sa progéniture, dont le plus jeune a 10 ans, est scolarisée avec les enfants princiers. Elle vit la jeunesse dorée du Rocher dans une insouciance qui scandalise leur mère. Musique du matin au soir, jeans pattes d'éléphant, désordre domestique : Joséphine croit voir dans cette conduite adolescente le spectre de la révolution.

La période est difficile à passer pour une femme qui s'est construite grâce à son dur labeur et dans l'humilité.

Quand on lui en offre l'occasion, Joséphine Baker se produit encore à Paris ou part en tournée, notamment aux États-Unis où, en 1973, on lui prête un dernier amour de deux ans avec un collectionneur d'art américain. C'est Grace de Monaco qui œuvre pour qu'elle reprenne dignement du service en 1975, à Bobino. Cinquante ans exactement après son arrivée à Paris, Joséphine Baker remonte sur scène, ovationnée par un public fervent, portée par des critiques dithyrambiques. Le retour en grâce, si l'on ose dire ! Un beau jour d'avril, elle téléphone à ses enfants pour les embrasser, euphorique, star ressuscitée, « icône de bronze et d'acier bruni », comme la qualifiait Cocteau. Quelques heures plus tard, elle est victime d'une congestion cérébrale en sortant de scène. Elle ne s'en relèvera pas.

Ses obsèques à Paris, le 15 avril 1975, ont réuni des milliers d'admirateurs, avant son inhumation à Monte-Carlo. En 2006, le centenaire de sa naissance a été dignement célébré par des spectacles en forme d'hommage et par le baptême d'une piscine parisienne à sa mémoire. À son décès, la Tribu Arc-en-Ciel a fini de grandir en Argentine, auprès d'un père dont la chanteuse n'avait jamais médit.

La justesse du désir

*par Sophie Cadalen**

Une histoire de désir

Ce qui singularise la vie de Joséphine, c'est la formidable pulsion vitale qui l'anime dès le départ, une énergie qui lui donne le ressort et les moyens de survivre au pire. Nous ne naissons pas tous dotés des mêmes ressources, et il est certain que les circonstances de notre conception, puis de notre développement conditionnent l'avenir. L'existence de Joséphine démontre cependant que les chances ne sont pas forcément celles qui se voient, ni celles que l'on croit. Elle ne reçoit pas d'instruction, vit dans un milieu instable et une société raciste, ses parents se quittent, elle grandit dans la rue : ces circonstances lui fermaient *a priori* les portes d'un avenir florissant. Certains enfants, nés sous de bons auspices, vont passer leur vie à se détruire, tandis que d'autres, démunis, « souriront à la vie », parce que l'essentiel ne réside pas dans les drames manifestes, dans la possession de biens ou la quantité de culture ingurgitée, mais dans l'interprétation subjective qui en est faite.

Joséphine a su se frayer un chemin entre les obstacles, nombreux au début de sa vie. Cette capacité vient du plus intime

* Sophie Cadalen est psychanalyste. Elle est l'auteur, entre autres, de *Ni Mars, ni Vénus* (Paris, Leduc.s, 2006), *Inventer son couple* (Paris, Eyrolles, 2006) et, parmi ses fictions, du *Divan* (Paris, Blanche, 1999), et de *Tu meurs* (Paris, Le Cercle, 2001).

de soi, de cet inconscient dont, justement, nous n'avons pas conscience, et qui nous mène plus sûrement que notre «bonne» volonté. Un inconscient d'où naissent et jaillissent nos pulsions vitales, nos ambivalences, nos désirs. Un inconscient qui, s'il est en mouvement, s'il n'est pas entravé par trop d'interdits, nous fait libres et pleins de ressources, à l'image de Joséphine. Ainsi, les enfants aménagent inconsciemment les événements afin de leur donner du sens et une cohérence grâce auxquels ils pourront survivre. Il est fréquent qu'un enfant battu justifie la violence qu'il subit : s'il est frappé, c'est qu'il le mérite. Quitte à devenir l'otage de cette justification. Ce qui explique qu'une fois devenu adulte, il vive handicapé par une image de soi déplorable, une culpabilité tenace, ou encore qu'il répète la violence subie. Joséphine, certainement malmenée dans sa jeunesse, ne s'est pas laissée enfermer dans une telle logique. Car il est possible de nous extirper d'une spirale de destruction si le sens donné à nos expériences et à nos émotions bénéficie, le temps passant, de nouvelles interprétations. Il n'y a pas de vérité unique à ce qui est vécu, pas davantage d'explication juste, et le but de l'analyse n'est pas de réussir à «bien» interpréter son histoire, mais à se dégager d'une interprétation figée afin d'avancer. Vers sa vie. Vers son envie. Nombre de patients en souffrance s'étendent sur le divan en protestant qu'ils ont pourtant connu une enfance formidable – alors qu'ils ont peut-être eu des parents «formidablement» destructeurs. Les liens entre les faits avérés et leurs conséquences psychiques sont infiniment complexes. Des enfants partis de rien peuvent finalement remercier leurs parents pour cette page blanche, s'ils réussissent à y coucher leurs mots. Ce «rien», au début de la vie, peut offrir la latitude nécessaire pour créer sa propre culture et se construire : pour s'inventer. À condition d'avoir le désir et l'énergie psychique de le faire, ce qui fut assurément le cas de Joséphine. Car cette énergie, cette tornade de vie qui vient, d'abord et surtout, de l'inconscient, peut être torpillée par des principes moraux, éducatifs, par les rancœurs et les frustrations. La névrose est elle-même une « installation » psychique pour contraindre cette énergie, la canaliser et en garder le contrôle. Elle enferme dans une interprétation unique de notre histoire, où les causes identifiées de notre mal-être restent incontestées. Vivre heureux, ou sans excès de souffrance, est possible à condition d'en finir avec les explications univoques. C'est pourquoi on peut douter de l'opportunité de certaines thérapies à la recherche de LA vérité qui donnerait UN sens à notre souffrance. L'énergie inconsciente, pour se libérer, a besoin d'un « lâcher prise », et non d'une interprétation définitive. Ce lâcher prise n'exige pas de renoncer à toute réflexion et à toute rationalisation : lâcher ce que l'on croit être rend au contraire apte à se penser à chaque instant de son existence.

Il est probable que, étant artistes, les parents de Joséphine lui ont transmis un modèle de liberté. Sans doute lui ont-ils aussi offert un beau modèle d'amour, même s'ils se sont quittés précocement. Joséphine est manifestement le fruit d'une union où le plaisir était convié, fruit assurément bienvenu à défaut d'être prévu, et non le produit de la malédiction, de la fatalité ou de la haine. Ce contexte originel lui a donné la force, malgré les conditions difficiles de sa jeunesse, de n'être ni victime ni bourreau, de savoir dire non à l'intolérable en refusant, dès 13 ans, d'être battue par son premier mari, alors que son environnement n'était pas propre à encourager sa révolte. Elle a su inventer d'autres règles, elle n'a cessé de naître. Elle aurait pu s'abandonner à des penchants morbides, vivre hantée par la peur de perdre ou d'échouer. Au lieu de quoi elle a fait du manque un moteur : elle a consenti à perdre pour acquérir. Joséphine ne conservait rien, ni les maris, ni les amants qu'on lui suppose, ni les statuts, ni l'argent, ni les étiquettes : elle était star, elle est devenue résistante ; elle était américaine, elle est devenue française ; elle était parisienne, elle est devenue monégasque. Nous sommes tous motivés et déterminés par le manque : on aime parce qu'on manque de l'autre. Ce manque n'a rien d'un besoin sexuel et physiologique qui disparaîtrait sitôt comblé. Il est le désir que nous avons de l'autre, de sa différence. Impossible à assouvir définitivement, il n'est pourtant pas frustrant puisqu'il excite notre curiosité. Ainsi l'amour, qui nous pousse vers l'autre sans que nous soyons jamais repus de lui, est-il une sublimation du manque. On peut décrypter notre relation à l'alimentation de la même manière : ce n'est pas un manque douloureux, ou une insatisfaction, qui, le plus souvent en Occident, nous pousse à nous mettre à table : la gourmandise et le plaisir sont des moteurs bien plus puissants. La boulimie et l'anorexie sont à leur façon des tentatives de réponse à la question du manque, et du désir qui en jaillit. La première y répond par le remplissage permanent et excessif qui empêche tout appétit, et donc le manque de se manifester ; la seconde par la privation, qui nie le manque et conduit à la négation de tout désir.

Du manque naît le désir, et donc le plaisir à satisfaire ce désir. C'est grâce au manque que s'impose le temps de jouir et de savourer. Le fait que Joséphine poursuive infatigablement de nouveaux projets ne doit pas être tenu pour une fuite en avant. Son appétit d'aventures artistiques et humanitaires n'est pas un moyen, pathologique, d'échapper à l'impératif du désir. Au contraire : c'est son désir, né du manque, qui lui insuffle cette énergie. L'attitude névrotique consisterait à ne jamais jouir du temps présent – par peur de perdre ce qui est ou ce qu'on a –, à vivre dans une insatisfaction permanente, et à courir après le comblement, mythe qui se nourrit de deux fantasmes, identiques malgré les apparences : celui d'une vie de dénuement, débarrassée des tentations, ou celui d'une opulence garantie, sans plus d'inquiétude ni d'envie. Deux fantasmes pour un même résultat : une perfection figée. On se trompe au sujet de ceux que l'on appelle des saints : mère Teresa, par exemple, n'a jamais prétendu avoir trouvé la sérénité dans l'immobilisme, c'était au contraire une grande active, un extraordinaire entrepreneur, une réalisatrice de ses rêves. Les maîtres zen ne sont pas seulement des contemplatifs, mais aussi des pratiquants d'arts martiaux, habiles au combat et joyeux dans la lutte. De la même façon,

93

Joséphine n'aurait pas mené toutes ses batailles si elle n'en avait pas joui. En qualité d'artiste, elle était à bonne école pour savoir que la vie est toujours à faire : chaque fois que le rideau tombe, quelque chose se termine, et tout est à re-faire. Ni mieux ni moins bien, autrement. Nous croyons tous vouloir réussir. Mais pour peu que nous auscultions notre désir avec sincérité, nous nous apercevons que les occasions ratées sont celles que nous laissons passer. Soit parce que notre névrose est assez puissante pour nous freiner, dans l'ignorance où nous sommes de ce qui nous apporte satisfaction (quand nous connaissons si bien nos frustrations ordinaires !) ; soit parce que nous craignons d'avoir à payer trop cher la jouissance éprouvée. Joséphine n'est pas ligotée par une culpabilité qu'encourage notre culture judéo-chrétienne. Elle n'attend pas de punition après le succès, elle ne craint pas la chute après la gloire. Elle sait qu'on se relève des défaites pour renaître, et que la fin d'une vie réussie n'est pas forcément triste. Éros a besoin de Thanatos pour se réaliser. Aucune vie ne pourrait s'épanouir si nous n'acceptions pas que tout meure et cesse un jour. Quelle plus belle mort pouvait rêver Joséphine Baker que sur scène, encore debout et radieuse à presque 70 ans, après avoir téléphoné à ses enfants qu'elle savait à l'abri ?

Une image mouvante

Joséphine a géré sa carrière comme elle a vécu, sur le mode de la transformation et non de la frustration. Être métisse, avoir une double nationalité l'a sans doute aidée à comprendre que nous ne sommes pas uns et indivisibles, mais multiples et changeants. Elle a su éviter le piège de se confondre avec son image média-tique, qu'elle n'a jamais tenté de fixer pour la contrôler. Elle ne s'est pas conformée à un reflet d'elle-même qu'elle aurait lue dans le regard des autres. Car elle ne se mirait pas en eux, elle ne réclamait pas l'assentiment du public, des critiques, de ses amis pour vivre sa vie et décider de ses batailles. Propulsée à ses débuts en France comme « la petite négresse qui bouge bien ses fesses », « la petite sauvage débridée sexuellement » et autres poncifs qui permettaient de cataloguer l'étrangère et son troublant mystère, elle a joué le jeu sans s'y laisser prendre. Elle y a vu sa chance, un tremplin, comme ces candidats des émissions de télé-réalité dont certains (ceux qui en sortent sans dommage) ont compris que leur exposition médiatique n'était pas LA réalité, mais l'une de leurs réalités, une réalisation ponctuelle. Croire à la véracité de son image fragilise et met en danger. Parce que cette image est éphémère, et parce que les autres ne perçoivent pas de nous ce que nous voudrions qu'ils en perçoivent. Bien que chacun prétende savoir qui il est, il se perçoit à l'aune de son histoire, de ses ressentis inconscients, tandis que les autres le perçoivent à l'aune des leurs. Et aucune de ces perceptions n'est plus vraie ni plus définitive que les autres. Joséphine, elle, sait à la fois qu'elle n'est pas tout entière là où on la désigne, et qu'il est impossible d'échapper à la représentation que les autres ont d'elle. Elle ne s'est jamais laissée enfermer dans un quelconque signifiant, que ce soit celui de la négritude, du spectacle ou du mariage, poursuivant la réalisation de ses projets. Une quête qui pouvait passer par la prestation artistique, le militantisme, l'aventure sensuelle, mais qui ne cherchait pas à trouver une réponse à la question « Qui suis-je ? ». L'être ne s'attrape pas puisqu'il ne se fixe nulle part – sauf dans la mort. Il est toujours en devenir, et Joséphine l'avait compris.

On a manipulé son image, elle ne s'en est pas préoccupée. Car elle existait au-delà et ne craignait pas de manipuler cette manipulation. Elle était libre car elle savait profondément ce qu'elle désirait – s'épanouir dans le milieu artistique, concrétiser ses idéaux humanistes : elle ne se trompait pas de message. Sa force était de savoir aussi manier les codes, c'est-à-dire les moyens disponibles pour concrétiser ses intentions. Une force qui manque aux hystériques ou aux obsessionnels, inaptes à concilier code et message. Les hystériques possèdent le message, la très grande envie de faire un livre par exemple, mais pas les codes, à savoir qu'il faut s'équiper d'un ordinateur ou d'un stylo, et travailler : ils ont l'idée mais ne passent pas à l'acte. Les obsessionnels ont les codes, ils écrivent tous les jours, ils noircissent des pages, mais ils n'ont pas le message : le manuscrit n'a aucun public potentiel, aucune intention lisible, voire jamais de fin. Cependant, Joséphine n'intellectualisait pas la « non-gestion » de son image : ce qui peut apparaître après coup comme une stratégie était une élaboration inconsciente. Elle n'avait rien d'une carriériste à la Madonna, qui sait utiliser les médias pour se promouvoir et qui s'adapte aux tendances du temps. Joséphine était instinctive, aussi souple dans son psychisme que dans son corps, dans la mobilité et pas dans la pose. C'est ce qui a séduit les surréalistes, les Picabia et Man Ray, ou les auteurs inclassables à la Simenon. Ils ont perçu en elle la flamme, la véritable amante. Joséphine était fascinante car elle jouait hors du champ narcissique, hors du credo castrateur. Elle n'imposait pas une figure de la féminité : elle se laissait regarder par l'autre et son désir, sans chercher à s'en assurer la maîtrise. Une femme qui aurait manipulé ces hommes, ou tenté de le faire, ne les aurait pas bouleversés comme Joséphine. Son jeu sur scène illustre cette plasticité : elle n'hésitait pas à s'enlaidir en grimaçant, elle jouait de son image quand les autres stars la contrôlent, elle acceptait que l'on s'en amuse. Pour les femmes différentes d'elle, c'était sans doute horripilant ; pour les hommes... parfaitement excitant. Car si les icônes glaciales en fascinent certains, c'est parce qu'ils en adorent surtout le spectacle. Ils rêvent de les troubler et de leur donner chair afin de valider leur pouvoir de séduction, mais ils ne les aiment pas avec leur corps, leur esprit, ni en toute inconscience...

Le plaisir de Joséphine à épouser une multiplicité d'images explique qu'elle ait vieilli dans la sérénité, contrairement à la plupart des stars : elle a su perdre la Joséphine de 20 ans, puis de 30, et si elle était toujours séduisante à 70 ans, c'est parce qu'elle n'avait pas cherché à rester celle qu'elle avait été. Elle montait sur scène pour être elle-même, c'est-à-dire une autre.

Le corps libéré, le sexe aussi

La liberté de Joséphine à l'égard de son corps ne trahit aucun manque de pudeur, ni une audace qu'autorisait l'éloignement des siens. Joséphine a compris l'essentiel : la nudité est encore un costume. Elle sait que derrière le masque, il y a encore du masque. On la voit nue, mais on ne l'attrape pas (quand d'autres, habillés, se sentent déshabillés des yeux !). Cela aussi tient à son indépendance vis-à-vis du regard des autres : elle a besoin de leur admiration pour travailler, pas pour exister. N'étant pas prisonnière d'un questionnement inquiet sur son identité ou sur son apparence, son comportement ne relève pas de l'exhibitionnisme, qui va sans plaisir si le regard de l'autre manque, et qui génère l'angoisse d'être dépendant de cet autre. Joséphine est dans la jubilation, la spontanéité, et si elle consent à être objet de désir, c'est parce qu'elle n'est pas esclave de ce rôle et des fantasmes qu'il suscite. L'autre ne la contraint pas. Si nous sommes parfois malheureux dans nos vies sexuelles, ou plus largement dans nos vies, c'est souvent parce que nous tentons de nous approprier l'autre et, dans ce but, de répondre à la demande que nous lui attribuons, sans nous interroger sur notre propre désir. Joséphine, elle, va vers l'autre poussée par son désir, sans attente ni réclamation, sans chercher à se plier à une demande supposée, démarche qui condamne à coup sûr à l'insatisfaction. Car malgré nos efforts, nous ne correspondons jamais aux attentes apparentes de l'autre, pas plus qu'il ne correspond aux nôtres, l'amour se jouant d'abord et surtout dans l'inconscient. Quelque chose d'imprévu, d'impalpable, d'inidentifiable vient toucher et lier deux êtres l'un à l'autre. Voilà pourquoi tous les systèmes informatiques, les méthodes ou les recettes pour rencontrer l'âme sœur n'offrent aucune garantie. C'est l'erreur de la fameuse dichotomie entre Mars et Vénus [21] : les hommes seraient conçus selon tel modèle et voudraient ceci, les femmes selon tel autre et attendraient cela, et il suffirait de le savoir pour qu'entre eux cela fonctionne. Comme si les hommes se ressemblaient ! Comme si la féminité était standard ! Comme si hommes et femmes étaient gouvernés par la même mécanique amoureuse ! Nous aimerions le croire : les choses seraient alors si simples…

Joséphine ne vit pas dans une quête d'assentiment, ni dans l'aumône, mais dans la production publique de son propre plaisir. On ne sait pas grand-chose de la réalité de sa vie sexuelle – ce qui montre combien elle était secrète, nue ou pas. On en sait moins sur son intimité que sur celle de femmes très couvertes, qui protestent de leur pudeur et se racontent sans scrupules. Peut-être lui a-t-on prêté d'innombrables amants parce que, dans nos fantasmes, la liberté du corps va de pair avec celle des mœurs. Or les faits ne confirment pas cette hypothèse. Qu'on se rappelle les aveux de Brigitte Bardot, briseuse de tabous dans *Et Dieu créa la femme*, sur le peu de plaisir sexuel qu'elle éprouvait avec les amants prestigieux du temps de sa jeunesse. Si Joséphine eut de nombreux amants, elle ne l'a pas confessé : pour quoi faire ? Sa force est d'être dans la vie, plutôt que d'en rendre compte ou de se justifier au regard d'une quelconque morale. Elle n'était pas absorbée par une consommation frénétique à visée narcissique, elle jouissait de l'existence. Contrairement aux hystériques de la séduction, comme Marlène Dietrich [22], elle savait aussi varier et dissocier les plaisirs, cloisonner son existence, être une star ici et une mère ailleurs. Ce qui explique que ses enfants n'eurent pas à pâtir de sa célébrité de *sex symbol*. Ce que raconte d'elle son fils

---

21. Cf. John Gray, *Les hommes viennent de Mars, les femmes de Vénus*, Paris, J'ai lu, 2005.
22. Voir *supra*, p. 64 *et sq*.

Brian – « Si elle a eu beaucoup d'amants, j'ai envie de dire : tant mieux pour elle ! » – révèle à la fois l'image qu'elle a offerte de la sexualité : une activité peut-être épanouissante, en tout cas secrète, et l'absence de confusion sexuelle au sein de la famille. Que Joséphine ait caché les photos d'elle dénudée à ses enfants ou qu'elle ait tenté de les détourner des reportages où s'affichait son érotisme ne témoigne pas d'un sentiment de honte : c'était une mesure élémentaire pour leur permettre de nourrir à leur guise le fantasme autour de la sexualité de leurs parents sans en faire ses témoins. Il peut arriver qu'un enfant surprenne ses parents en pleins ébats ; ne pas lui en rendre compte par des explications qu'il ne réclame justement pas, c'est laisser le champ libre au fantasme de la scène originelle, et cet « incident » perdra alors son caractère traumatisant. Être mère, c'est savoir taire sa sexualité, ses disputes conjugales, son intimité de femme. La maternité est un rôle. Un de plus au cours de la journée, après ceux que l'on endosse dans son univers professionnel, dans la sphère publique, etc. Répondre à l'image de mère que réclame l'enfant, mettre quelquefois en sourdine celle de la femme, se dérober aussi parfois, *a contrario*, aux attentes de l'enfant, c'est lui laisser de l'espace pour façonner son propre imaginaire. Taire sa sexualité n'est pas nier sa féminité. Car les mères qui se consacrent tout entières à leur fonction maternelle produisent des effets dramatiques. N'étant pas divisées par des rôles différents, ne vivant pas de désir hors de leur enfant, elles ne lui laissent pas d'espace pour écouter son propre désir, pour simplement s'émanciper.

La justesse des grandeurs

On dit de Joséphine qu'elle avait la folie des grandeurs, mais quelle grande ambition ne serait pas folle ? Comment pourrait-il y avoir une norme aux rêves que nous nourrissons, alors que la particularité du rêve est justement d'y échapper ? Que Joséphine ait été en mesure de réaliser le sien, acheter un château spacieux et y loger de nombreux enfants, est un fabuleux accomplissement ! Même si l'âge d'or un jour a pris fin. La folie aurait été d'avoir tout englouti dans ce rêve, de finir avec sa famille sous les ponts ou d'être obligée de disloquer une fratrie qu'elle souhaitait unie. Le rêve de Joséphine n'était pas celui d'une princesse qui se construit un monde à l'abri du monde : elle rêvait à une microsociété étalon de la grande, ouverte aux autres et au brassage culturel, entre cars de touristes et gloires du music-hall, et elle y a œuvré efficacement.

Joséphine a permis à ses enfants d'appréhender le changement et la différence, elle leur a appris à ne pas se laisser contraindre par les stéréotypes, qui, eux, ne sont pas fous, mais de taille « normale ». S'ils n'étaient pas ses enfants biologiques, ils étaient à son image : multicolores, multifacettes. Elle ne les a pas cherchés conformes à un critère précis, elle les a trouvés, différents de ce qu'elle imaginait, de même que les enfants dits « naturels » ne ressemblent jamais à ce que leurs parents projetaient. Si elle en a tant rencontré, c'est qu'elle vivait sa maternité comme sa vie : les yeux grands ouverts, en se laissant porter par les vents favorables, en se laissant séduire. Cette disposition psychique ne l'a pas empêchée de diriger sa famille comme une petite entreprise, d'être leader, parfois trop directive au goût de sa progéniture adolescente. Une telle autorité a bien sûr ses avantages : en disant non à ses enfants, on les aide à savoir dire non quand ils seront adultes – et à oser prononcer des « oui » qui soient de véritables consentements. Si Joséphine a pu être aussi ferme, c'est parce qu'elle ne refrénait ni son désir ni sa mobilité : on affirme d'autant plus sûrement son autorité dans la réalité que l'on est fluide et souple dans l'inconscient, que l'on est toujours en devenir et pas entravé par le fantasme d'un moi à la définition immuable. L'autorité possède alors la capacité de se moduler, de s'adapter, voire d'être abandonnée en certaines circonstances. Joséphine ne s'est pas transformée en despote, elle n'a pas été gagnée par la démesure en devenant une mère phallique, dirigiste et toute-puissante : sa présence était suffisamment intermittente pour que son empreinte soit mâtinée de celle des autres. Elle savait déléguer à sa sœur, à son mari, à son personnel. Et si ses enfants se sont révoltés dans les années qui ont suivi Mai 68, c'est précisément le signe qu'elle leur en avait laissé l'espace, qu'elle avait su les accompagner, leur apprendre à penser et à se démarquer.

Que Joséphine ait été une gaulliste convaincue, voire une femme un peu réactionnaire à la maison, en même temps qu'une artiste de music-hall conspuée en son temps pour atteinte aux bonnes mœurs, n'a rien de déroutant puisqu'elle n'était pas une politique cherchant à afficher l'unité d'une posture théorique, mais une femme qui défendait les valeurs qu'elle estimait les meilleures, que ce soit dans son pays, sa famille ou son métier. Elle ne vivait pas dans le drapé du discours, elle ne se souciait pas de faciliter la tâche de ses biographes qui auraient pu dresser d'elle un tableau monochrome. Elle offre en revanche au psychanalyste qui se penche sur sa vie la démonstration éclatante que le désir, s'il vient de l'inconscient, s'il est plus fort que les peurs et les prétendues fatalités, n'a pas besoin d'en passer par le divan pour mener la danse. Une danse lumineuse…

Simone de Beauvoir (1908-1986) :
une femme de tête

Simone de Beauvoir a marqué le XXᵉ siècle par ses prises de position courageusement féministes pour son époque, mais, paradoxalement, son nom et sa vie restent difficilement dissociables de ceux de son compagnon à éclipses, Jean-Paul Sartre. Auteur de sept romans, d'autant d'essais et Mémoires, d'innombrables professions de foi à destination de la presse, elle aurait sans doute vu dans cette association de leurs œuvres le signe de la phallocratie du microcosme intellectuel. Celle à qui l'on reprocha d'être une petite-bourgeoise en révolte contre son milieu d'origine a laissé le souvenir d'une figure austère, et des écrits qui exhortent moins aux plaisirs des sens qu'aux joies intellectuelles, faute de pouvoir concilier les deux dans une société où l'alternative semblait figée, sans chemin de traverse : asseoir ses thèses avec autorité, ou habiter un corps qui, pour être féminin, finirait par plier sous le joug masculin. Ni épouse, ni mère, Simone de Beauvoir, par ses renoncements, a sans doute permis à des millions de femmes de le devenir autrement, volontairement, en accueillant notamment leur maternité non comme un fardeau mais comme un droit, et une chance.

Une bourgeoisie vite contestée

Simone de Beauvoir naît en 1908 à Paris dans une famille bourgeoise au standing déclinant. Le père, avocat, récolte moins de succès auprès des tribunaux qu'auprès des femmes, des gens de théâtre et des joueurs de bridge. Georges de Beauvoir est l'un de ces goujats misogynes tels que l'époque en connut beaucoup, raille sa femme à tout propos, et le couple se déchire « jusqu'à ce que la mort les sépare » (celle de Georges, en 1941). Simone et sa sœur cadette de deux ans, Hélène, sont scolarisées au cours Désir, selon les vœux maternels, une honorable institution tenue par des vieilles filles confites dans la dévotion. Simone, d'un tempérament déjà entier et spirituel, envisage un temps d'embrasser une carrière religieuse, avant de cesser tout à fait de croire en Dieu, à 14 ans, sans pour autant verser dans des rêves d'épouse et mère de famille idéale. Dotée d'une solide fibre pédagogique, elle s'exerce auprès de sa petite sœur qui l'idolâtre et sur qui elle jouit de régner sans partage. Avec Hélène, Simone de Beauvoir passe son temps à lire et à étudier, notamment lors des vacances dans les grandes propriétés familiales du Sud-Ouest. Mais bientôt c'est « Zaza », Élisabeth Mabille, rencontrée à 10 ans au cours Désir, qui remplace Hélène dans le cœur de Simone. La relation avec la meilleure amie dessine le modèle que l'écrivain gardera du véritable amour : une relation d'égal à égal. Zaza reste pourtant une jeune fille rangée aux ambitions conformistes. À plusieurs reprises, Simone de Beauvoir l'invite à en finir avec ses rêves d'épouse et mère modèle, à ne pas se laisser enfermer dans le carcan catholique. En vain. Elle prend ses distances avec Zaza après leur baccalauréat en 1924, mais quand la complice décède d'une méningite foudroyante, Simone, au désespoir, culpabilise de n'avoir pas su l'arracher à sa vie bourgeoise et à ses peurs. Elle a tôt fait d'accuser l'environnement de l'avoir « rongée », désignant comme coupable ce milieu où les émotions n'ont pas droit de cité, où l'élan vital est brisé. Pour sa sœur Hélène, elle va mener avec une rage redoublée des combats qui porteront leurs fruits, notamment lorsqu'elle obtiendra de la conduire jusqu'au baccalauréat, contre l'avis de leur mère qui espère façonner au moins une bonne bourgeoise sur les deux ! Simone elle-même s'est vu interdire en son temps de tenter le concours de l'École normale supérieure et de suivre les cours de philosophie de la Sorbonne ! Elle s'est repliée sur Sainte-Marie de Neuilly, une voie moins royale, mais son brio a compensé. Rebelle, Simone de Beauvoir n'en est pas moins influençable et, pour rentrer dans le rang, elle songe quelques mois à épouser son cousin. Mais la rencontre avec Jean-Paul Sartre va balayer toute tentation de faiblesse.

En 1929, Simone de Beauvoir fait d'abord la connaissance de « Maheu », un ami de Sartre, à la Bibliothèque nationale. C'est lui qui, ce jour-là, lui donne le surnom de « Castor », sobriquet que l'illustre philosophe lui gardera jusqu'à la fin de sa vie. Elle est conviée à une séance collective de révision du programme d'agrégation de philosophie avec le trio de normaliens que forment Maheu, Nizan et Sartre. Ce dernier, grand amateur de femmes, a beau être bluffé par l'exposé sur Leibniz de l'agrégative, il paraît d'abord à Simone... fort laid ! Une fois, elle envoie même sa sœur à un rendez-vous à sa place. Mais l'aura du jeune penseur a raison de ses réticences au bout de quelques semaines. Ils décrochent, majors *ex æquo*, l'agrégation de philosophie, la première place officielle étant finalement attribuée à Sartre pour le consoler d'avoir manqué le concours l'année précédente. La prude Simone ne se donne physiquement à lui que l'été venu, après que Jean-Paul l'a romantiquement poursuivie jusqu'en son Sud-Ouest familial. Le père, surprenant les amants, ordonne à Sartre de disparaître. Sartre lui tient tête. Son refus de négocier avec la morale puritaine épate Beauvoir, et la scène entérine la rupture de la jeune agrégée avec ses parents. Dès la rentrée, elle occupe une chambre dans l'appartement de sa grand-mère et se contente de courtes visites de courtoisie à ses parents. Pendant plus d'un an, elle écrit, ou sort avec Sartre, jusqu'à leur nomination comme professeurs en 1931, l'une à Marseille, l'autre au Havre. Leur éloignement scelle leur amour et initie une riche correspondance où Sartre énonce les principes de leur relation. Comment a-t-il réussi à convaincre Simone de Beauvoir qu'une relation conjugale avait besoin de tiers sexuels pour mieux dire sa consistance ? Simone refuse le mensonge bourgeois et les contraintes, certes, mais l'idée d'associer l'une de ses propres élèves, puis amie, et bientôt petite amie, au couple qu'elle forme avec Sartre ne vient pas d'elle, assurément. Alors qu'ils enseignent tous deux à Rouen l'année suivante, Sartre lui demande effectivement à sortir seul avec la jeune Olga Kosakiewicz. Il en fait sa maîtresse ; Simone de Beauvoir l'imite bientôt. Par défi ? Elle ne s'est pas cachée d'avoir souffert de cette relation triangulaire, comme elle souffrit des innombrables maîtresses ultérieures de son compagnon, prête à tout endurer pour s'assurer l'éternité de leur relation. Sartre n'a jamais triché, ni dans la pratique, ni en théorie. Il a annoncé d'emblée son refus du mariage (dont Simone de Beauvoir ne voulait du reste pas davantage, après l'avoir évité de justesse), de la fidélité, de la cohabitation et des promesses (ils sont convenus d'un «bail de deux ans» pour commencer). Simone de Beauvoir, pour préserver sa propre indépendance, voit son intérêt à adopter ce modèle en forme d'anti-modèle. Profondément éprise de son philosophe, elle passe son temps à enseigner, travailler, écrire, et, à l'occasion, apaise ses sens auprès de jeunes femmes, parfois ses élèves, ce qui lui vaudra son exclusion de l'Éducation nationale en 1943. Il faut dire que l'amour n'est pas la nourriture essentielle de la vie de Simone de Beauvoir, happée par l'écriture, un «travail», comme aime à le rappeler celle qui déteste qu'on la tienne chez la femme pour une forme de «travaux d'aiguille».

La pensée conjuguée

Plus que par les sentiments, Simone de Beauvoir et Jean-Paul Sartre sont liés par le parallélisme de leurs chemins intellectuels : l'agrégation commune, la passion pour l'écriture, le goût de l'effort et de la théorisation, l'attention à leurs contemporains. La politique ne fait pas tout de suite partie de leurs champs d'investigation. Ils restent sereins devant la guerre d'Espagne de 1936, convaincus que les républicains l'emporteront. Mutés tous deux à Paris, ils refont le monde avec la cour naissante de Sartre, dont Jacques-Laurent Bost, qui restera un fidèle ami de Simone et épousera finalement Olga. À peine s'émeuvent-ils des accords de Munich en 1938. Ils vouent leur vie à la littérature, avec succès pour Sartre qui publie *La Nausée*, puis *Le Mur*, tandis que Simone de Beauvoir se voit refuser par Gallimard son premier recueil d'essais. C'est Sartre qui lui donne ce conseil avisé : « Mets davantage de toi dans tes livres. » En 1943 paraît *L'Invitée*, premier roman, couronné de succès, de Simone de Beauvoir. Il décrit les méandres d'un couple à trois... La guerre n'insuffle pas d'emblée un élan de résistance aux deux philosophes, mais les plonge dans l'angoisse réciproque de la séparation, une fois Sartre appelé au front. Fait prisonnier, il reste neuf mois durant dans un stalag dont il s'échappe en 1941. Si Pétain est la bête noire de Beauvoir, c'est en vertu de ses positions rétrogrades sur les femmes et la famille, et non de sa politique de collaboration. Sartre la condamnera du reste vertement d'avoir accepté de signer au début de l'Occupation son certificat de non-appartenance à la « race juive ». Les mois passant, des groupes de résistance se forment sans que les philosophes y trouvent leur place. Ils préfèrent livrer le combat par leurs écrits, Sartre se montrant particulièrement productif en cette période de guerre. Comme les évadés ne sont pas poursuivis par le régime de Vichy, il enseigne à nouveau, et publie coup sur coup

Les Mouches, *L'Être et le Néant* et *Huis clos*. Le tandem apporte sa contribution au journal du mouvement de résistance *Combat*, fondé par Albert Camus. Après la fin de la guerre, pour le besoin d'un reportage, Sartre se rend aux États-Unis. Il y tombe fou amoureux de Dolorès, une jeune Française expatriée. Simone de Beauvoir, condamnée à être «celle qui attend», pour reprendre l'analyse de Roland Barthes, se lance dans des recherches savantes sur la condition féminine à la Bibliothèque nationale, espérant par là chasser l'angoisse. Alors qu'elle accumule les notes, sans savoir qu'elles nourriront *Le Deuxième Sexe*, son œuvre majeure, elle rencontre l'amour «classique» en la personne de Nelson Algren, écrivain de Chicago qui n'entend rien aux théories sentimentales sartriennes. Celui-ci la presse longtemps, et patiemment, de l'épouser, de le rejoindre aux États-Unis, puisque, écrivant sur son pays, il ne saurait le quitter, mais Simone de Beauvoir lui oppose le même argument, auquel s'ajoute son lien indéfectible avec Sartre. Nelson Algren, après une cour empressée dans les règles de l'art (bague, promesses, déclarations, échange de lettres enflammées), renonce en 1951, se remariant avec son ex-femme et répondant à Simone qui envisage l'amitié: «Ce n'est pas de l'amitié. Jamais je ne pourrai vous donner moins que de l'amour.» Beauvoir en sort meurtrie, mais elle est désormais en France la figure de proue de combats qui ne doivent plus rien au père de l'existentialisme.

Beauvoir la militante

Simone de Beauvoir a remporté un franc succès avec *Le Sang des autres* en 1945, mais c'est avec *Le Deuxième Sexe*, paru en 1949, somme féministe de mille pages qui divise l'opinion publique, qu'elle lance le débat parmi les intellectuels et dans les médias. Elle y décrit l'oppression masculine, lisible aussi bien dans les inégalités inhérentes au monde du travail, où les femmes subissent discriminations, harcèlement, licenciements abusifs pour cause de grossesse, que dans la sphère intime, où elles sont victimes de violences physiques ou morales, réduites au silence et tenues dans l'ignorance, contraintes par des grossesses non désirées, cantonnées aux travaux domestiques ou aux loisirs créatifs. Loin d'accuser les hommes de ce triste sort, Simone de Beauvoir invite les femmes à «prendre leur destin en main», à manifester, à lutter. Elle reçoit des menaces de mort, se fait agonir par la presse, en particulier catholique. François Mauriac écrit à un ami des *Temps modernes*, auxquels l'écrivain féministe collabore : «Désormais, je sais tout du vagin de votre patronne»! On la dit semi-folle ou «hystérique», un mot véhiculé par la psychanalyse, matière en laquelle Simone de Beauvoir voit la main du démon misogyne qu'incarnerait Lacan, et dont elle se méfie au plus haut point : la discipline ramènerait la femme à sa nature prétendument féminine, tandis qu'«on ne naît pas femme, on le devient», écrit-elle. En vérité, c'est seulement avec Mai 68 et les mouvements féministes américains que *Le Deuxième Sexe* va devenir une bible, si l'on peut dire! Les thèses de Simone de Beauvoir trouveront alors un écho qui dépassera la dimension polémique de son texte. Pour le moment, elle continue à affirmer ses positions pro-marxistes, aux côtés de Sartre, avec de nombreux voyages communs en Chine, en URSS, à Cuba, et un œil qui reste critique sur le communisme et l'égalitarisme imposés à coups de chars en Europe de l'Est (ils condamnent sévèrement l'invasion soviétique de Budapest en 1956, notamment). Ils se prononcent sans ambages, et non sans risques (ils sont victimes d'attentats), en faveur de l'indépendance de l'Algérie, signant ensemble le «Manifeste des 121» pour le droit à l'insoumission. Sartre n'épouse guère en revanche le féminisme de Simone de Beauvoir, sinon en théorie. Il déclare notamment dans *Le Nouvel Observateur* en 1977 : «La merveille chez Simone de Beauvoir, c'est qu'elle a l'intelligence d'un homme (et vous voyez, au sens où je parle ici, je suis un peu esclavagiste) et la sensibilité d'une femme. » N'était la note d'humour, difficile d'imaginer vision plus misogyne ! Le Castor ne se révolte pas. Au gré de leurs amours variables, ils se retrouvent souvent au café de Flore, devenu leur quartier général, Sartre habitant place Saint-Germain-des-Prés et Simone de Beauvoir demeurant itinérante, dans des hôtels du Quartier latin ou de Montparnasse. Ils effectuent ensemble des voyages réguliers, pour des conférences ou par agrément, tel leur périple rituel chaque été à Rome. En 1954 paraissent *Les Mandarins*, qui valent le Goncourt à Simone de Beauvoir. Cette description des milieux intellectuels de l'après-guerre et de la guerre froide, évocation aussi de sa liaison impossible avec Nelson Algren, sonne comme un livre de consolation. C'est avec l'argent du prix que Simone de Beauvoir achète son premier, et dernier, domicile, un petit atelier doté d'une grande verrière rue Schœlcher, près du cimetière Montparnasse. Elle a 46 ans, et cette même année elle renoue avec les sentiments, le « corps battant » dans les bras d'un homme plus jeune qu'elle et non moins talentueux, Claude Lanzmann. Il sera son dernier amour et demeurera son fidèle ami.

Le crépuscule de l'enivrante liberté

Longtemps, Simone de Beauvoir n'a pas souffert de la vie qu'elle s'était choisie, faite de liberté, d'amitiés intellectuelles, de non-engagement sentimental et d'anticonformisme. Mais deux événements vont lui rappeler douloureusement le prix de ce bonheur : la disparition de sa mère, Françoise, en 1963 et les événements de Mai 68. Simone croyait ne rien attendre de sa génitrice, à qui elle avait offert *Mémoires d'une jeune fille rangée*, plaidoyer édifiant contre l'éducation bourgeoise, tout en lui demandant pardon dans un petit mot griffonné, déposé sur son paillasson. Une fois son père disparu, en 1941, elle rendait à sa mère de brèves visites, polies et lointaines, sans recevoir davantage de félicitations pour son Goncourt qu'elle n'en avait reçu pour son agrégation. Sa sœur Hélène, elle, avait suivi un chemin plus conformiste. Devenue peintre, non sans récolter les critiques de Simone qui voyait dans son œuvre un «passe-temps bourgeois», elle avait épousé un haut fonctionnaire, notamment chargé de missions touchant à l'espionnage, à l'Est, au service de la cause occidentale! Hélène, sereine, aimée, avait même vécu quelque temps chez leur mère, sans conflit, à l'occasion d'un séjour à Paris. Si elle n'avait pas eu d'enfant, c'est uniquement du fait de la stérilité de son mari, et Simone lui reprochait sa vie aisée, facile, et sa condition féminine grégaire. Mais en 1963, Françoise de Beauvoir est atteinte d'un cancer. Alors qu'elle agonise dans d'atroces douleurs, le médecin décide de «faire payer» la fille. Il refuse d'administrer de la morphine, lançant ces mots cruels: «Il y a deux choses qu'un médecin ne saurait tolérer, l'avortement et la drogue.» En 1964 paraîtra *Une mort très douce*, motif d'un nouveau scandale, abordant les questions taboues de la douleur, de la mort et de l'euthanasie. Dans le deuil, Simone de Beauvoir mesure la difficulté d'une vie solitaire et iconoclaste, tandis que sa sœur Hélène, soutenue par un époux attentionné, est sans états d'âme par rapport au passé, exempte de culpabilité. Sartre, lui, brille par son absence, fraîchement amoureux d'Arlette El-Kaïm, jeune étudiante d'origine algérienne. Il finira par l'adopter. C'est elle qui portera son nom, gérera son œuvre, un immense affront pour la complice de toujours.

Mai 68 donne un autre coup de semonce à Simone de Beauvoir. Alors que les hommes prennent la parole et occupent le devant des médias, notamment Sartre, tout de suite adopté par les étudiants et brandi comme le penseur du renouveau, Simone de Beauvoir, «vieille dame» de 60 ans, est écartée des barricades. La révolution est masculine, analyse-t-elle, comme toutes les grandes choses. On ne la convie pas à refaire le monde dans les cafés, elle a «passé l'âge»! Puisqu'on la condamne à parler «ventre», elle organise à son domicile des groupes de réflexion autour de la liberté sexuelle ou de la légalisation de l'avortement. Ce combat va devenir son combat prioritaire, puisqu'on veut bien le lui laisser. Elle le mène avec la philosophe Anne Zelenski, future fondatrice du MLF, puis, deux ans plus tard, avec l'avocate Gisèle Halimi, l'écrivain Claire Etcherelli ou la comédienne Delphine Seyrig. Ensemble, rue Schœlcher, devenu le QG du féminisme, elles lanceront l'idée du «Manifeste des 343», publié dans *Le Nouvel Observateur*: trois cent quarante-trois signatures de femmes déclarant avoir subi un avortement (Hélène de Beauvoir le signe également, par solidarité pour la cause). C'est leur action sur le terrain, dans la rue, auprès des tribunaux, des pouvoirs publics, des médecins, qui aboutit, en 1976, à la «loi Veil» légalisant l'avortement: enfin! L'année précédente, Simone de Beauvoir a frôlé le prix Nobel de littérature, refusé par Sartre en 1964. Elle commente sa déception, en cette année 1975 déclarée «année de la Femme»: «Ils ont dû penser que cela ferait double emploi!»

Le déclin

Dès 1973, l'état de santé de Sartre décline, et son discernement avec. Le philosophe n'a jamais su résister aux sirènes du succès, de la flatterie: celle des femmes, mais aussi de jeunes disciples pas tous animés des meilleures intentions. L'âge venant, la cécité le gagnant progressivement jusqu'à devenir totale, il se laisse abuser. Simone de Beauvoir accuse notamment Pierre Victor, devenu son secrétaire particulier, de l'avoir manipulé en 1979, pour lui faire signer un texte publié où il renie ses positions existentialistes. Accaparé par sa «fille adoptive», Sartre ne voit plus guère Simone, qui essuie d'autres déceptions. Nelson Algren, ruiné et alcoolique, fait paraître un «torchon» sur son ancienne maîtresse, la comparant à un chameau pour dire l'aridité de son cœur et la sécheresse de ses relations aux autres. Peu importe le degré de légitimité du contenu, la femme ridiculisée est celle qu'il avait aimée! Sartre et Beauvoir s'offrent une dernière escapade commune à Rome, mais le cœur n'est plus là où il a toujours si mal été, même si Simone de Beauvoir continue à affirmer leur histoire comme le ferment le plus essentiel de sa vie. Malheureusement, le ferment n'est pas le bonheur... Le dernier affront fait à Simone de Beauvoir est terrible. Alors que son philosophe se meurt d'un œdème du poumon, elle doit s'effacer dans le couloir de l'hôpital devant Arlette El-Kaïm, qui recueille son dernier souffle le 15 avril 1980. Elle partage le corbillard avec la jeune femme après qu'on a tenté de l'évincer, et le domicile du philosophe est pillé, sans qu'elle hérite d'un seul souvenir, pas même ses effets personnels comme ses cahiers d'enfant!

Simone de Beauvoir, qui a sombré progressivement dans l'alcool au fil du déclin de Sartre, est victime d'un accident vasculaire deux jours après les obsèques. Les amis fidèles, Claude Lanzmann, Olga et son mari, Jacques-Laurent Bost, ou encore Sylvie Le Bon, jeune admiratrice et brillante philosophe devenue sa plus fidèle complice, vont assister impuissants à six ans de descente aux enfers. Même si Simone de Beauvoir limite sa consommation d'alcool après une sévère mise en garde médicale, l'abus a fait son œuvre. Elle se meut avec difficulté, ne s'accorde plus que de rares week-ends avec Sylvie et ne s'oblige aux lointains déplacements que pour servir sa cause, aux États-Unis notamment, où elle rencontre les féministes américaines. Elle adopte la jeune femme en 1980, faisant d'elle celle qui veillera sur son œuvre (Sylvie Le Bon publiera après sa mort la correspondance avec Sartre et celle avec Nelson Algren). Hélène, la sœur, restera profondément blessée de ce transfert d'héritage.

En avril 1986, Simone de Beauvoir est hospitalisée dans un état désespéré, le cœur miné par l'alcool et le tabac. Elle décède quarante-huit heures plus tard, le 14, sans être gratifiée du traditionnel hommage présidentiel réservé aux grands de ce monde. Elle est inhumée au cimetière Montparnasse, tout près de son QG féministe, à côté de Jean-Paul Sartre, coiffée de son célèbre turban et de la bague offerte par Nelson Algren, preuve d'amour et symbole bourgeois dont elle ne s'est jamais séparée.

Les paradoxes de la liberté

*par Maryse Vaillant**

Disciple ou précurseur ?

Même si c'est devenu coutumier, il semble abusif de cantonner Simone de Beauvoir dans le rôle de disciple de Sartre. Ce serait non seulement sous-estimer son œuvre littéraire – qu'on peut ne pas apprécier, mais difficilement ignorer –, mais également se priver des réflexions qu'elle a initiées par ses choix autant que par ses écrits. Si la pensée vigoureuse de Sartre a eu un impact indéniable sur la personnalité de la jeune fille rangée qu'était encore Simone de Beauvoir lors de leur rencontre, il faut isoler ses prises de position, comme son œuvre, de celles de son compagnon. Disciple, elle le fut ; précurseur, elle l'est encore. On peut même avancer que nombre de ses interrogations, sur la place des femmes dans la société et dans le couple, sur la féminité, la maternité, sur la famille et sur l'amour, reviennent aujourd'hui avec l'insistance du retour du refoulé ! Le temps a passé, la société a changé, les femmes se sont libérées de certains carcans, mais les questions posées par Simone de Beauvoir sont restées d'actualité malgré l'apparent consensus

---

* Maryse Vaillant est psychologue clinicienne et écrivain. Elle est l'auteur, entre autres, de *Comment aiment les femmes : du désir et des hommes* (Paris, Seuil, 2006), *Cuisine et Dépendances affectives* (avec Judith Leroy, Paris, Flammarion, 2006) et *Récits de divan, propos de fauteuil : comment la psychanalyse peut changer la vie* (avec Sophie Carquain, Paris, Albin Michel, 2007).

autour de ses grandes thèses. Comme si la façon d'être femme qu'elle a proposée et les réflexions qu'elle a imposées recelaient encore un grand pouvoir de subversion, un pouvoir dérangeant. Comme si ses positions mettaient en péril les caractéristiques sommaires sur lesquelles notre siècle croit pouvoir identifier ce qui différencie les hommes et les femmes, leurs relations et, par là même, le couple, la famille, le statut parental, etc. Quand, au début du XXIe siècle, certains estiment résolue l'énigme de la féminité, dont l'épanouissement serait strictement associé à la vie de famille, à la maternité, à la séduction, Simone de Beauvoir, un demi-siècle plus tôt, a pris le risque d'interroger de telles certitudes.

Qu'est-ce qu'une femme? Qu'est-ce qu'une femme qui ne serait pas une mère? Qu'est-ce qu'une femme qui se conduit comme un homme? Voici ce sur quoi Simone de Beauvoir nous contraint à réfléchir. Ses réponses ne sont peut-être pas celles que l'on donnerait aujourd'hui eu égard à la pensée et aux mœurs contemporaines, mais ses questions s'inscrivent largement au-delà du cadre de son époque et interrogent chacun, indépendamment de la problématique personnelle de Simone de Beauvoir. La plupart d'entre elles peuvent être posées et creusées hors de la relation privilégiée et essentielle qui liait l'écrivain à Sartre. Car ce sont des questions qu'elle pose aux femmes et aux hommes de son temps comme du nôtre, aux hommes et aux femmes de toujours. Certes, sur quelques terrains qu'il a défrichés le premier – la réflexion philosophique et politique par exemple –, Simone de Beauvoir peut être vue comme l'élève d'un Sartre en position de maître. Mais elle reste, seule, à l'origine d'interrogations essentielles autour de la féminité. Celles soulevées dans *Le Deuxième Sexe* sont loin d'être totalement résolues à la lueur des éléments de sa biographie, on pourrait même y lire des contradictions. Mais tout écrivain garde son mystère et tout penseur sa part d'humanité: c'est précisément l'ambiguïté que Simone de Beauvoir nous invite à penser, et peut-être à admettre.

Du refus d'une certaine féminité

Simone de Beauvoir veut être libre, échapper aux contraintes de la famille, de la maternité. Elle refuse l'avenir tout tracé des jeunes filles de son milieu et revendique le droit de mener sa vie sans se soumettre aux diktats qui règlent la bonne conduite des femmes bourgeoises. Autrement dit, elle veut jouir des mêmes droits que les hommes, avoir le loisir de vivre et de se comporter comme eux : s'amuser sans se plier aux normes qui pèsent sur les femmes rangées, se consacrer à l'étude et à l'écriture sans devoir mettre au monde des enfants et les élever, échapper à la famille, à la maison, au ménage, aimer qui elle veut sans s'enfermer dans la monogamie du mariage. Et elle n'attend pas que ces droits lui soient accordés, elle les prend. D'autorité. Simone de Beauvoir choisit de vivre selon ses idées avant que les collectifs de féministes ne se réunissent en France pour débattre des légitimes revendications des femmes qui veulent sortir du ghetto domestique, de la dépendance aux pères et aux maris, ainsi que de l'assignation obligatoire à la maternité. Électron libre, autonome, comme lui semblent les hommes de son époque.

Une attitude peu féminine, dit-on par conséquent, et répète-t-on jusqu'à aujourd'hui. En effet, elle ne correspond pas à l'image d'une femme passive et castrée, celle décrite par Freud, et bien intégrée par la société, trouvant son accomplissement et la plénitude dans la maternité. Elle ne correspond pas non plus aux critères de la féminité actuelle, juvénile et séductrice, ceux renvoyés par le prisme déformant des médias.

Une femme qui revendique la même liberté que les hommes y sacrifie-t-elle sa féminité, comme l'ont prétendu les antiféministes ? La féminité se tiendrait-elle tout entière dans le comportement, voire dans le cerveau, comme le proclament les explications psycho-neurologiques qui font recette actuellement ? Dans cette hypothèse, agir, penser, s'opposer, résister seraient des faits masculins. C'est oublier que ce sont des actes ou des positionnements qui ont mobilisé nos mères et nos grand-mères, qui leur étaient familiers, à la ferme, à l'atelier, à la maison et dans l'entreprise, en temps de paix comme en temps de guerre, sans qu'on taxe ces combattantes du quotidien de féministes antiféminines. La particularité de Simone de Beau-voir est en réalité d'avoir déployé dans d'autres sphères des valeurs prétendument viriles mais discrètement épousées par les femmes, de les avoir placées sur le terrain de la vie civile et de la pensée, hors de toute contrainte ou contexte d'urgence.

L'approche clinique nous permet de définir la féminité comme le résultat complexe d'un certain nombre de choix psychiques, conscients et inconscients, inscrits dans l'histoire individuelle, familiale, historique et culturelle de chacune. Ainsi, les refus de Simone de Beauvoir – qui portent essentiellement sur la mater-nité, la famille et le mariage –, comme ses choix positifs – en faveur de l'écriture, la transmission du savoir et la liberté –, peu-vent-ils être lus non pas comme des refus de *la* féminité, mais comme les choix singuliers d'une femme qui entend exercer celle-ci hors des normes de son temps.

C'est cette vision assouplie de l'identité féminine que reven-diquent certaines femmes d'aujourd'hui, en organisant leur vie autour du travail, du pouvoir, de la liberté : elles refusent leur « naturalisation » en mammifères, assignées à une seule place possible, celle de mère, sans pour autant rejeter nécessairement la maternité. En écartant des prétendues caractéristiques de la fémi-nité, comme la mièvrerie, la passivité, la fragilité et la dépen-dance, ces femmes sont-elles plus névrosées que celles qui collent encore au modèle traditionnel ? Sont-elles plus phalliques, les avocates, les chefs d'entreprise, les femmes politiques qui jouent leur féminité sur des scènes que n'aurait pas méprisées Simone de Beauvoir si son époque le lui avait permis ? Oui, sans doute, mais elles n'en sont pas moins femmes, ni moins féminines.

Le refus de la maternité

Le refus fondamental de Simone de Beauvoir est celui de la maternité. Le modèle bourgeois patriarcal auquel sa naissance l'exposait lui prescrivait un «beau mariage», avec un homme de son milieu, autant ou plus aisé que sa propre famille si possible, et la maternité dans un délai raisonnable – les fils étant mieux venus que les filles. D'emblée, la jeune femme rêva d'une autre destinée, plus singulière, plus autonome, plus intellectuelle. Elle ne voulut ni mourir sous le joug familial comme son amie de cœur Zaza, en qui elle voyait une âme sœur, ni vivre comme sa mère, dépendante des diverses bonnes fortunes de son mari – on peut adorer son père et l'admirer sans vouloir dépendre d'un homme qui lui ressemble –, ni survivre comme sa sœur en retranchant son intimité derrière la création artistique, élaborée dans la sphère domestique et pour ainsi dire ravalée au rang de loisir. Peut-être Simone de Beauvoir perçut-elle ce que la plupart des femmes éprouvent un jour : même sous le drapé le plus glorieux, la maternité, passé le temps de la nursery, procure plus de déchirements que de joies. Une telle perception, forgée par l'expérience personnelle comme par de fréquents constats cliniques, n'est pas facile à faire entendre dans la société actuelle, où l'idéal de la maternité sereine, doublé de la glorification de la famille et du couple, a repris le dessus. La maternité est fortement idéalisée, au point qu'on comprend aujourd'hui plus volontiers le parcours dément de celles qui s'épuisent dans la procréation médicalement assistée que le choix de celles qui se tiennent à l'écart d'une vie de mère. On interroge finalement moins le désir d'avoir un enfant que le désir de ne pas en avoir, alors que le premier choix semble tout aussi complexe que le second, si ce n'est davantage.

La maîtrise de la procréation grâce à l'arrivée de la pilule en 1967 a donné aux femmes quelques libertés essentielles, comme celle de décider du nombre de leurs enfants et du moment de leur conception. Les enfants devenant presque tous « désirés », il semble de plus en plus difficile pour une femme de revendiquer, ou même de concevoir, son épanouissement en l'absence de maternité… Inversement, on imagine tout aussi difficilement la détresse potentielle d'une femme avec enfant. Comme si le désir d'enfant impliquait la plénitude nécessaire de l'état maternel à venir, ou comme si la maîtrise de la conception impliquait son obligation. En réalité, c'est l'image sociale et médiatique du schéma idéal, et pas nécessairement réel, qui a force de modèle : un enfant désiré avec une mère épanouie.

En refusant la maternité, Simone de Beauvoir entend se préserver de l'enfermement familial des mères, de l'appauvrissement intellectuel domestique des femmes, tout comme de la prison du couple marital monogame, autant de réalités possibles, et redoutées avec une grande clairvoyance pour son époque.

La décision précoce de ne pas faire d'enfant devient irrévocable plus vite qu'on ne s'y attend. L'horloge biologique, qui tourne sans considération pour la carrière professionnelle, les méandres sentimentaux ou les considérations matérielles, se rappelle à certaines femmes contemporaines au moment de la maturité, douloureusement si elles prennent conscience qu'elles sont fécondes depuis l'âge de 10 ou 12 ans, et qu'elles ont pu fantasmer la maternité sans attendre la puberté. Ne pas faire d'enfant peut être un choix de jeunesse que l'on maintient les années passant, et ce d'autant plus qu'aujourd'hui les progrès de la médecine, notamment le suivi des grossesses tardives, permettent de rêver à une maternité possible bien au-delà de l'âge limite… ou considéré autrefois comme tel. Beaucoup de femmes mûres reviennent ainsi sur leur décision initiale, se prenant à regretter une maternité longtemps repoussée à « plus tard » grâce à la maîtrise de leur contraception.

Aller contre le désir d'avoir un enfant, de fonder une famille, de se lier à un homme, n'est pas qu'un refus sans contrepartie positive pour Simone de Beauvoir : c'est un acte. Un acte fonda-

teur. On peut supposer que les jeunes années de l'écrivain, occu-
pées par les études, l'amitié, la fête et les expériences relation-
nelles les plus diverses, ne lui ont pas donné le loisir de laisser
place au doute. Les femmes de son époque n'avaient aucun espoir
de maternité tardive. La femme qu'elle est devenue a-t-elle un
jour regretté ses choix de jeune fille ? C'est son secret, celui de
l'âme, qui réserve suffisamment de complexité et s'anime de
désirs assez contradictoires pour qu'on puisse s'autoriser cette
hypothèse, parmi d'autres. Mais la décision initiale de principe
de Simone de Beauvoir prend sens avec le temps, puisqu'elle
choisit de créer et de transmettre plutôt que de procréer, après
s'être toujours sommée de devoir choisir. Les années venant, le
choix de privilégier l'œuvre deviendra de plus en plus crucial,
son achèvement donnant une justification *a posteriori* à tous les
renoncements intimes qui ont précédé.

La part de l'ombre

Refuser la maternité et l'orientation qu'elle donne à la vie de
toute femme, c'est aussi, plus inconsciemment, refuser le risque
de l'engagement et de la souffrance. Sans doute Simone de
Beauvoir ne voulait-elle ou ne pouvait-elle pas les affronter. Nos
choix sont symptomatiques de notre économie psychique, des
tiraillements conflictuels qui régissent notre inconscient. Il est la
part d'ombre et d'inconnu que chacun porte en soi, et qui peut,
s'il engendre de la douleur, pousser à consulter un psychothérapeute ou entamer une analyse. L'écoute que le souffrant y trouve
peut donner accès à une parole ignorée, libératrice. Ce ne fut pas
la démarche de Simone de Beauvoir. Adepte de l'introspection,
elle ne l'était pas de sa dimension inconsciente. Elle ne jouait
pas avec ses ombres, ne cherchait pas à dévoiler ce qu'elles
renvoyaient ou recouvraient, tentait même d'en nier l'existence.

Au même titre que Sartre et les communistes de son époque, elle n'accorda que peu d'intérêt à la psychanalyse ; plus exactement, elle s'en méfia. Sa curiosité, son exigence de connaissance, de compréhension la disposaient pourtant *a priori* à prêter attention à cette expérience intellectuelle, d'autant qu'elle était contemporaine de Lacan, qui donna son second souffle à cette discipline. Mais elle refusa absolument l'idée de ne pas diriger sa vie selon ses pensées conscientes et sa volonté. Les notions même d'inconscient, de réservoir pulsionnel, de forces enfouies et ambivalentes, de refoulé et de retour du refoulé, de travail du rêve, voire de transfert, dont elle use avec ses étudiants, elle ne veut pas s'y soumettre. Elle a l'ambition d'ensemencer les autres, à sa façon, avec le souci de la maîtrise. Et la psychanalyse et l'abandon qu'elle implique ne pouvaient que faire horreur à une femme qui avait décidé de contrôler sa vie... et celle de quelques autres.

Les choix qui ont conditionné son vécu de femme gardent leur part de mystère jusque dans ses écrits. Simone de Beauvoir y met rarement en évidence les méandres de sa pensée et les doutes qui ont pu émailler ses décisions ou parasiter ses sentiments. Elle garde, jusque dans ses Mémoires, un regard distant, réservé, presque pudique sur son intimité. Ses livres, Mémoires et essais, conservent l'empreinte de sa formation littéraire et philosophique. Il faut lire sa correspondance si l'on veut voir vibrer et douter une femme passionnée que l'écriture rend libre et qui se donne le temps et le droit de laisser émerger sa souffrance et ses brûlures. Toutefois si la relation à son père, l'affection douloureuse pour sa mère, son enfance avec sa petite sœur ou avec son amie Zaza sont des éléments essentiels dont elle ne nie pas l'importance, l'écrivain ne donne que les clés nécessaires à la compréhension de l'exposé qu'elle a décidé de présenter. Simone de Beauvoir célèbre l'intelligence, la lucidité, la maîtrise et la volonté. Autrement dit, elle ne peut reconnaître « être agie » par une intériorité psychique familiale, infantile, inconsciente, pulsionnelle, ambivalente et archaïque et encore moins accueillir l'idée que cette part mystérieuse et honnie ait pu accompagner, voire motiver, ses refus autant que ses choix.

Les choix de la liberté

Une fois écartées les contraintes stérilisantes qui réduisent le champ d'action et l'autonomie des femmes, Simone de Beauvoir dispose de toute latitude pour se consacrer à l'essentiel, un mode de vie qui laisse une large place au plaisir et à la liberté, aux joies éphémères de la fête et aux inconstances de l'amour, sans délaisser pour autant les obsédantes jouissances de l'enseignement et de l'écriture. Se consacrer à l'étude, à la pensée et aux amis, boire, discuter sans fin, se déguiser, vivre au café, dormir à l'hôtel: autant de rêves d'adolescente rétive aux contraintes domestiques? Peut-être. Mais également un choix qui ne va pas sans contrainte finalement, une vie de défi constant, puisque Simone de Beauvoir devra conjuguer et concilier sa curiosité du monde et sa volonté de transmettre par l'écriture une pensée structurée. Ainsi s'est-elle autorisée à aimer selon ses penchants, au gré de ses rencontres, des hommes et des femmes, sans jamais leur donner le droit ni l'occasion d'interférer avec sa destinée, de l'orienter, et encore moins de la détourner de ses missions ambitieuses. Le pacte amoureux de liberté réciproque qui régissait sa relation avec Jean-Paul Sartre, et dont on sait que ce dernier n'a pas manqué d'appliquer scrupuleusement les clauses, comme elle dans une moindre mesure, posait les bases d'un comportement amoureux assez inédit pour l'époque, laissant entier le libre arbitre à chaque rencontre, principe que beaucoup de couples ont depuis tenté de mettre en œuvre à leur tour, avec un succès tout aléatoire. Simone de Beauvoir a exploré les plaisirs amoureux sans jamais se laisser brider par l'obligation de choisir entre la passion et la raison. On peut supposer que le pacte de réciprocité qu'elle signa avec son déjà célèbre compagnon, alors qu'elle-même était encore jeune, lui ait offert la sécurité affective et la reconnaissance intellectuelle dont elle avait besoin pour amarrer une partie de son existence, autrement dit qu'elle suivit le mouvement au nom d'intérêts supérieurs. Mais on peut également avancer l'hypothèse inverse, à savoir que le caractère contingent de ses amours plurielles formait l'essentiel de son art d'aimer, et que Sartre lui donna la rare occasion de l'appliquer à loisir. Quoi qu'il en soit, étant donné leurs personnalités, on peut penser qu'ils y trouvèrent chacun leur compte, et ne manquèrent pas de soupeser à l'avance leurs bénéfices respectifs et réciproques.

Liberté, égalité, fidélité

La relation stable et intellectuelle, peu charnelle, que Simone de Beauvoir entretenait avec Jean-Paul Sartre constitua l'ancrage qui lui permit de voguer à sa guise, mais elle tenait auprès de lui la même fonction. Les jeunes femmes dont le philosophe s'éprenait avaient la plupart pour fonction de le rassurer sur ses capacités de séduction, tandis que Simone de Beauvoir étayait la solidité de sa pensée. On tend parfois à croire qu'elle subissait la dissociation de l'amour et de la sexualité qu'il avait choisie, qu'elle se pliait à un fonctionnement masculin, mais il semble que ce mode de fonctionnement ne soit pas l'exclusivité des hommes, et donc de Sartre, mais plutôt une caractéristique des personnalités qui se consacrent à la création. Elles peuvent trouver dans une relation amoureuse peu érotisée la liberté d'aimer sans crainte d'être « ravies », raptées, donc détournées de l'aventure essentielle de leur vie : leur œuvre. Simone de Beauvoir et Jean-Paul Sartre étaient peut-être l'un pour l'autre le gage de la seule liberté qui leur importait : celle de penser et d'écrire. Celle d'exercer leur droit de vivre conformément à leurs désirs. Leurs amours contingentes leur procuraient, en parallèle, l'allégresse propre à supporter le poids d'une existence studieuse, sans pour autant y porter préjudice.

Une telle réciprocité de relation au sein d'un couple suppose, au-delà d'un pacte formel et intellectuel, une égalité de pensée, une parité de forces, de puissance, aussi bien dans le domaine intellectuel que dans le domaine psychologique. La question de la fidélité devient alors contingente ; trahir le pacte serait se renier soi-même.

Le goût du pouvoir

Si les amours contingentes rassurent les individus des deux sexes sur leurs capacités de séduction, elles leur permettent également de jouir de l'exercice d'une forme de pouvoir. Auprès des étudiants et des étudiantes auxquels ils s'adressaient et qu'ils envoûtaient, Simone de Beauvoir et Jean-Paul Sartre usaient et abusaient de leur capacité à plaire, mais aussi à dominer, à subjuguer, à diriger. Ils ensemençaient des cœurs, des esprits et des corps vierges d'influence, voire vierges tout court.

La relation de maître à élève a occupé une place centrale dans la vie sensuelle comme dans l'activité intellectuelle de Simone de Beauvoir, et on peut y voir une compensation de ses rejets, par répulsion, de la maternité ou de la classique conjugalité, une revanche supérieure. Dans la société de son époque, passées les brèves années de jeunesse où l'on peut s'épanouir dans la séduction, le pouvoir des femmes, c'est le pouvoir des mères. Refuser la maternité, refuser de fonder une famille, c'est alors abandonner le contre-pouvoir féminin, incontesté dans la sphère domestique et éducative, renoncer à l'emprise sur le cœur et les sentiments des enfants. C'est également se priver de la promesse de leur protection ultérieure, d'ordinaire acquise pour les vieux jours, qu'elle soit motivée par l'amour ou par le devoir. C'est prendre le risque d'une vieillesse solitaire. En s'entourant d'amis choisis, d'élèves proches, Simone de Beauvoir a recréé une famille qui venait pallier ce risque. Peut-être était-elle consciente que le choix précoce de l'indépendance peut parfois au fil du temps se teinter du goût amer de l'isolement. Elle a en tout cas investi la relation pédagogique, plus probablement inconsciemment, sur le modèle des mères et des figures parentales : un investissement qui lui conférerait l'ascendance d'un mentor. Simone de Beauvoir fut un maître pour ses élèves et ses disciples, comme Jean-Paul Sartre le fut pour elle et pour beaucoup d'autres. Dans ce rôle, ils exercèrent l'un et l'autre le pouvoir absolu, celui de former des esprits et des âmes, et Simone de Beauvoir n'hésita pas à y employer toutes ses capacités de séduction, fût-ce celles du corps. Comme le pédagogue antique qui accompagnait son élève sur le chemin de la connaissance autant que de la vie, elle fut le maître, et parfois en même temps la maîtresse, l'amante des élèves qui la charmaient par leur physique ou l'éblouissaient par leur intelligence. Jouissance amoureuse, infinis plaisirs des corps et de la pensée, elle usa de son ascendant sur ceux et celles qui voulaient apprendre d'elle avec une liberté que nul ne pourrait s'accorder aussi ouvertement aujourd'hui, au siècle du dévoilement des abus sexuels par « ascendant » et autres « faisant autorité ». On peut se demander ce qui encouragea Simone de Beauvoir à enfreindre la loi, qu'elle soit morale ou juridique, qui impose la distance, charnelle comme sentimentale, entre élèves et professeurs. Elle semble en tout cas ne pas avoir redouté la sanction qui l'écarta finalement de l'Éducation nationale, que ce soit par témérité, par inconscience ou par mépris de l'institution et de ses principes aveugles. Son désir de dominer, de contrôler et surtout de faire advenir l'autre à lui-même relevait de sa nature, mais il s'est trouvé validé, nourri et renforcé par la relation philosophique et pédagogique qu'elle nouait avec ses élèves, en figure parentale, parfois même teintée de sensualité.

Le choix de l'œuvre

Refusant la vie de famille, Simone de Beauvoir a pu la rêver, la réinventer, avec des règles édictées par elle et des membres soigneusement élus. Elle opta pour la vie à l'hôtel, sans contraintes domestiques, partagea l'argent qu'elle gagnait avec les membres les plus nécessiteux de son cercle amical. Amis, rencontres, relations privilégiées : elle cultiva l'illusion de pouvoir constituer une famille indépendamment de ses racines généalogiques, imposées et structurelles, qui seules fondent l'identité officielle, selon la filiation. Beauvoir et Sartre ont défié la structure identitaire commune, la famille qu'on ne choisit pas, au risque de brouiller les repères, mais, en n'ayant pas d'enfants, ils n'ont pris le risque d'égarer personne, si ce n'est eux-mêmes. Et pour des égarés, ils ont plutôt tracé un beau chemin ! Ils se sont autorisés à privilégier une nouvelle identité, identité d'alliance, exclusivement fondée sur leurs attirances, leurs amitiés, leurs amours, et donc seulement liée à leurs libres choix. Ils se sont donné le droit d'aimer à leur guise et de ne s'engager qu'à leur gré, au fil des relations et des rencontres, sans se soumettre aux engagements que la famille, la conjugalité et la parentalité auraient pu leur imposer.

Un ambitieux projet, tout à fait légitime pour qui s'est débarrassé de l'assignation sociale à la position parentale et familiale. Le plaisir prime. Le désir règne. Les choix personnels l'emportent sur les injonctions et les responsabilités communes qui pèsent d'ordinaire sur les ascendants biologiques. La signification profonde de ce choix ne réside toutefois pas dans une fuite des charges envisagées, mais plutôt dans le vœu de porter des fruits tenus pour plus essentiels. Plutôt que de fonder une famille et de se garantir l'immortalité par ses gènes, en escomptant l'affection prodiguée théoriquement par sa descendance sur ses vieux jours, Simone de Beauvoir, tout comme Sartre, a voulu bâtir une œuvre et la transmettre, et cette famille artificielle, mais librement recomposée, était nécessaire à la réalisation complète du projet. Pendant toutes ses années d'enseignement, la parole de Simone de Beauvoir féconde ses étudiants, sa petite cour de disciples, d'amis. Ses idées, soumises à l'écoute plus ou moins rigoureuse des uns et des autres, naissent dans ces échanges. Son public pratique pour elle le travail d'analyse et de contrôle qu'elle-même pratique pour Sartre, au point qu'on peut parler de transfert. À la façon dont l'analysant se soumet à l'écoute du psychanalyste, qui sert de garant de son propre travail psychique, Simone de Beauvoir se soumet à l'écoute de ses élèves, garants de la justesse et de l'opportunité de son travail intellectuel. Sa pensée est ainsi une pensée vivante, nourrie par chacun, fécondée par tous, que l'écriture, solitaire et singulière, permet ensuite d'asseoir. La construction et la transmission de son œuvre sont simultanées.

Viennent, hélas, les heures plus sombres de la vieillesse, et avec elles la question de la succession, qui transforme cette transmission pleine de vitalité en lourdes questions d'un héritage bien concret. La transmission posthume échappe en partie au désir des vivants. Les écoles analytiques connaissent bien la question : la parole vivante, qui féconde et nourrit, prend le risque de se stériliser si l'héritier le souhaite, en n'autorisant pas les rééditions, les publications d'inédits, etc. Elle se perdra si personne ne la protège, et se momifiera si on la surprotège. Celle de Simone de Beauvoir ne fera pas l'objet d'un culte, du moins pas à hauteur de celle de Sartre. Mais avant d'être soumise à la mémoire sélective de l'Histoire, sa transmission confrontera Simone de Beauvoir à la question du légataire, de l'héritier testamentaire. En adoptant Sylvie Le Bon sur le tard, elle choisit l'enfant qui porte la charge de conserver et de transmettre sa pensée, son œuvre, sa personnalité. Au seuil de la mort, elle redécouvre, ou découvre, la force symbolique de l'identité généalogique, celle qui nous inscrit dans la chaîne des générations et qui nous perpétue.

L'héritage

Simone de Beauvoir s'est battue pour elle-même avant de se battre pour les autres. Bourgeoise, cultivée, agrégée et libre, elle était loin de supporter la terrible existence des ouvrières, des paysannes, des épouses et des mères. C'est, découvrant en bibliothèque le sort fait aux autres femmes, qu'elle a décidé d'en être solidaire.

Elle a rejeté la maternité sans faire de prosélytisme. Reconnaissons qu'elle n'a jamais cherché à incarner une héroïne, une guerrière, qu'elle a refusé de jouer l'égérie de tous les combats : en témoigne son absence d'engagement durant la guerre, qu'on lui reprocha, tout comme à Sartre. Mais s'ils n'ont pas résisté, ils n'ont pas collaboré. Ils refusaient l'embrigadement, se méfiaient des enthousiasmes collectifs, au point de ne jamais consentir à adhérer à aucun parti. On a pu les dire égoïstes ; mais n'était-il pas nécessaire dans un premier temps de demeurer autocentré, et concentré, pour donner naissance à des courants aussi puissants que le féminisme et l'existentialisme, mouvements qui ont traversé le XXe siècle et restent d'actualité ?

Première femme à s'être considérée comme l'égale des hommes, sans avoir besoin de les captiver par la séduction ou de les gratifier par la maternité, Simone de Beauvoir a modifié l'univers psychique des femmes en leur faisant entrevoir des horizons qu'on soustrayait à leur regard. Par sa liberté et sa puissance intellectuelle, elle nous a véritablement ouvert l'avenir, un avenir que rien ne nous garantit. À chacune d'entre nous d'être vigilante, pour elle et pour toutes les autres.

Édith Piaf (1915-1963) :
amoureuse de l'amour

Le corps d'une petite bonne femme d'un mètre quarante-sept habillée d'une robe noire d'une sobriété absolue aurait caché efficacement un tempérament volcanique, n'était cette voix qui trahissait sa nature, aux antipodes de son apparence. Piaf les a tous ensorcelés, « ses » hommes, souvent empruntés à d'autres, rebaptisés successivement par les médias « M. Piaf », quand ce n'était pas concomitamment ! Pour les aimanter, elle n'avait pas d'artifice, mais cette émotion dans la voix qui initiait toujours le même scénario : elle les entraînait chez elle pour quelques verres autour du piano qui se prolongeaient jusqu'au petit matin ; et ils ne repartaient jamais avant qu'elle ne les quitte. Dans la vie d'Édith Piaf s'invitent beaucoup de légendes, qu'elle entretint largement, choisissant les versions biographiques qui lui paraissaient « faire le mieux ». Édith Piaf cautionna deux livres, *Au bal de la chance* en 1958, préfacé par son grand admirateur et ami Jean Cocteau, et *Ma vie*, compilation d'interviews accordées à Jean Noli pour *France-Dimanche*, parue après sa mort en 1964 : on y lit les mêmes anecdotes… mais des issues différentes ! Comme Marlène Dietrich – les deux femmes s'adoraient –, Édith Piaf construisit son mythe au fil de son existence. La matière première, les faits strictement avérés dépassaient en pittoresque ce qu'on tolérerait à peine dans un roman. Piaf n'inventait pas, elle arrangeait, comme un compositeur, soucieuse de parfaire la petite musique de sa vie. Il n'y a qu'un point sur lequel elle n'ait jamais triché ni transigé, c'est sa passion de l'amour : « Dans la vie, y a qu'une morale : qu'on soit riche ou sans un sou, sans amour on n'est rien du tout[23]. »

Une enfance saltimbanque

Une plaque officielle posée 72, rue de Belleville prétend qu'Édith Piaf est née en pleine rue, alors que l'hôpital voisin a enregistré sa naissance le 19 décembre 1915. Quelle importance, puisqu'on est assuré de l'essentiel : sa vie, ce sera la rue, jusqu'à ses 20 ans. Sa mère, Anita Maillard, est une artiste ambulante plus connue dans les bars de Belleville sous le nom de Line Marsa. Fille de pauvres, elle a rencontré un pauvre, Louis Gassion, un beau contorsionniste de rue, mobilisé en 1914 et envoyé au front. Leur fille à peine née, Anita la confie à sa mère, Aïcha, d'origine kabyle, une ivrogne patentée. Lors d'une permission, Louis Gassion découvre la petite Édith dans un taudis infâme, couverte de poux et de gale, et tétant un biberon coupé au vin rouge. Il la conduit sur-le-champ à Bernay, dans l'Eure, chez sa propre mère qui dirige d'une main de fer une maison close. De 2 à 7 ans, Édith guérit, puis prospère parmi une dizaine de filles de joie. Elle en gardera de la tendresse pour les prostituées, sans l'avoir jamais été elle-même, selon la plupart des témoignages.

En 1923, Louis Gassion, sans le sou, vient chercher la petite Édith pour faire la route avec lui. Ils dorment dans des granges ou chez des maîtresses de Louis, mangent pauvrement, du pain, parfois trempé dans du vin. Édith se souvient de n'avoir croisé sa mère qu'une fois, dans un bar à Paris, avec ce commentaire du père : « Celle-là, tu peux l'embrasser, c'est ta mère... mais la

---

23. *La Goualante du pauvre Jean*, 1954, paroles de René Rouzaud, musique de Marguerite Monnot.

vraie !» Louis n'est ni bavard ni démonstratif, mais capable de se priver d'une anisette pour acheter une poupée à sa fille, même si les «trempes» sont fréquentes. Ce qui fera dire à Édith au sujet de ce seul homme qui l'ait un tant soit peu protégée : «Une bonne raclée n'a jamais tué personne.» Elle expliquera ainsi ses ultérieures batailles de chiffonniers avec ses amants : «Quand on vous a bien cogné dessus, vous ne vous habituez pas tout de suite à ne plus recevoir de coups», signifiant à demi-mot que si les coups ne tuent pas, ils ne sont pas non plus sans conséquences durables.

Un jour de quête, l'année de ses 10 ans, Édith chante, et le père voit là un gain supplémentaire : ils font équipe, jusqu'à ce qu'elle s'aventure seule, à 15 ans, dans les casernes, où elle laisse vite sa virginité. À 17 ans, Édith rencontre un petit livreur, Louis Dupont, avec qui elle s'installe dans une chambre, rue de Belleville. Mais la fille à laquelle ils donnent naissance décède à 1 an et demi, en juillet 1935, d'une méningite foudroyante. Édith, qui la confiait à droite à gauche, en parlera peu mais s'accusera secrètement de sa mort. Et au décès du célèbre boxeur Marcel Cerdan, quatorze ans plus tard, elle ne trouvera que l'image de l'amour maternel pour dire sa peine : «Ce n'était pas mon amant, c'était mon petit, c'était mon gosse.» Piaf, qui semble chanter «entrailles à ciel ouvert», a en réalité masqué les vraies douleurs de sa vie avec une pudeur peu commune. «C'est payé, balayé, je me fous du passé[24]», chantait-elle, comme pour implorer que le destin change la donne.

Dès ses premiers cachets, elle entretient financièrement son père et sa mère – quand elle la localise –, avec la sensation de renverser le destin. Louis Gassion meurt des suites de son alcoolisme en 1944, Line Marsa d'une overdose en 1945, mais Édith aura fait plus pour eux qu'ils n'auront fait pour elle. Elle chantera cependant les pères et les hommes avec une foi peu com-

---

24. *Non, je ne regrette rien*, 1960, paroles de Michel Vaucaire, musique de Charles Dumont.

mune ; jamais les mères et les femmes, à moins qu'elles ne soient filles de joie, hommage via ses chansons au peu de chaleur qu'elle en avait reçu.

L'âge des pères

En octobre 1935, Édith vivote en chantant au fil des rues et rencontre dans le quartier huppé de l'Étoile Louis Leplée, patron du Gerny's, un cabaret proche des Champs-Élysées. Captivé par sa voix, il la convoque pour une audition. Édith a pris l'habitude de fêter ses joies et ses peines dans l'alcool à Belleville, avec sa copine «Momone», l'âme damnée qui la suivra toute sa vie, et elle manque rater l'audition. Ce Louis-là, le troisième de son existence, incarne tout ce qu'elle ne connaît pas : il est homosexuel, discret, raffiné, riche, puissant et... fiable ! Elle l'appellera toujours «Papa». Il l'engage sur-le-champ. Dès le lendemain, Édith ensorcelle le Tout-Paris intellectuel, politique et artistique, sidéré par sa voix et le dépouillement extrême de la mise en scène. Cocteau l'encense dès ses débuts, et son admiration ne faiblira jamais. Papa baptise «Môme Piaf» sa chanteuse fragile comme un moineau (la «Môme Moineau» existe déjà). Vêtue d'un rien, Piaf se révèle d'emblée très soucieuse de son répertoire, intraitable et sûre d'elle. Elle chantera ses attaches : les loubards, les quartiers louches, l'alcool, la bagarre, les coucheries d'un soir, l'oubli, et avant tout l'amour.

Ses galas et le passage de ses premiers disques à la radio font des jaloux à Pigalle, où elle vit désormais. Les maquereaux y rôdent autant qu'à Belleville, et longtemps Piaf et Momone leur versent une obole, en échange de leur protection. Mais quand, le 6 avril 1936, on retrouve le riche Papa assassiné à son domicile, on se tourne naturellement vers Édith. Qui, de l'entourage du patron du Gerny's ou de celui d'Édith, a tué Leplée ? Et pourquoi ? On ne saura jamais. La Môme Piaf, harcelée et salie par la presse, doit se réfugier sur la Côte d'Azur, où elle vit grâce à quelques galas trouvés par Jacques Canetti, imprésario des débuts et producteur de son premier disque. Un an plus tard, de retour à Paris, elle appelle au secours une vieille connaissance, le parolier Raymond Asso, qui lui a déjà donné *Mon légionnaire*. Il l'aime. En novembre 1937, il la relance sur scène sous son vrai prénom, Édith, loin de la Môme du fait divers. Il devient un autre père : il la fait lire, travailler, notamment avec le compositeur Marguerite Monnot qui accompagnera la chanteuse toute sa carrière et mettra en musique ses plus grands succès[25]. Désormais tête d'affiche, Édith Piaf enchaîne les scènes parisiennes et les tournées jusqu'à la guerre, où Raymond Asso est mobilisé : voilà qui leur évitera de rompre ! Car Paul Meurisse, jeune dandy encore inconnu qui chante dans le cabaret voisin, lui plaît trop pour qu'elle résiste à l'emmener dans son hôtel à Pigalle. Elle en fera un acteur, en le poussant à jouer dans une petite pièce que Cocteau a écrite pour eux, l'histoire d'une passion houleuse. Asso se découvre remplacé en venant frapper à la porte de la chambre lors d'une permission, scène de vaudeville que Meurisse à son tour rejouera bientôt... mais dans le rôle du cocu ! Aucun des hommes de Piaf ne lui en voudra car elle s'affiche différente, artiste avant tout, dégagée des principes bourgeois.

Découvreuse de talents, débaucheuse de maris

Le scénario se répète : ils lui apportent une chanson, elle chante pour eux, ils boivent autour du piano, et elle leur souffle : « Reste donc dormir. » Ce sera le cas pour Michel

---

25. *L'Hymne à l'amour, La Goualante du pauvre Jean, Milord*, etc.

Emer, parolier de *L'Accordéoniste* (1940) : « La fille de joie est belle Au coin de la rue là-bas… » Il lui écrira plus tard dans une chanson : « Y a rien à dire, elle aime trop la vie, et un peu trop les beaux garçons, elle a un cœur qui se multiplie, et ça lui fait d'drôles d'additions. » Qu'importe à Piaf la douleur : elle la transforme en émotion, d'autant qu'un amant chasse l'autre. Au début de la guerre, elle part en zone libre et fait de la résistance à sa façon, cachant Emer, qui est juif, puis Norbert Glanzberg, amant juif également et compositeur [26]. Lui succède le journaliste Henri Contet, qui vient s'installer avec elle à Paris, bien que marié. Édith Piaf déclarait avec humour : « Je me suis toujours bien entendue avec les femmes de mes amants. » Effectivement, elle les leur « rendait », non sans avoir fait d'eux des paroliers, comme Henri Contet, ingénieur de formation qui resta un précieux collaborateur. Édith Piaf n'était pas sans morale, mais elle avait la sienne, celle d'une femme avertie ou désabusée : mieux vaut être maîtresse qu'épouse. « Il faut toujours partir, c'est ma revanche sur les belles femmes », ironisait-elle.

De retour à Paris en 1942, Édith Piaf se produit à nouveau dans les cabarets. Elle s'est installée au dernier étage d'une maison close occupée par les Allemands, mais certains biographes lui imputent des actes de résistance, loin de toute compromission. C'est dans l'immédiat après-guerre qu'elle croise la route du beau Yves Montand, alors qu'Henri Contet est encore près d'elle : elle leur impose une tournée à trois. Montand partage l'affiche avec Piaf ; quant au partage du lit, il reste à débattre chaque jour. Pour Montand, Piaf remue ciel et terre. Elle lui trouve son premier grand rôle dans *Les Portes de la nuit* de Marcel Carné (1946) et contraint Contet à lui écrire des chansons. Montand lancé, elle le quitte, comme Contet, pour Jean-Louis Jaubert, un des Compagnons de la chanson qui font sa première partie. À chaque nouvel amour marquant Édith démé-

---

26. Il a composé notamment la musique de *Mon manège à moi*, sur des paroles de Jean Constantin.

nage, une habitude dont elle ne se départira jamais. Ne possédant aucun meuble, peu attachée aux lieux, elle ne tient qu'aux gens, mais un temps seulement : elle ne laisse pas l'amour tiédir.

New York, New York

À l'époque, le vrai succès passe par New York. En 1946, Piaf y part donc avec les trois surdoués qui ne la quitteront plus : Robert Chavigny au piano, Marc Bonel à l'accordéon et Louis Barrier, son imprésario. Le plus fidèle compositeur reste Marguerite Monnot, l'antithèse d'Édith : joyeuse, légère, bien éduquée, ancien espoir de la musique classique. Les paroliers, eux, changent au gré des rencontres, au gré des amours. La recette Piaf est en place.

Les Compagnons de la chanson suivent la tournée américaine, et Édith Piaf devient la coqueluche des États-Unis, après des débuts difficiles devant un public pour qui « Parisienne » rime avec « Chanel » ou « Moulin-Rouge ». Jusqu'en 1948, les tournées à l'étranger se succèdent, sans trêve : outre-Atlantique, mais aussi dans les pays nordiques, toujours avec l'élu des Compagnons, Jean-Louis Jaubert, en dépit de quelques incartades dès qu'il a le dos tourné. Incapable de rester seule, Édith trompe sans trahir : elle ne désavoue pas son régulier, elle se « console » auprès d'un extra, nuance ! On sait précisément ses humeurs par les paroles des chansons passionnées dont elle est l'auteur[27], mais aussi grâce à une correspondance abondante, des dizaines de pages chaque jour, adressée à ses amants ou à Jacques Bourgeat, un lettré rencontré au Gerny's et demeuré son confident.

C'est à New York que Marcel Cerdan apparaît, au printemps

27. *La Vie en rose*, 1947, sur une musique de Louiguy, ou *L'Hymne à l'amour*, 1950, sur une musique de Marguerite Monnot.

1948. Il est subjugué par l'aura de Piaf, décrite par tous, dès qu'elle chante, mains plaquées sur les hanches, regard éperdu. Elle sait faire tout ce qu'il ne sait pas faire, écrire et ciseler les mots, tandis qu'il incarne tout ce qu'elle aime : il n'est pas grand (un mètre soixante-dix), mais il est solide, champion d'Europe de boxe poids moyens, une « bête ». Elle ne le traitera comme aucun autre et n'aura pas le temps de le quitter avant qu'il parte, ce qui fera dire à un proche : « Le seul homme qui l'ait quittée, c'est Cerdan, et c'est parce qu'il est mort. »

Piaf et Cerdan : l'amour mythique

Mythique pour nous, mythique pour Piaf elle-même, qui n'aura jamais l'occasion d'user le bonheur jusqu'à la corde par une vie commune et sédentaire, l'amour de Cerdan et Piaf est marqué par l'absence, le manque, la douleur. Les combats du boxeur l'appellent à travers le monde, sa femme et ses trois enfants en bas âge vivent à Casablanca. Édith organise ses tournées en fonction de son emploi du temps – un récital à Casablanca au moment de Noël, par exemple, pour qu'il puisse sacrifier aux fêtes familiales. Elle lui écrit, elle pleure, et la vraie nouveauté, c'est qu'ils ne se battent pas. Tous les autres, même les plus placides, racontent un processus de violence initié par Édith, qui les poussait à bout, voire frappait la première, de sorte qu'ils en viennent aux mains, après quoi elle semblait satisfaite et retrouvait son calme. Crises de jalousie, bris de vaisselle, fugues et épisodes d'alcoolisme avec Momone, tromperies affichées, elle leur a tout fait, mais avec Cerdan une autre Piaf apparaît, douce et fidèle, qui se surprend elle-même. À leur retour commun en France en septembre 1948, alors que Cerdan vient d'être sacré champion du monde aux États-Unis, le nouveau couple est mitraillé par la presse à l'atterrissage (le pauvre Jaubert, dans le même avion, fait grise mine). Mais Piaf se refuse à avouer leur idylle, par respect pour l'épouse, mais aussi parce que Cerdan n'est pas un M. Piaf. Lui, il est déjà quelqu'un! La société de l'époque vibre à l'unisson de cet amour évident mais adultère, comme si Édith Piaf échappait à la morale commune. Le seul journal qui ait osé titrer «La voleuse de maris» s'est attiré la haine du public, tout comme celui qui a annoncé après une défaite de Cerdan «Piaf lui porte malheur». La grande Histoire où, on le sent confusément, Piaf demeurera mythique, prime déjà sur la petite: qui se souvient, qui a seulement su, hors les spécialistes, que Marcel Cerdan n'était pas libre? Piaf change, travaille, évite Momone, attend son homme, chante pour lui à distance, lui écrit des kilomètres de lettres magnifiques auxquelles il répond de façon aussi enflammée [28]. Elle ne lui demande pas de divorcer. Il le lui propose, mais... Le 27 octobre 1949, après un an et demi d'amour fou, l'avion qui ramène Marcel Cerdan de Paris à New York, vers Édith, s'écrase dans l'archipel des Açores. Piaf, éperdue de douleur, décide qu'elle chantera malgré tout ce soir-là: là-haut, il l'entendra. Elle entonne *L'Hymne à l'amour*, ses propres paroles prémonitoires: «Si un jour la vie t'arrache à moi, si tu meurs, que tu sois loin de moi...», et elle s'écroule sur scène à «Dieu réunit ceux qui s'aiment». C'est la première fois que Piaf tombe, la première d'une longue série. Les quatorze années qui lui restent à vivre seront dévastées par de sérieux problèmes de santé et plusieurs accidents de voiture. Depuis qu'elle a 20 ans, Piaf lutte contre le démon de l'alcool, l'envie d'oubli, mais la vie l'a trahie: le destin, avec Cerdan, puis son corps qui réclame désormais l'anesthésie.

28. Correspondance publiée au Cherche-Midi, Paris, 2001.

Le veuvage adultère et le mariage de raison

Pendant un an, Édith Piaf dépérit, frôlant la folie : elle sombre dans le mysticisme, fait tourner les tables, tombe sous la coupe de charlatans de l'au-delà qui lui promettent de parler à Marcel Cerdan en échange de gros billets. Elle chasse les fidèles amis qui la mettent en garde, Michel Emer, Henri Contet ou le jeune Charles Aznavour, son secrétaire (chez qui elle a décelé le talent qu'on sait). Marinette, l'épouse légitime de Cerdan, finit par inviter Piaf à Casablanca pour partager leur peine. Piaf à son tour l'invite à Paris, lui offrant le gîte et le couvert ainsi qu'à ses enfants, les couvrant de cadeaux, selon sa bonne habitude. La scène l'aide à survivre comme à satisfaire son train de vie, plus coûteux que jamais, entre fêtes d'amis et passages de pique-assiette. Amaigrie et déprimée, elle tente l'amour avec Eddie Constantine, jeune Américain fêtard qu'elle lance au théâtre, puis dans la chanson, et qui le lui rendra bien mal. L'imprésario Louis Barrier se plie à ses desiderata et adopte en première partie tous les hommes qu'elle repère, autant dire ses amants. En vain : Piaf va mal. Quand elle rencontre Jacques Pills, un homme attentionné, amoureux et divorcé (de la chanteuse Lucienne Boyer), par ailleurs parolier de talent[29] et chanteur reconnu (il a ses fidèles), elle entrevoit un amour serein et désintéressé. Il l'aime – et elle ? Elle écrit à Jacques Bourgeat : « Plus je connais Jacques, plus je l'apprécie. » « Apprécier » : un verbe loin de son registre fougueux ! Piaf se méfie désormais de l'amour fou, funeste, et se marie pour la première fois de sa vie, à New York en septembre 1952, avec pour témoin Marlène Dietrich, rencontrée au cabaret à New York juste après la guerre. Les deux femmes partagent deux passions : l'hypnose des foules et l'en-

---

29. Il est notamment l'auteur de *Je t'ai dans la peau*, 1952, musique de Gilbert Bécaud.

sorcellement des hommes, par besoin plus que par désir. Piaf, contrairement à Marlène, ne manifeste aucun dégoût pour les choses de l'amour, mais elle est en quête de bras rassurants plus que de sexe. Loin d'aller vers ses amants en mante religieuse, elle y va en mère ou en Pygmalion et regarde l'impitoyable Marlène avec l'admiration qu'on a pour son contraire.

Mariée quatre ans à Jacques Pills, Piaf s'efforce d'être fidèle, mais peine d'autant plus que son corps l'abandonne, l'exhortant à l'excès. Atteinte de rhumatismes articulaires déformants, elle souffre au point de se voir prescrire de la morphine, à laquelle elle devient dépendante, et qu'elle mélange à l'alcool, antalgique puissant et vieux complice des jours difficiles. Jacques Pills tente de tenir à l'écart la fameuse Momone, de soustraire Édith à la tentation de la perdition, l'encourage à suivre des cures de désintoxication, mais les résultats sont toujours provisoires. Bien que très affaiblie, Piaf continue la scène, les émissions, enregistre des disques, remporte un triomphe américain en 1956 au Carnegie Hall – trois mille spectateurs, un record pour une Française –, sans compter de petits rôles au cinéma. Elle succombe alors à quelques amants, dont Jean Dréjac, l'un de ses meilleurs paroliers [30]. Jacques Pills, bon prince, s'éclipse à chaque passade et revient, jusqu'au divorce en 1958. Édith Piaf s'installe alors seule boulevard Lannes, son dernier domicile, le plus durable. L'ancien rythme des amours reprend : le jeune Georges Moustaki [31] devient sa coqueluche, avant le peintre américain Douglas Davis et quelques autres. Concerts, amants et nuits courtes, Piaf tient debout grâce à l'excitant de l'époque, le Maxiton, et son antidote calmant, le Gardenal. En 1960, elle ajoute à son répertoire les «tubes» de Charles Dumont [32], qui n'a pas la place d'amant mais à coup sûr d'esclave : «J'étais sa chose. Au bout de trois mois, j'étais lessivé.» Personne ne peut suivre son

30. Notamment *L'Homme à la moto*, 1956, musique de Lieber-Stoller, et *Sous le ciel de Paris*, 1954, musique d'Hubert Giraud.
31. Auteur des paroles de *Milord*, 1959, musique de Marguerite Monnot.
32. Notamment *Non, je ne regrette rien*, 1960, musique de Michel Vaucaire.

rythme. Elle-même s'y use : entre 1959 et 1962, elle passe huit mois sur trente à l'hôpital.

Remariage et chant du cygne

C'est un soir de février 1962, chez Patachou, qu'Édith Piaf tombe en arrêt devant le fils d'un coiffeur de banlieue, le beau Théo Lamboukas, qu'elle rebaptise « Sarapo », *sarapo* signifiant en grec « je t'aime ». Comme d'habitude, elle l'emmène chez elle – sa voix, le piano, les verres, la fatigue –, lui dit : « Reste dormir. » Il ne partira jamais. Il a 26 ans, elle en a 47 et la santé d'un vieillard, les mains et le corps déformés, tenant debout avec peine lors de ses concerts. On ironise beaucoup, surtout quand elle fait chanter Théo, traité de gigolo. On craint pour les finances d'Édith, surtout quand ils se marient, le 9 octobre 1962. Et on se trompe fort. Théo l'aimera, la soignera jusqu'à la fin et l'honorera longtemps après sa mort. Piaf est perspicace ! Ensemble, ils font l'Olympia, Théo en première partie, puis une tournée française durant laquelle Piaf ne quitte son lit de douleur que pour la scène, où elle monte grâce à une transfusion sanguine une heure avant. En 1963, épuisée, le foie usé par « la vie », la drogue et les antalgiques, elle fait un coma hépatique alarmant. Elle entame alors un été des adieux, tout en chansons, interprétées pour les amis qui défilent dans la villa louée pour l'occasion sur la Côte d'Azur. Elle s'y éteint le 9 octobre. On la rapatrie à Paris en secret, selon ses dernières volontés, et sa mort est officiellement annoncée le même jour que celle de Cocteau, le 11. Des milliers de gens défilent boulevard Lannes devant son corps embaumé, quarante mille Parisiens l'accompagnent au Père-Lachaise. Théo, lui, sombre dans l'oubli, avant de mourir, inconsolé, dans un accident de voiture en 1970. Cet amour de la dernière heure a adouci la fin de vie d'Édith Piaf, en sorte qu'elle put murmurer, dans l'une de ses ultimes interviews à la radio, des mots conformes au souvenir qu'elle voulait nous laisser : «Ce que j'ai attendu de l'amour ? Mais ce qu'il m'a donné… Le merveilleux, le triste, le tragique, l'extraordinaire.»

La saltimbanque

L'oiseau tombé du nid

Née à Belleville d'un père piémontais et d'une mère kabyle, Édith Giovanna Gassion est devenue la représentante la plus typique de la môme de Paris. Si ses premières années ont été marquées par la misère matérielle et l'abandon affectif, elle a pu par ses dons et son travail accéder à une célébrité de premier plan. Malgré un physique d'apparence ordinaire, elle a fait preuve sur les hommes qui l'ont approchée d'un pouvoir de séduction remarquable. Mais le talent, la grande aisance matérielle, l'amour des hommes, la reconnaissance et l'adulation du public ne lui ont pas apporté le bonheur et n'ont pu ralentir une marche tragique vers l'autodestruction et la mort. Si la vie d'Édith Piaf démontre qu'aucune existence n'est prédestinée, car il est toujours possible de surmonter son malheur en se forgeant un destin, elle rappelle aussi que, lorsque les traumatismes de l'enfance n'ont pas été suffisamment élaborés, leurs conséquences nous poursuivent jusqu'au tombeau. Cela ne peut manquer d'intéresser un psychanalyste, car il est alors possible de

* Samuel Lepastier, diplômé de l'Institut d'études politiques de Paris, est docteur en psychologie, psychiatre et pédopsychiatre. Il est praticien attaché consultant à la Salpêtrière et membre de la Société psychanalytique de Paris. Il a publié de nombreux articles scientifiques et *La Crise hystérique* (Lille, ANRT, 2007).

proposer des hypothèses pour rendre compte des effets de l'inconscient. Si les reconstructions proposées n'ont pas la rigueur de celles obtenues lors des traitements psychanalytiques, elles ont du moins le mérite de rappeler que les passions, comme les actions qu'elles entraînent, ne surviennent jamais totalement par hasard, mais sont pour l'essentiel la conséquence de pulsions et de fantasmes en grande partie inconscients. Le travail de l'artiste consiste à les infléchir, sinon pour supprimer tout symptôme – tâche en tout état de cause impossible –, du moins pour les orienter vers la création et les forces de vie. Cette tâche, Édith Piaf l'a réussie dans sa vie professionnelle, mais dans sa vie affective elle n'est pas parvenue, malgré tous ses efforts, à conjurer les fantômes du passé, même si elle a en permanence cherché à le faire.

Ainsi, avec l'aide efficace de ce qu'on appelait alors la réclame, la misère d'Édith a été le point de départ d'un conte : si une bergère peut devenir une princesse, une gamine des faubourgs parisiens peut atteindre une gloire internationale. En somme, la fleur a poussé sur le fumier. Piaf – « Oiseau » en argot des faubourgs – est tombée du nid pour s'envoler au firmament des stars, et finir par s'y perdre. Dans ses chansons, elle affiche sa détresse, émeut, intrigue, mais aussi excite le bourgeois tenté de s'encanailler, donne consistance aux rêves des femmes lassées de la routine familiale en leur permettant, le temps d'une rengaine, d'imaginer la liberté d'une vie d'aventures. En même temps, par ses malheurs, Piaf rappelle le danger qu'il y a à refuser sa condition. Elle est une vedette, soit, mais surtout une saltimbanque que pères et mères redouteraient d'avoir pour belle-fille.

Édith Piaf a survécu de façon improbable au départ de sa mère, puis à l'absence de son père, et c'est sa voix qui lui a permis d'échapper à une vie marginale et délinquante. L'intelligence, un minimum de confort matériel et le succès de son premier public ont suffi à lui donner l'élan vers une autre existence. Toutefois, dès ses premières chansons, mais aussi parfois, et malgré elle, dans sa vie, elle met en scène ce qu'elle aurait pu être. Les spectateurs sont fascinés par le monde qu'elle leur fait découvrir, tentés de l'explorer et en même temps rassurés d'en vivre à l'écart. Ce statut ambigu a empêché Édith Piaf d'échapper totalement à son passé : pour plaire, elle devait porter sur son corps comme subir dans sa vie les stigmates de sa passion. Ses souffrances captivaient son public, transformant sa mauvaise vie en vie de sainte. Une légende est alors née. Ce fut elle qui assura son succès, perceptible aujourd'hui encore ; ce fut elle qui lui permit de trouver un bonheur toujours éphémère dans l'amour, tout comme elle la précipita vers une mort prématurée. En apparence, Édith Piaf a affiché une grande désinvolture. Pourtant, si elle a chanté que tout est « payé, balayé, le bien, le mal, tout ça m'est bien égal », ou bien encore qu'elle se « fout du passé », l'attention portée au passé dans le texte de nombreuses chansons comme ses déceptions amoureuses successives et ses conduites addictives indiquent qu'elle n'a jamais réussi à cicatriser ses premières failles. La chaleur procurée par les amants de passage, l'alcool et la drogue n'ont pas réussi à combler l'enfant abandonnée. Ce que le public a perçu comme un défi et l'affirmation d'une liberté scandaleuse était au contraire le signe d'une contrainte dont elle ne parvenait pas à se dégager.

Clamer « je repars à zéro », c'est exactement dire « je n'ai rien oublié, et le souvenir m'en est si insupportable que je voudrais tout reprendre depuis le début ». Ainsi, la vie d'Édith Piaf est répétition. Elle obtient la carrière dont sa mère rêvait, sans toutefois se remettre de l'abandon dont elle a été victime. Si elle a eu des mères de substitution qui lui ont prodigué quelques soins, il ne semble pas que les belles-mères, la grand-mère et les filles de joie aient réussi à cicatriser la blessure provoquée par le départ de Line Marsa. Comme il est habituel en pareilles circonstances, Édith Piaf multiplie les conduites abandonniques. Celui qui durant son enfance a été trahi dans l'amour primordial pour sa mère, risque fort, devenu grand, d'avoir une vie sentimentale difficile. Carencé, il vit plus que d'autres dans l'espoir d'une rencontre amoureuse qui serait enfin décisive. Toutefois, bien qu'elle soit ardemment souhaitée, celle-ci ne survient jamais, car aimer fait toujours courir le risque d'un nouvel abandon. Ainsi, Édith Piaf précipite les ruptures, alors même qu'elle ne supporte pas d'être oubliée. Parce que tout attachement profond est douloureux pour ceux qui ont souffert d'abandon, si douloureux qu'il vaut mieux rompre avant d'être quitté soi-même. Hantée par la peur de perdre, Piaf ne cesse, sans jamais y parvenir, de tenter de conjurer le sort. Comme elle le chante : en amour on perd tout, mais « sans amour on n'est rien du tout ».

« Mon homme »-« mon amour »-« mon bébé »

Édith Piaf appelle ses hommes « mon bébé », et sa relation à la maternité n'est pas simple : abandonnée par sa mère, elle a elle-même perdu sa fille, Marcelle, sur laquelle elle ne veillait guère. Auprès des hommes, elle assume les fonctions d'une bonne mère, elle les forme, les lance sur scène. Puis, quand le lien est établi, elle les quitte. Toutefois, contrairement à sa mère, elle sait différer la rupture : elle maintient les relations jusqu'au moment où elle pense ses amants capables de voler de leurs propres ailes. Comme sa mère, Édith Piaf ne rompt pas avec des mots et des scènes, mais disparaît : elle ne « plaque » pas, mais part en tournée ou délaisse, en laissant à l'autre le soin de comprendre qu'il n'a plus sa place ou qu'il est remplacé.

Classiquement, les psychanalystes disent que, dans ses premières années, l'enfant grandit entre une laitière et un gendarme. C'est le père qui, aux yeux de l'enfant, incarne la loi. Les considérables modifications sociologiques de ces dernières années ne semblent pas avoir entraîné de mutations majeures de ces perceptions, dont les traces subsistent de façon inconsciente toute la vie. Édith Piaf a rencontré plusieurs pères de substitution qui l'ont guidée dans sa carrière : Louis Leplée l'a repérée et lancée, Raymond Asso lui a appris à habiter son personnage sur scène. La mère absente, elle, n'a pas été remplacée, et la chanteuse, bien que très entourée, a eu, en fin de compte, une existence solitaire.

Aimer son homme comme on aime son enfant n'a rien d'exceptionnel. C'est même, pour une femme, un signe d'amour authentique. Il n'est pas rare non plus que, dans un couple, chacun des deux partenaires se conduise en enfant aimé vis-à-vis de l'autre, utilisant par exemple un langage régressif, à la manière d'Édith Piaf qui appelait ses hommes « mon bébé ».

L'amour profond résulte de la fusion de deux courants, l'un tendre, l'autre érotique. Dans les histoires d'amour de Piaf, y compris les rencontres d'une nuit, les deux courants existent bien, mais le désir sexuel disparaît à mesure que l'attachement grandit. En même temps, la nécessité de compenser l'absence d'amour maternel pousse Piaf à rester dans une position de quête, ce qui la conduit à multiplier ses partenaires plutôt que construire avec un seul. Or, si l'inhibition à aimer peut se traduire par une idéalisation du partenaire et une absence de vie sexuelle, symétriquement elle peut aussi entraîner, comme chez Édith Piaf, la valorisation d'une sexualité sans affection pour éviter le risque de l'attachement, vécu comme un grand danger.

L'amour maternel est le premier qu'il soit donné de vivre ; c'est pourquoi il est idéalisé à l'extrême, au point que les particularités des rencontres amoureuses de la vie adulte sont en grande partie inspirées par lui. Modèle de l'amour, il n'est pas pour autant dénué d'ambivalence. De nombreuses filles reprochent à leur mère de les avoir moins aimées que si elles étaient nées garçons. Plus tard, elles voudront l'éliminer car elles la vivront comme une rivale. À l'âge adulte, il n'est pas exceptionnel que des femmes, après avoir aimé un homme en transférant sur lui l'amour initialement porté au père, en viennent à le détester, car elles vivent avec lui une nouvelle édition de leur mauvaise relation avec leur mère. Le partenaire se trouve alors réduit au rôle de vache à lait. C'est ce qui explique, dans des circonstances plus ordinaires, que les aspects les plus éclatants de l'amour partagé ont parfois du mal à se prolonger au-delà de la lune de miel. Dans le cas d'Édith Piaf, il est vraisemblable que, malgré les personnages de substitution, l'image inconsciente de la mère ait été soit effrayante, soit au contraire difficilement représentable du fait de sa disparition précoce : dans la psychanalyse contemporaine on appelle cela une *mère morte*, c'est-à-dire sans image vivante dans l'inconscient. L'instabilité d'Édith Piaf dans ses rencontres avec les hommes, l'absence de bénéfices tirés de sa vie amoureuse, ses modalités de rupture, comme l'intensité toujours renouvelée de ses amours renaissantes, permettent de supposer que, chez elle, cette dernière figure dominait.

Édith Piaf a une relation maternelle avec ses partenaires, alors qu'elle-même s'est montrée une mère défaillante. Ici, le paradoxe n'est qu'apparent. Hier comme aujourd'hui, les adolescentes – Piaf en était une, à 17 ans, lorsqu'elle donne naissance à sa fille – qui choisissent la maternité le font le plus souvent pour des raisons narcissiques ou pour compenser des carences, un peu comme si elles imaginaient avoir la possibilité de jouer à la poupée, avec une poupée vraiment vivante. En pratique, confrontées à leur bébé, leur angoisse est telle qu'elles préfèrent s'en débarrasser en le confiant à leur propre mère. Mais elles souffrent alors de leur échec et sombrent dans un état dépressif, parfois de façon dramatique. La mise à distance de leur enfant ne signifie donc pas qu'elles soient dénuées d'instinct maternel. Elles sont prises dans un conflit auquel elles ne trouvent pas de solutions satisfaisantes : d'un côté, le rapprochement avec l'enfant s'accompagne d'une angoisse importante car il réveille des craintes de fusion ou des envies de destruction ; de l'autre, l'éloignement n'est guère plus satisfaisant car, chargé de culpabilité et de remords, il entraîne la dépression. Quand elle a perdu sa fille,

Édith Piaf a vraisemblablement éprouvé une culpabilité importante, d'autant plus significative qu'elle ne pouvait pas ne pas lui rappeler qu'elle-même avait failli mourir de l'absence de soins de sa propre mère au cours de ses toutes premières années. Cette épreuve a sans doute contribué à la faire renoncer ensuite à la maternité (même si nous ne savons pas si elle n'a pas eu recours à l'avortement ou bien si elle a été précocement stérile). Et après la mort de sa fille elle a assouvi ses penchants maternels auprès de ses partenaires en les couvrant de tendresse, en leur promettant le bout du monde. Ce qui ne lui faisait courir (presque) aucun danger, car eux ne risquaient pas de mourir (à la différence de la petite Marcelle) quand on les abandonnait. De plus en plus aussi, elle s'est intéressée aux hommes qui avaient déjà une femme dans leur vie, comme si la rivalité avec *l'autre* devenait une condition nécessaire de l'émergence du désir.

L'homme, son épouse et Piaf

En apparence, Édith Piaf joue la carte de l'apaisement avec ses amants. Elle ne se présente pas comme une maîtresse tigresse, ne cherche pas à se faire épouser, pas plus qu'elle ne pousse ses hommes à la rupture. Elle les déculpabilise aussi puisqu'elle feint de situer leur relation dans un autre registre. Elle leur permet également de manifester leurs faiblesses et leurs demandes régressives, qu'ils sont contraints de cacher dans leurs couples légitimes. À sa façon, elle les persuade qu'il n'y a pas infidélité de leur part. De même que, pour certains hommes mariés, fréquenter une prostituée, ce n'est pas être infidèle mais découvrir « autre chose », Édith Piaf propose à ses partenaires de revivre, en grands enfants, une relation, non dépourvue de perversité, avec une femme en position maternelle. Vis-à-vis des épouses légitimes, Édith Piaf trouve aussi dans son statut de voleuse, ou d'emprunteuse d'époux, la satisfaction narcissique d'avoir triomphé d'une autre. Dans sa situation, c'est une stratégie pour se rapprocher de sa mère. D'une part, en menant une vie libre, elle reproduit ce qu'elle peut supposer de l'existence de cette dernière après qu'elle a quitté son père; d'autre part, l'idée qu'elle-même occupe en permanence les pensées d'une autre femme, en la faisant plus ou moins souffrir, est une façon de prendre sa revanche sur l'abandon que lui a infligé sa mère. Enfin, le fait d'avoir toujours une rivale présente à l'esprit est une manière indirecte, comme dans toutes les relations triangulaires, d'ajouter une composante homosexuelle à sa relation avec un homme.

Il ne s'agit pas tant du refoulement d'un désir homosexuel érotique que d'une attirance psychique teintée d'amour pour une personne du même sexe, qui devient un substitut de la mère. La femme légitime d'un amant, mais aussi la meilleure copine d'adolescence, objet de relations passionnées, peuvent occuper cette fonction: Édith Piaf a fait jouer ce rôle à Momone. Les femmes abonnées aux hommes mariés, celles qui font preuve de jalousie pathologique, celles qui, à tout instant, ont besoin d'imaginer leur homme dans les bras d'une autre, celles qui deviennent la maîtresse du mari de leur meilleure amie (parce que c'est leur meilleure amie) et enfin celles qui supportent, fantasment ou introduisent un tiers féminin dans la relation de couple font preuve de dispositions homosexuelles analogues. Jeter quasi systématiquement son dévolu sur un homme déjà pris est une façon de vivre à travers lui une relation avec une autre femme.

Déçue par ses expériences conjugales et exerçant un métier peu compatible avec les vertus domestiques, Édith Piaf a été maîtresse non tant par choix que parce qu'elle réalisait ainsi le moins mauvais compromis pour surmonter ses blessures initiales. Être prévenante avec les épouses légitimes lui laissait espérer que celles-ci lui rendraient ses bons sentiments et qu'elle obtiendrait d'elles ce qu'elle avait à peine reçu de sa mère. Et elle limitait du même coup le risque d'être abandonnée. Certes, ses amants la trompaient avec leurs épouses légitimes. Mais, au moins en apparence, elle avait l'illusion de maîtriser la situation, car elle croyait consentir volontairement au partage et, en se faisant haïr par sa rivale, occuper en permanence ses pensées. Cependant, si l'absence de responsabilités et de charges n'était pas sans avantage pour Piaf et s'accordait avec son tempérament, elle contribuait à laisser à l'épouse légitime le rôle de la vraie femme pour rappeler à la chanteuse son statut de saltimbanque marginale, ce qui la replaçait, au moins de façon inconsciente, dans une situation de petite fille par rapport à sa rivale, la privant du gain qu'elle retirait du fait d'avoir eu l'initiative de la relation adultère. Enfin, si une relation amoureuse en pointillé, comme c'est le cas pour une maîtresse, donne l'illusion de vivre une grande passion, elle ne permet pas à l'amour de se construire, ce qui contribue à entretenir un sentiment permanent d'insatisfaction compensé par l'idée que la prochaine fois sera enfin la bonne – ce qui convenait parfaitement à Édith Piaf. Elle a tout dépensé, elle a brûlé sa vie et, à sa mort, en dehors de ses interprétations, il ne lui restait rien : ni amour partagé, ni enfant, ni même maison.

Le cas particulier de Marcel Cerdan

L'histoire d'amour d'Édith Piaf avec Marcel Cerdan est restée dans la mémoire collective parce que chacun d'eux était une icône de la France – le champion du monde aimait une Parisienne au grand cœur, célèbre dans le monde entier – et parce que la mort accidentelle du boxeur lui donnait une dimension tragique. Il est vraisemblable que, si Cerdan avait vécu, cette histoire n'aurait pas plus duré que toutes les autres. Les cham-

152

pions ne le restent pas longtemps et nombre de boxeurs vieillissent mal. On peut penser en revanche que Piaf a, au moins un temps, aimé davantage Cerdan après sa mort que de son vivant. Tomber amoureux de celui qui vient de mourir n'est pas un phénomène exceptionnel : d'une part, parce que nous avons tendance à idéaliser les proches après leur disparition ; d'autre part, parce que certaines personnes tirent une satisfaction quelque peu théâtrale à assumer le rôle du veuf ou de la veuve pour ajouter un piment tragique à leur vie. Il ne semble pourtant pas que cela ait beaucoup joué pour Édith Piaf. La confusion du prénom de son amant (Marcel) avec celui de sa petite fille (Marcelle) a en revanche pu rendre le deuil plus douloureux, et l'amour plus fort, mais cet aspect n'est pas le plus important non plus. Si Cerdan mort a occupé une place privilégiée auprès de Piaf, c'est parce que sa disparition en répétait une autre : celle de sa mère, dont le nom, Marsa, était en assonance avec le prénom de Cerdan. Toute petite, Édith avait placé tous ses espoirs, conditions de sa survie, auprès d'une mère qui, sans crier gare, avait brusquement disparu, la mettant en danger de mort. Ce brusque retrait d'amour avait laissé une blessure d'autant moins cicatrisée qu'elle n'était pas représentable. La mort de Marcel Cerdan répète la perte de la mère. Comme Anita Maillard, Cerdan a disparu en tournée.

Un sex appeal *à la Monroe*

Au premier abord, il peut sembler surprenant qu'Édith Piaf ait pu séduire aussi facilement tant d'hommes, alors qu'elle n'était pas un *sex symbol* selon les critères habituels. Il faut remarquer que la relation amoureuse profonde, comme le simple désir érotique, ne dépend pas de facteurs objectifs. Si tous les amants d'Édith parlent d'envoûtement, c'est justement parce qu'ils n'ont pas su mettre de mots simples ou de motifs sur ce qui les a emballés. Schématiquement, deux choses mobilisent les hommes : sur le plan érotique, le fait que la femme, disposée à l'amour, laisse percevoir une promesse de satisfactions exceptionnelles ; sur le plan affectif, qu'elle ait convaincu son amant de l'avoir choisi de préférence à tous les autres. Édith Piaf, comme Marilyn Monroe, a su persuader ses partenaires de sa capacité à les satisfaire sur les deux points. Il ne s'agit nullement ici d'une stratégie délibérée, mais d'une conséquence, comme pour Marilyn du reste, de l'abandon précoce par la mère. Enfants carencées, Marilyn Monroe et Édith Piaf ont vécu dans une quête affective permanente. Mais cette quête repose sur un très grand malentendu, qui explique, en fin de compte, leur échec à toutes deux. C'est qu'en effet la séduction n'a jamais été pour elles qu'un moyen de tenter de calmer l'angoisse térébrante de petites filles abandonnées. Elles ont choisi deux chemins différents pour appeler le mâle : l'une a travaillé son physique pour le rendre particulièrement avantageux, l'autre a mis en valeur son talent, sa voix puissante et chaude. Mais toutes deux ont adopté pour cela un code vestimentaire : quand Marilyn Monroe s'habillait, ou se dévêtait, de façon très provocante, Édith Piaf se couvrait de noir, la tenue du deuil, mais aussi celle du monde nocturne, des fantasmes et des désirs. Il fallait cacher pour mieux suggérer. Or ce qu'on voit, sur scène, avec une robe noire sur fond noir, c'est une paire de mains blanches qui se tend vers la foule comme celles des naufragés, et un visage qui appelle, une voix par laquelle passe toute la détresse d'une enfant abandonnée. Plus la tenue est sobre, plus l'appel est entendu et plus le message peut se permettre d'être audacieux : le scandale est dans le texte, le charnel est ailleurs. Le scandale, c'est qu'Édith veut l'amour et même qu'elle l'attend.

La fille perdue au grand cœur nourrit le fantasme masculin de l'amante qui sera sexuellement généreuse, gentille et maternelle. Si, par surcroît, elle a fréquenté les milieux interlopes et beaucoup « aimé » avant, elle ajoute au fantasme de la maman celui de la putain. Marilyn et Édith réclament, à cor et à cri, la protection. La virilité du mâle s'en trouve flattée et ses instincts paternels comblés. Enfin, il est l'Élu, puisque même si elles aimaient encore la veille, elles sont si carencées affectivement qu'il est désigné comme le sauveur, le seul, l'unique. Le talent de Piaf consiste à faire entendre à l'homme qu'il est celui qu'elle attendait, et qu'elle n'attendait pas n'importe qui. Car bien que putain, elle est aussi vierge. «Tu es le premier, je repars à zéro, j'ai tout oublié»: le message de toutes les chansons de Piaf tourne autour de ce retour. Et elle repart effectivement à zéro puisqu'elle n'a rien retenu du passé! Même pas de la veille. Le vrai message d'espoir aurait été: «J'ai retenu les leçons, j'ai appris quelque chose de mes échecs précédents, j'aime davantage à chaque fois.» Fondamentalement, la demande qu'Édith Piaf adresse aux hommes est une nouvelle édition de ce qui a été autrefois demandé à la mère, en vain. C'est pourquoi ses relations amoureuses ne peuvent aboutir.

Les partenaires d'Édith Piaf, traités en enfants gâtés, ont dû être très heureux, au moins un bref moment, mais ils n'ont pas pris conscience qu'ils n'en étaient pas moins investis du rôle de parents, de celui de mère en particulier: ils auraient dû veiller à ne jamais abandonner Édith, ne fût-ce qu'une seconde. Pourtant l'auraient-ils fait qu'elle ne l'aurait pas supporté, car elle se serait alors sentie en trop grand risque de se trouver abandonnée. Édith Piaf n'a jamais vraiment grandi. La Môme avait la taille d'une toute jeune adolescente, conséquence probable de la malnutrition et de mauvais soins. Sa stature de miniature a conforté sa position d'éternelle gamine abandonnée. C'est l'autre sens de «je repars à zéro»: «je n'ai jamais guéri de mon enfance». Piaf n'avait pas acquis la capacité de rester seule, à l'instar des tout petits enfants qui, croyant leur mère disparue, sombrent dans une détresse sans fond dès qu'elle échappe à leur vue, car ils sont incapables d'imaginer qu'elle continue de vivre en dehors d'eux. Édith Piaf ne supportait pas de dormir seule, elle ne se couchait jamais avant l'aube parce qu'elle avait peur du noir. La nuit, elle buvait, la chaleur apportée par l'alcool lui donnait l'illusion de ne plus être seule. L'alcoolique répète le comportement du nourrisson avec le lait : repu, il sombre dans la béatitude la plus totale qui l'amène à s'endormir ; réveillé par la faim, sa douleur semble sans limites et il est incapable d'anticiper le retour du biberon. Quand Édith Piaf boit en présence de ses partenaires, ou qu'elle en fait état publiquement, elle se conduit comme Marilyn Monroe confiant son passé d'errance, les dangers auxquels elle a été exposée dans son enfance, pour réclamer la protection des hommes. Les femmes qui, aujourd'hui, cachent leur fragilité ou affectent de ne plus en avoir déboussolent complètement les hommes, qui s'interrogent : « À quoi vais-je servir ? » Au-delà de leur *sex appeal*, Piaf ou Monroe avaient ce qu'on pourrait appeler un *love appeal*. C'est lui qui a contribué à mobiliser la faveur du public.

La violence amoureuse

Avec ses amants, Édith Piaf entretenait des relations mouvementées où la violence physique avait sa part. Dans les couples, la haine peut être un ferment, peut-être même plus solide que l'amour, car elle dure souvent plus longtemps. Piaf retrouvait là les violences subies dans son enfance. L'abandon de sa mère avait été un coup très brutal. Comme la plupart des enfants abandonnés, elle nourrissait le fantasme d'en être responsable, unique moyen de tenter de maîtriser un destin qui lui montrait qu'elle comptait si peu aux yeux de l'adulte. Son père, un peu plus fiable, l'avait quelquefois battue. Dans un certain nombre de cas, le souvenir des punitions du père est à l'origine du masochisme érogène d'adultes qui établissent une équation entre les coups et l'amour. Mais la violence subie est aussi une façon de se déculpabiliser de l'amour reçu. De son enfance Édith Piaf a gardé l'idée que les coups sont préférables à l'abandon.

Plus subtilement, en demandant implicitement à son amant de faire une démonstration de sa force et de sa brutalité, Édith Piaf le châtre. S'il est obligé de la battre pour montrer qu'il est un homme, c'est à la fois parce qu'il n'est pas capable de la satisfaire en amour et parce que les mots lui manquent pour se faire respecter. Plus superficiellement, Édith Piaf a été si carencée affectivement et a vécu dans un environnement si peu fiable que la douceur prolongée lui était probablement insupportable : elle la percevait comme un équivalent d'abandon.

Une héroïne

Édith Piaf était une artiste capable d'élever sa réalité au-dessus du lot commun. En racontant dès ses débuts ses déboires et ses chances, en exagérant les uns et les autres, elle se présentait d'emblée comme une « star » que les menus événements ou les sentiments ne touchaient pas. L'écart entre nos aspirations et nos capacités de les satisfaire est immense. Notre réalité, faite de compromis et de renoncements, n'est pas toujours brillante : nous cédons devant plus fort que nous, nous nous dérobons sans toujours nous l'avouer. Mais les héros que nous inventons nous aident à mieux nous supporter quand nous les rencontrons au cinéma, dans la mythologie ou dans les livres. Eux ne transigent jamais, ils acceptent de prendre des risques à notre place pour conduire leurs passions jusqu'au bout. Édith Piaf a vécu en héroïne, dramatisant les situations, accentuant leur romanesque, se réfugiant dans un univers où tout est différent, plus grand et plus beau. Elle a défié son temps, tout en bénéficiant d'une complicité implicite, la liberté reconnue à l'artiste, qui l'a

157

dédouanée des contraintes imposées aux femmes. Mais, en même temps, elle n'a pas su saisir la chance d'être une autre personne que la fille au grand cœur de ses débuts ; elle s'est trouvée prisonnière de son personnage construit à travers ses chansons. Si la voix d'Édith Piaf ne cesse de nous toucher, si elle nous rappelle les caprices du désir, les espérances et les déceptions de l'amour, et si, par là même, elle contribue à nous aider à vivre en donnant plus de sens à notre existence, gardons-nous d'oublier que l'interprète, elle, a payé par la souffrance, la maladie et la mort précoce notre plaisir d'un moment.

Maria Callas (1923-1977):
une femme muselée

Avare de confidences, la Callas ne fut jamais dans la vie cette généreuse amoureuse qu'elle incarnait si bien sur scène et vécut longtemps tournée tout entière vers sa carrière, acharnée à arracher à Renata Tebaldi, sa grande rivale, le titre de *prima donna assoluta*. Elle prit ainsi sa revanche sur une enfance qui démarrait sous les pires auspices. Mais si l'on put présenter parfois la chanteuse comme un modèle de résilience[33], elle ne s'estima jamais heureuse, au point que certains tiennent son décès, à l'âge de 53 ans, pour un suicide. Elle contracta un mariage d'affaires plus que d'amour avec Giovanni Battista Meneghini, dit « Titta », qui devint vite son redouté imprésario, mais elle ne formula que tardivement des vœux de bonheur pour sa vie personnelle : « Le public est un monstre [...]. Je n'ai plus envie de chanter. Je veux vivre, comme n'importe quelle femme », déclara-t-elle à 37 ans – sa voix commençait alors à la trahir. Aristote Onassis, l'éternel amant qui ne l'épousa jamais, était parvenu à l'enflammer, mais il l'éteignit bien vite avec cruauté. Tour à tour adulée et haïe, célèbre pour ses colères, Maria reprochait aux médias de ne pas la comprendre : « Quelquefois, je ne reconnais pas la femme dont on parle. » Il est probable que son éducation ne lui donna pas la possibilité de se connaître elle-même.

---

33. Boris Cyrulnik, *Les Vilains Petits Canards*, Paris, Odile Jacob, 2004.

L'enfant prodige

Fille d'un couple qui se déchire, enfant de remplacement (ses parents espéraient un garçon après un fils décédé à l'âge de 3 ans), laide, grosse et affublée de verres-loupes corrigeant une myopie sévère, pourvue d'une sœur aînée de sept ans jugée plus jolie, Maria Callas part dans la vie avec de nombreux handicaps. Sa mère, Evangelia, ne parvient à la prendre dans ses bras que cinq jours après sa naissance et entreprend de bonne heure de dresser les deux sœurs comme des singes savants : cours de piano, de chant, écoute ininterrompue de disques d'opéra, démonstrations en public. Evangelia entend que ses filles la vengent, et il faut se pencher sur sa propre enfance pour comprendre sa rage de succès par procuration dans l'art lyrique.

Née au pied de l'Acropole dans la maison cossue d'un général athénien autoritaire, Evangelia grandit sur les gradins du théâtre de l'Odéon Hérode Atticus, où elle rêve de se produire elle-même un jour, loin de ce milieu étriqué. À 18 ans, elle épouse Yorgos, un pharmacien de dix ans plus âgé qu'elle. Coureur et égoïste, celui-ci décide seul d'une expatriation pour les États-Unis, alors qu'Evangelia est enceinte. Ils débarquent à New York le 2 août 1923. Maria y naît le 2 décembre. La solidarité de la communauté grecque permet à la petite officine familiale de prospérer jusqu'à la crise de 1929. Ensuite, malgré les difficultés financières, Evangelia préfère se priver à réduire les cours de musique des petites ! Les Kalogeropoulos prennent le nom Callas, plus facile à prononcer, et la grande sœur, Cynthia, adopte le prénom de Jackie. Mais les deux fillettes ne seront jamais des petites Américaines comme les autres : Maria se présentera toujours comme grecque, et Jackie rentrera au pays à 17 ans, laissant toute latitude à Evangelia pour vampiriser la cadette. À 10 ans, Maria chante à la demande *Carmen* tout entier, son corps empâté engoncé dans des robes à volants. Car

Evangelia le répète : « Il faut nourrir la voix. » Gavée par sa mère, Maria devient boulimique, complexée, mais découvre que les regards apitoyés se teintent d'admiration quand elle entonne un chant. On l'applaudit. On l'embrasse. On l'aime ! Elle ne s'en remettra jamais, persuadée de n'avoir qu'une qualité propre à la rendre aimable : sa voix.

Le modelage d'un talent

Lorsqu'elle retourne en Grèce pour la première fois, à 14 ans, Maria n'a pas davantage d'amis ou d'amourettes qu'aux États-Unis, le cœur paralysé par son exigeante mère. Evangelia règne désormais seule sur elle, le père, ouvertement dénigré, étant resté aux États-Unis, pour le plus grand plaisir de chacun ! Résultat : la jeune Maria fantasme un père idéal. Il suffira qu'il se montre tout juste sympathique des années plus tard pour qu'elle le trouve formidable. Maria investit donc d'autant plus la musique qu'elle n'a rien d'autre ni personne dans la vie. Elle résumera son adolescence à un entraînement « comme une athlète ». La musique est pour elle un défi autant qu'un refuge, pas une passion.

Une enseignante réputée, Maria Trivella, lui donne ses premiers cours à Athènes. Mais Evangelia veut l'excellence, et réussit à faire auditionner sa fille par Elvira de Hidalgo, célèbre soprano espagnole retenue dans la capitale grecque par l'arrivée de la Seconde Guerre mondiale. Aux premières vocalises de Maria, elle détecte une voix hors du commun et prend la jeune fille de 17 ans sous sa protection. L'année suivante, en juillet 1941, Maria est si brillante qu'on la fait remplacer au pied levé une chanteuse confirmée dans *Tosca* à l'Opéra d'Athènes. Du jamais-vu ! Elle se montre capable de déchiffrer une partition en une nuit et de l'interpréter le lendemain : un bourreau de travail, doublé d'un talent rare et d'une voix qui prête d'emblée à la

161

passion, mais qui fait tout de suite débat. Géniale dans les brisures, elle ne passerait pas assez aisément d'un registre à l'autre, affirment certains. Maria Callas tentera une bonne partie de sa vie de gommer ce «défaut», sans succès. Ses millions d'admirateurs y liront la trace de l'émotion, mais c'est sa présence de tragédienne qui fait l'unanimité. Maria Callas joue autant qu'elle chante, une révolution pour une cantatrice. Elle sublime les amours, celles qu'elle n'a jamais éprouvées. À 18 ans, cette fougue de vierge émeut, mais plus tard, quand on dira son cœur sec, ses détracteurs y verront l'indice de sa monstruosité. L'Opéra d'Athènes, après qu'on a triché sur son trop jeune âge pour l'y faire admettre, l'engage à l'année et, jusqu'en 1945, dans la capitale investie par les troupes allemandes, elle enflamme l'auditoire, interprétant la *Tosca* trente-trois fois en moins de quatre ans, sans se soucier de la nationalité des spectateurs… On le lui reprochera, d'autant plus que sa mère n'est pas sans accointances avec l'ennemi.

Pour fuir le pays en proie aux tensions politiques et à l'épuration sommaire comme pour échapper à sa chère mère, Maria Callas décide de s'embarquer pour les États-Unis. Triompher à Athènes ne lui suffit plus. Evangelia pourrait voir dans l'ambition de sa fille le fruit de son éducation si la cantatrice n'affichait son dédain : c'est Elvira qui est devenue sa mère, c'est Elvira qui lui conseille de préserver sa voix en s'accordant des trêves (qu'elle néglige), Elvira encore qui lui apprend à s'habiller, à sourire, à être féminine autant que possible avec ses quatre-vingt-dix kilos. C'est Elvira qui l'aime, tout simplement, et pas seulement pour sa voix. Evangelia vouera à sa fille une rancœur éternelle : «J'ai fabriqué Maria Callas, elle m'a abandonnée», répétera-t-elle à la presse. À quoi l'accusée répondra, par médias interposés : «Ma mère m'a détruite.» Les deux auront raison.

Ni Evangelia ni Elvira ne se réjouissent de ce départ outre-Atlantique, l'une parce qu'elle est abandonnée, l'autre parce qu'elle craint que son élève ne déchante vite. À 22 ans, Maria Callas ne doute de rien. Elle part.

Du purgatoire au paradis

Sur le quai du port d'Athènes, en ce mois d'août 1945, Maria Callas tombe nez à nez avec son père, venu en visite en Grèce à son insu. Elle ne l'a pas vu depuis ses 14 ans. En quelques jours de traversée, il lui fait oublier leur passif en se montrant simplement de bonne compagnie, et Maria, qui se demandait comment subsister financièrement à New York, se voit offrir l'hospitalité. Le pharmacien étant peu présent à l'appartement, Maria respire enfin et multiplie les contacts professionnels. Elle qui a quitté Athènes en star, peine à trouver un contrat. Au MET, le célèbre Metropolitan Opera, où elle se voit enfin recevoir après des mois de démarches, elle refuse deux rôles en or. Il est exclu pour la puriste d'interpréter *Fidelio* en anglais alors que Beethoven l'a écrit en allemand, et de jouer les Butterfly alors qu'elle est énorme : elle y serait ridicule ! Le directeur mettra dix ans à reconnaître qu'elle a eu raison. La chance finit par sourire à la cantatrice grâce à une amie soprano, Louise Caselotti, qui l'associe à un événement prestigieux : le 6 août 1947, toutes deux chanteront aux arènes de Vérone. Elvira l'avait dit : le succès passe par l'Italie, et par Tullio Seraphin, le chef d'orchestre maître des lieux. C'est lui qui offrira son envol à Maria Callas. Eddie Bagarozy, le mari de Louise, un avocat qui ne manque jamais une occasion de facturer des honoraires, réussit d'autant plus facilement à se faire accréditer comme agent auprès de Maria qu'il semble avoir été son premier amant. Affaiblie par deux années sans succès ni sou vaillant, elle l'engage contre 10 % de ses gains, ce dont elle se repentira quelques années plus tard.

Maria Callas a besoin d'être protégée. Elle a besoin d'un homme, un vrai, directif, plus présent qu'un agent, « un homme au service de sa voix », comme elle le dit elle-même, et pas d'un mari ordinaire. À Vérone, elle rencontre la personne adéquate en Giovanni Battista Meneghini, subjugué par celle que les journaux présentent comme la révélation lyrique mondiale. Ce riche industriel bedonnant de 50 ans (alors qu'elle en a 24) vit chez sa mère, avec pour seule passion l'opéra. Passion qui rend crédibles à Maria ses sentiments amoureux pour elle : qui pourrait l'aimer pour une autre raison ? Titta berce sa cantatrice dans un luxe qu'elle découvre et qu'elle va bientôt financer. Il abandonne vite l'entreprise familiale pour se consacrer à plein temps à la carrière de sa proie, dont il négocie âprement les cachets : *Tristan et Isolde* à la Fenice, *Aïda* à Turin, *Norma* à Florence… Maria Callas décroche tous les contrats, enflamme les salles européennes, avant d'aller conquérir le Colon de Buenos Aires, un lieu mythique. Elle épouse Titta le 21 avril 1949, en coup de vent, juste avant son départ pour l'Amérique du Sud où elle fait sa première tournée et devient une idole. Au voyage de noces les deux époux ont préféré la gloire : les deux cœurs arides se sont bien trouvés. Il n'y a qu'une chose dont Titta se révèle incapable : contraindre Maria à modérer sa fougue et à ménager sa voix, ce qui irait à l'encontre de leurs intérêts financiers. La chanteuse ne prend jamais de repos, aligne les représentations (cent soixante-treize concerts entre 1948 et 1952). Or, dès 1951 – elle a 28 ans – sa voix fatigue. Maria annule des dates et devient d'autant plus tyrannique qu'elle refuse de reconnaître ses limites. C'est le début des scandales, des rumeurs sur celle qui se prend pour une « diva ». La Callas – comme on s'est mis à l'appeler selon la tradition réservée aux grandes – devient inaccessible, financièrement et humainement, faisant choisir par son cher Titta ses dates, ses rôles, ses chefs d'orchestre, ses partenaires, insultant les chanteurs susceptibles de lui disputer la première place. Malgré sa hargne, elle ne parvient à se produire à la Scala qu'en 1951, en alternance avec Renata Tebaldi, l'occupante officielle des lieux, qu'elle ne cessera de haïr. À la fin de l'année 1952, elle conquiert le public londonien à Covent Garden, une salle réputée difficile, mais les caprices de la star, à l'hôtel Savoy, conquièrent les Britanniques, comme ils conquerront les Américains plus tard. «Elle n'est peut-être pas la plus belle voix du monde, ose un critique du *Time Magazine*, mais elle est à coup sûr la chanteuse la plus excitante du monde.» Luchino Visconti tombe fou amoureux d'elle, platoniquement puisqu'il est homosexuel, et la met en scène pour la première fois en 1954 dans *La Traviata*; on la sacre «reine de la Scala». Elle est fascinée par ce réalisateur sulfureux, passionnel comme elle l'est si peu, et elle éprouvera la même curiosité pour Pier Paolo Pasolini, avec qui elle tournera son unique rôle au cinéma, dans *Médée* en 1970. La Callas, telle une bête de somme, travaille jour et nuit, sacrifiant sa vie privée et son bonheur à son art : «On a décidé que j'étais faite pour chanter alors que je n'avais que 4 ans et que je détestais cela. C'est pourquoi j'ai toujours eu cette relation d'amour et de haine pour le chant.»

La mauvaise réputation

Il ne manque qu'une chose à la glorieuse Maria Callas pour rivaliser avec une actrice hollywoodienne : une allure de gravure de mode. Elle veut porter des robes de femme fatale et décide d'obéir aux médecins qui l'exhortent à maigrir depuis 1954 pour des raisons de santé : mauvaise circulation sanguine, chutes de tension, cordes vocales fragiles, tout cela provient d'une suralimentation, de nuits trop courtes, des décalages horaires d'un continent à l'autre. Maria perd trente kilos en deux ans, et le montant de ses cachets suit une courbe inversement proportionnelle. Mais la presse commence à se faire l'écho de ses exigences et de ses diverses crises. On a appris qu'elle en venait aux mains en coulisses avec ses partenaires masculins. On sait aussi qu'elle se déplace avec sa meute de caniches en imposant ses manies, qu'elle intente un procès retentissant contre les pâtes Pantanella qui ont utilisé son image, qu'elle est poursuivie par

Bagarozy, l'avocat véreux qui réclame soudain ses 10 %, qu'elle se jette physiquement sur les forces de l'ordre venues lui présenter les citations à comparaître. À la une des journaux, la Callas a un nouveau surnom : « la Tigresse ». Evangelia ne se fait pas prier pour en rajouter : elle affirme être contrainte de travailler à son grand âge parce que sa milliardaire de fille l'a abandonnée. Et, pour aggraver son cas, la diva est parfois aphone, jusqu'à devoir annuler le concert prévu pour son grand retour en Grèce en août 1957. Un symbole. Elle annule aussi une date à Édimbourg, mais c'est pour courir au bal à Venise, en compagnie d'Elsa Maxwell, critique de la presse *people* de l'époque, qui, après l'avoir honnie, va devenir son âme damnée, aiguiser ses caprices et profiter de sa célébrité.

C'est au cours de cette fête somptueuse, le 3 septembre 1957, que Maria Callas rencontre Aristote Onassis, armateur grec dont le yacht sublime se trouve amarré face à la cité des Doges. Aristote a beau être marié, il virevolte autour d'elle, épatant de drôlerie et de générosité. Deux ans vont encore s'écouler avant la croisière fatale au couple Callas comme au couple Onassis, en septembre 1959 : Aristote et Maria feront plus que s'y lier d'amitié. Car Titta est devenu un vieux monsieur, tandis que, à 36 ans, amincie, Maria Callas découvre une nouvelle vie. Elsa Maxwell l'étourdit : elle lui présente l'Aga Khan, les présidents des puissances invitantes, les milliardaires. La Callas, qui sait qu'elle ne sera jamais mère (on l'a diagnostiquée stérile), veut aimer, et l'amour – elle le pressent après dix ans de mariage –, c'est autre chose. Elle dira lucidement de Titta plus tard : « Ce n'était pas un mari, c'était un imprésario. » Pour que Maria Callas croie enfin à l'amour, nul n'est mieux placé qu'Aristote Onassis, le champion de l'illusionnisme.

Ari, son « ami »

La fameuse croisière de 1959 se solde par deux divorces, mais « Ari » ne variera jamais sur la version officielle de ses liens avec Maria : « Je suis son ami. » Ils partent en vacances ensemble, se retrouvent aux quatre coins du monde, visitent des villégiatures (l'occasion pour Maria d'agresser les *paparazzi* sous les flashs !), choisissent leurs pied-à-terre parisiens à quelques numéros l'un de l'autre sur l'avenue Foch, se font des scènes en pleine rue, mais seule Maria rêve tout haut devant la presse : « Le mariage, c'est pour bientôt. » Elle rêvera même d'enfant, avec une « grossesse miracle », espoir éphémère puisqu'à quelques mois de grossesse elle accouchera d'un enfant mort-né, qu'elle évoquera rarement par la suite. Après neuf années de promesses à éclipses, le mariage d'Ari aura effectivement lieu, mais avec une autre : Jackie Kennedy, féminissime et américaine, ce qui servira ses vues expansionnistes.

Avec Ari, Maria a connu la passion. Tous deux sont riches et insoupçonnables de profiter l'un de l'autre, financièrement du moins. Aristote Onassis incarne la puissance, la sexualité, mais aussi l'inculture et la vulgarité aux yeux de l'intelligentsia mondiale. Il voit en Maria une caution culturelle, avant de découvrir qu'elle n'est qu'une bête de scène bien dressée qui rêve de vivre un conte de fées. La Callas est devenue la référence absolue à travers le monde, mais il lui arrive désormais de rester des mois sans se produire. La presse ironise : la « tigresse » s'est muée en « tourterelle » ; ou bien soupçonne : « La Callas a perdu sa voix. » La cantatrice rectifie : « Ce n'est jamais ma voix qui me fait défaut, ce sont mes nerfs qui sont malades. » Car Ari les met à rude épreuve. Alors que l'intéressée confesse sa triste vie d'autrefois et sa métamorphose (« Ari est le premier à me traiter en femme », dit-elle), on voit l'armateur papillonner avec Lee Radziwill, la sœur de Jackie Kennedy, ou « retenu » ailleurs pour

affaires et refusant la vie commune. En 1964, Maria Callas enregistre la version bientôt mythique de *Carmen*, en dépit des
recommandations des médecins. L'année suivante, elle chante
pour la dernière fois un opéra entier, *Tosca*, devant le Tout-
Londres, à bout de forces et de cordes vocales. À l'issue de la
représentation, son amant lui assène le coup de grâce : « Tu n'es
rien. Tu n'avais qu'un soufflet dans le gosier et il est cassé. »
Maria Callas souffre, mais vibre enfin d'autre chose que de
musique. Rien ne viendra plus éteindre sa flamme, pas même
le mariage d'Aristote Onassis avec Jackie Kennedy. Son « ami »
se paiera après les noces le luxe d'une sérénade publique sous
sa fenêtre : elle lui ouvrira la porte, bien entendu, et la laissera
ouverte jusqu'à ce que la mort de l'aimé les sépare, en 1975.
Alors, à son tour, elle se laissera partir.

L'autre visage de la Callas

Les douze dernières années de vie de Maria Callas, de 1965 à
1977, révèlent le visage d'une autre femme, vivant entre ses
caniches et ses serviteurs dans son appartement de l'avenue
Georges-Mandel, à Paris. Bien sûr, elle se produit encore parfois, elle flamboie quand Aristote lui rend visite, mais elle
sombre d'autant plus profondément ensuite dans la dépression.
Médée de Pasolini ne séduit guère, alors qu'elle dit y avoir mis
« tout son cœur », un cœur que désormais elle ouvre, dans les
émissions de radio ou de télévision, à la presse. Mais on ne l'entend pas : c'est une diva qu'on réclame, pas une fausse vierge qui
s'épanche, d'autant que sa mère et sa sœur continuent de l'acca-
bler – « Elle n'a jamais eu de cœur » –, tandis que Titta, dans un
élan de pitié, se propose, *via* les journaux, de la « reprendre »,
avant de la salir à son tour. Hospitalisée en 1970 après une
tentative de suicide manquée et démentie, Maria Callas essaie

de ressusciter en retournant aux États-Unis pour devenir professeur de chant lyrique (Barbara Hendricks sera son élève). Mais donner des cours de chant après avoir été une étoile, c'est comme prendre le thé avec Aristote Onassis après avoir partagé son lit! En 1973, elle tente ce qui restera dans les mémoires comme son «grand retour», une tournée de sept mois dans huit pays avec le ténor Giuseppe di Stefano, pour un programme court, *best of* de l'art lyrique. Les prestations sont inégales, la presse partagée mais jamais mitigée : tel critique la qualifie de «divine» quand tel autre la trouve «pathétique». La mort d'Onassis vient la briser en 1975, et elle ne sera désormais plus visible que de ses domestiques : elle ne sort plus de chez elle, caressant ses caniches au fond de son canapé, regardant en boucle les vidéos du temps de sa splendeur, enregistrant ses confessions sur des kilomètres de bandes audio (disparues, semble-t-il), terrée à l'abri du monde et semi-paranoïaque, telle l'autre sauvage célèbre de l'avenue Georges-Mandel, Greta Garbo. En 1976, dans un sursaut, elle reprend en cachette des répétitions au théâtre des Champs-Élysées dont on lui prête la salle, mais un *paparazzo* la surprend et publie une photo au titre tapageur : «Elle n'y arrive plus.» La Callas, après avoir gagné le procès contre son auteur, décide qu'elle ne donnera plus rien, à personne.

Quand elle s'écroule, au petit matin du 16 septembre 1977, d'une hypothétique crise cardiaque, la presse soupçonne une overdose de ces barbituriques dont elle abusait jusqu'à somnoler vingt heures par jour les derniers temps. Mais c'est Placido Domingo, son jeune et sincère dernier ami, qui aura le juste mot de la fin : «Sans avoir besoin de se suicider, je crois qu'on peut se laisser mourir de chagrin.» Ses cendres seront dispersées dans la mer Égée au printemps 1979, la mer que sillonnent les grands armateurs, celle de toutes les tragédies depuis Eschyle.

Tout ce qu'il est nécessaire
de savoir sur la Callas est dans sa voix

*par J.-D. Nasio**

> «Tout ce qu'il est nécessaire de savoir sur moi
> est dans la musique. »
>
> Maria Callas.

Assurément, tout ce qu'il est nécessaire de savoir sur la Callas est dans sa voix. Voilà ce que je crois en paraphrasant la réponse lancée par la diva à un biographe avide de connaître les détails intimes de sa vie. Aussi, si nous voulons dévoiler le mystère de la femme Maria Callas, nous faut-il dévoiler surtout le mystère de sa voix incomparable ; une voix inspirée qui touche aux larmes, qui éveille, remue et apaise. Et quel est ce mystère, sinon l'impact que cette voix produit en nous, ses auditeurs ? En l'écoutant chanter, on ne pense plus à soi, et, en même temps, on devient plus que jamais soi, un soi vibrant d'émotions. J'écoute la Callas, je m'oublie dans ma tête, et je n'existe que dans mon corps. Ensorcelé par son chant, un directeur de théâtre lui lança un jour : «J'aimerais te couper en mille morceaux pour connaître ce qu'il y a dans ta voix !» Décidément, Maria Callas a raison : tout ce qu'il est nécessaire de savoir sur elle est dans son chant,

---

* J.-D. Nasio est psychanalyste. Il a publié de nombreux ouvrages, parmi lesquels : *Mon corps et ses images* (Paris, Payot, 2007), *La Douleur d'aimer* (Paris, Payot, 2006), *Enseignement de sept concepts cruciaux de la psychanalyse* (Paris, Payot, 2001).

170

parce que son chant est sa seule et merveilleuse présence. Très jeune, Maria Callas a découvert qu'elle n'était aimée et reconnue que lorsqu'elle chantait. Elle a compris très tôt que, pour être aimée, il lui fallait chanter, que son atout le plus précieux, formidable aimant de l'amour des autres, n'était pas sa personne, mais le don exceptionnel qu'elle détenait, sa voix. Il naît alors chez la fillette une passion qui restera inextinguible jusqu'à sa mort : celle d'aimer sa propre voix. Peu à peu, au fil des ans, sa voix deviendra son partenaire le plus intime, le plus fidèle, mais aussi le plus difficile à maîtriser et, à la fin de sa vie, le plus vulnérable et périssable. C'est sa voix qui sera l'objet de tous ses soins, avec un degré d'exigence que tous ont salué, jusqu'à travailler quatorze heures par jour. Elle évoquait souvent son plaisir dans ce corps à corps avec sa voix : « Mon plus grand plaisir est de dominer cet instrument si difficile qu'est la voix. » Mais ce fut aussi sa plus grande souffrance, puisqu'elle y sacrifia sa vie de femme et de mère. La voix a absorbé toute son existence, au point que les relations humaines les plus ordinaires se dressèrent comme un obstacle à son souci de perfection. Même sa myopie fut mise au service de son art. Sur scène, elle connaissait par cœur les récitatifs de tous les rôles, et pas seulement les siens, parce qu'elle ne pouvait suivre des yeux les indications du chef d'orchestre. Elle maîtrisait d'autant plus sa voix qu'elle souffrait de ce handicap.

La mère à l'origine d'un destin exceptionnel

La mère de Maria Callas est bien maltraitée par les biographes, mais je m'inscris en faux contre leur jugement. Pourquoi la qualifier de despote, quand c'est elle en vérité qui a insufflé à Maria la force et le courage de façonner sa voix ? Cette mère, fille de militaire, a transmis à Maria le goût de l'effort et la discipline nécessaire pour développer son don. Maria Callas n'était pas un enfant prodige qui aurait réussi sans travail. Elle avait un don, mais elle n'avait pas la musique infuse, et rares sont ceux qui brillent dans leur domaine sans avoir eu au moins un parent qui ait su faire preuve d'exigence et enseigner que rien ne va sans efforts. Le père de Maria Callas étant absent, elle n'a pu compter que sur sa mère devenue l'« entraîneur » d'une future grande « athlète ». Sans doute entretiendront-elles plus tard des relations parfois belliqueuses, mais il faut se mettre à la place de cette mère qui préféra céder son rôle de mentor à une autre femme, professeur de chant : Elvira de Hidalgo. Il est inévitable qu'un maître souffre de voir son meilleur élève le quitter pour développer son talent avec un autre.

Comment Maria a-t-elle vécu cette séparation d'avec sa mère ? Pourquoi quelques années plus tard y aurait-il entre elles tant de conflits ? Parce que les enfants sont nécessairement ingrats envers leurs parents – et davantage encore envers les parents qui leur ont beaucoup donné : ils ont besoin de se sentir exister par eux-mêmes, voire de croire qu'ils se sont faits eux-mêmes sans l'aide de personne. Ce fut probablement le cas de Maria.

La rupture avec sa mère deviendra définitive le jour où Maria, déjà jeune femme, retrouvera son père aux États-Unis. C'est alors que, blessée par l'ingratitude de sa fille, Mme Kalogeropoulos se laissera aller à des médisances médiatisées. Maria Callas a pu en vouloir à sa mère d'avoir laissé son mari seul aux États-Unis, ou encore d'en avoir parlé comme s'il était un monstre. Il est fréquent qu'une adolescente s'attache davantage à un père doux et effacé, presque timide – fût-il un coureur de jupons –, qu'à une mère exigeante, omniprésente et dominatrice. La fille développe alors vis-à-vis de son père un amour protecteur et indulgent, et, à l'opposé, une haine épidermique et intransigeante vis-à-vis de sa mère. Cette dynamique familiale où les trois personnages restent prisonniers d'un conflit névrotique a des conséquences sur le destin de l'adolescente : devenue adulte, elle ne sait pas être femme, car sa mère ne lui a pas transmis ce qu'est une femme heureuse de vivre en couple. Du coup, elle reproduit la relation œdipienne avec son père en choisissant pour compagnon une figure paternelle. Une autre conséquence de ce schéma familial est que la fille garde une rancœur éternelle envers sa mère et trouve souvent dans sa vie sociale une mère de substitution, telle Maria Hidalgo pour Maria Callas. Le conflit entre la cantatrice et sa mère s'est envenimé sans jamais éclater parce qu'elles n'ont jamais eu, que l'on sache, de conversation d'adultes autour de ce père coureur et distant. Si Mme Kaloge-ropoulos avait mis des mots sur sa vindicte à son encontre, si elle s'était livrée de femme à femme sur ce qu'elle avait enduré, peut-être aurait-elle été mieux acceptée par sa fille.

Un père idéalisé

C'est une constante dans la vie de Maria Callas : elle idéalise et aime les figures paternelles, à commencer par son propre père. Maria est un bon exemple de ce que l'on peut nommer l'«esprit romantique» des femmes, ce penchant qu'elles ont à rêver et idéaliser les figures masculines. Quant au père, il est également un bon exemple de la propension des hommes à la lâcheté : il abandonne le pouvoir familial à sa femme au lieu de le partager. La séparation de la jeune Maria avec son père quand, à 14 ans, elle quitte les États-Unis pour aller vivre en Grèce, renforce en elle l'idéalisation du père absent et, du coup, installe le modèle d'une forme d'amour qui va se reproduire plusieurs fois dans sa vie : aimer des hommes plus âgés, protecteurs et admirables. À ce propos, il faut réparer une autre image égratignée par certains biographes, celle de Giovanni Battista Meneghini, son mari. De vingt-six ans plus âgé qu'elle, cet homme fut sans doute le premier de sa vie. De nombreux indices laissent penser que sa prétendue première fois avec Bagarozy relève du qu'endira-t-on. Maria Callas était, ne l'oublions pas, une Grecque orthodoxe. Le poids de la religion dans sa vie a été trop souvent sous-estimé. Sa figure fétiche était la Madone, dont elle portait d'ailleurs le prénom, Maria. Elle gardait toujours avec elle une petite icône qu'elle implorait chaque soir avant de monter sur scène. L'inscription profonde en elle de cette culture grecque orthodoxe rend douteuse l'hypothèse d'un amant de passage. Si Meneghini paraît être un époux tout à fait adapté à Maria Callas, c'est justement parce qu'elle l'a choisi pour préserver son « meilleur amant » : sa voix. En outre, Meneghini correspond parfaitement au fantasme de Maria : il lui déclare dès le début ne vouloir s'occuper que d'elle, et il tiendra sa promesse, renon- çant à son métier dans les affaires immobilières, négociant les contrats de la chanteuse sans relâche, veillant à son prestige. Il fut son guide à Vérone, dans la haute société italienne où elle débarquait, toute jeune et sans doute empruntée. On dit qu'il la sortit peu dans les dîners mondains, mais elle échappa tout de même grâce à lui à la solitude et à l'isolement dans une ville étrangère. La rigueur nécessaire à son art se serait mal accom- modée d'une vie sociale trépidante. Bien sûr, il ne lui a pas fait fréquenter les réceptions de notables, mais la discipline de tra- vail de la Callas était incompatible avec les mondanités. Qui, mieux qu'un passionné d'opéra, sans goût pour les aventures extraconjugales perturbatrices, eût si bien protégé la carrière de Maria Callas ? Comment aurait-elle pu travailler quatorze heures par jour avec un autre compagnon ? Qu'il ait trouvé quelque bénéfice financier à sa dévotion au métier d'imprésario ne relève pas du scandale, et il lui rendit un vibrant hommage après leur séparation dans une touchante biographie. Après avoir vénéré Meneghini, Callas s'entoura d'autres hommes plus âgés qu'elle, admirables et judicieusement choisis : le chef d'orchestre Tullio Seraphin, qui lui a tant appris, Arturo Toscanini, qui la fit entrer à la Scala, Aristote Onassis, qui lui fit découvrir le plaisir sexuel. Car le premier véritable amant, ce fut Onassis.

Assurément, c'est avec l'armateur grec que Callas, alors

amincie et élégante, devenue autre, va découvrir le véritable amour. Qu'est-ce que l'amour véritable sinon la fusion de la tendresse et de l'amour sexuel ? Certes, Meneghini fut son premier amour, mais Onassis son premier amant. Si avec son époux Maria perdit sa virginité de tendresse, avec son amant elle perdit sa virginité de sexe. Il lui a fallu, pour s'ouvrir à la vie sexuelle, s'ouvrir d'abord au monde et découvrir autre chose que la pureté originelle de sa musique. Je suis sûr qu'Onassis n'aurait eu aucune chance de la séduire quand elle était plus jeune et qu'elle se consacrait tout entière à son art, sous la protection de sa Madone. Maria aurait craint qu'Onassis détruise sa carrière, ce qu'il fit quasiment quand, plus confiante peut-être, elle le rencontra. L'expérience sexuelle avec son amant grec, pleine et satisfaisante d'après ce que l'on sait, a sans doute été sa seule expérience charnelle réussie, mais elle a aussi marqué le début du déclin de sa voix. Jusqu'alors, son corps avait appris à s'épanouir au-delà de lui-même, dans une voix sublime. Or, grâce à la rencontre sexuelle avec Onassis, Maria se découvre dans un autre corps, dans un corps désirant qui vibre sous les caresses sensuelles de son amant. Désormais, ensorcelée par le bonheur d'une nouvelle sensibilité, elle délaisse sa voix au profit d'une pleine satisfaction sexuelle, découvre la joie des caresses intimes, la volupté de la pénétration et le frémissement d'une sensualité vive et insoupçonnée. Elle doit alors apprendre à composer avec ses deux amants : le plus fidèle, sa voix, et le moins fidèle, Onassis. Reste qu'Onassis est une péripétie dans la vie de la Callas, car s'il la fit souffrir, ce fut infiniment moins douloureux pour elle que le déclin de sa voix. L'homme passe largement après sa voix, son éternel et, finalement, son unique amour. Et qui sait si des blessures infligées par les trahisons de l'armateur grec, la plus vive n'a pas été de lui faire négliger, de lui faire perdre sa voix ? À la fin de sa vie, quand la Callas se meurt avenue Georges-Mandel, c'est bien les films de ses opéras qu'elle regarde en boucle, et non les photos-souvenirs de son amour volage et défunt. Elle meurt de chagrin d'avoir perdu

175

son compagnon le plus précieux, sa voix. Elle est devenue une veuve à jamais inconsolable.

Être une femme comme les autres

On a décrit Maria Callas comme une femme coléreuse et une diva capricieuse. À la lumière de l'hypothèse que sa plus belle histoire d'amour, c'est sa voix, on peut comprendre qu'elle ait veillé sur elle comme une maîtresse jalouse, comme une «tigresse». Et puis il faut aussi se souvenir de sa rare humilité. Callas explique dans une interview accordée à Derek Prouse dans le *Sunday Times* en 1961, reprise dans la biographie de Pierre-Jean Rémy [34], qu'elle redevient devant chaque rôle «simplement une élève du Conservatoire. Vous apprenez la musique exactement comme elle est écrite. Vous ne prenez aucune liberté, pas même avec les récitatifs écrits». On croirait, à lire ses propos, qu'elle raconte comment elle apprivoise un homme. Elle ne veut pas qu'on le lui ravisse. C'est pour cela qu'elle refuse de chanter une huitième fois à Édimbourg : pour garder, pour préserver sa voix. La presse titre : «Maria Callas refuse de chanter à Édimbourg.» C'est faux ! C'est à une psychanalyse de la presse plus qu'à celle d'une femme qu'invitent ces ragots. On a écrit qu'elle avait agressé des *paparazzi*, un jour, en compagnie d'Onassis. Mais imagine-t-on seulement le harcèlement dont elle était la cible ? La Callas n'est pas sotte, ce dont témoignent ses reparties. Lors d'une de ses tournées à New York, un journaliste lui dit : «Vous êtes une idole...» Elle répond, du tac au tac : «Je ne veux pas être une idole, parce que les idoles, c'est vous qui les inventez pour aussitôt les détruire !»

Pour réussir dans la vie, il faut quatre pieds au tabouret : le

34. *Callas : une vie*, Paris, Ramsay, 1978.

travail, le talent, la chance et le bon sens. Le travail accompli par Maria Callas et son talent sont indéniables, on l'a vu. Sa chance a été de rencontrer des maîtres. Son bon sens a consisté à ne jamais se laisser détourner de sa voix, à ne jamais se laisser griser par le succès. Bien sûr, elle prit goût au luxe de la vie de diva, mais elle ne s'est jamais laissé enivrer au point de tolérer la médiocrité de ses partenaires, ou de se dévaloriser. Si elle entretenait le secret sur sa vie privée, c'est peut-être aussi parce qu'elle n'avait rien à en cacher et rien à en montrer – rien d'autre que sa voix. Pourtant, elle aurait sans doute aimé qu'on lui vole les images d'un quelconque bonheur familial. À la fin de sa vie, elle a avoué : « Je voudrais être une femme comme les autres » – sans doute entendait-elle par là : avec une maison, un mari, des enfants –, mais elle n'en était pas capable, bien sûr. Sa mère ne lui avait appris ni la féminité, ni la maternité.

Je conclurai en disant que la Callas a tout raté dans sa vie de femme ordinaire, mais tout réussi dans sa vie de femme exceptionnelle.

Jackie Kennedy (1929-1994) : programmée pour « réussir »

Il est impossible de comprendre les choix de vie de Jackie Kennedy sans entendre la passion démesurée qu'elle vouait au pouvoir et, mille fois plus encore, à l'argent. Elle jeta son dévolu sur des hommes capables de subvenir à ses besoins matériels à hauteur de 30 000 dollars par mois pour sa seule garde-robe. Jackie fut un gouffre financier, jusqu'à inquiéter, à défaut d'épuiser, la sixième fortune mondiale qu'elle avait épousée en secondes noces : Aristote Onassis lui-même. « J'avoue, j'aime le luxe », déclarait-elle, candide, en 1972 à un journaliste iranien, à l'issue d'un séjour à Téhéran où elle laissait à la puissance invitante une ardoise de 700 000 dollars, soit 70 000 dollars de dépenses quotidiennes. Follement prodigue, elle entendait le rester, en toute insouciance, et elle avait parfaitement compris la nécessité corollaire d'alliances solides. Première dame des États-Unis, puis épouse de milliardaire, on l'appelait « la Pointeuse » : elle désignait dans les boutiques l'objet convoité sans s'aviser de son prix ni payer comptant, indiquant juste où se faire livrer. Jackie avait hérité de la hantise de sa mère, la peur de manquer, et bien retenu le meilleur moyen d'y remédier.

Elle s'est montrée digne fille de Janet, mère âpre au gain comme aux sentiments, et de « Black Jack », père joueur, buveur et coureur. La première la dressa à n'épouser qu'un homme très riche, le second à beaucoup pardonner à celui qui ne présenterait qu'un vice sur les trois. Les deux époux de Jackie, John Kennedy

179

(1953-1963) et Aristote Onassis (1968-1975) relevèrent ainsi d'un choix quasi arithmétique. Jackie apprit de ses parents qu'on peut tout obtenir des hommes, à condition de s'en donner les moyens. Beauté, culture, intelligence, elle ne ménagea pas sa peine, et assuma par ailleurs à la perfection ses rôles de mère, puis de grand-mère.

Sois belle et ne te tais pas

Jackie et sa jeune sœur, Lee, de trois ans sa cadette, qui restera à la traîne en toutes matières (amants, moral, beauté et argent), voient leurs parents se déchirer jusqu'à leur divorce, en 1937 (Jackie a alors 11 ans). Même après leur séparation, la mère voue une telle haine à Black Jack que Jackie le prendra en pitié et lui pardonnera même d'avoir été si ivre le jour de son mariage qu'il fut incapable de la conduire à l'autel. Maîtresses, whisky et magouilles ont eu raison de l'aisance familiale et Janet invite ses filles à «épouser riche», ce qu'elle s'applique à faire elle-même en 1942, avec Hugh Auchincloss, industriel richissime. C'est le brave Hugh qui va permettre à Jackie et à Lee de fréquenter les meilleurs pensionnats : sans lui, Jackie n'aurait jamais pu prétendre à un mariage au sein de la *high society*. À 17 ans, elle court les fêtes à Long Island ; à 21, elle est élue reine des débutantes par un journaliste mondain ; à 22, elle part étudier à la Sorbonne et perd sa virginité dans un ascenseur parisien, avec un écrivain américain ; à 25, diplômée en littérature française et en journalisme, elle gagne un concours d'écriture pour *Vogue*. Son thème : «Les hommes subversifs, comme Oscar Wilde» – «qui ne s'y résument pas non plus ; c'est ainsi que je les aime», commente-t-elle. John Kennedy, bientôt servi sur un plateau par un ami commun, tombera à pic.

Jauger les maris, choisir le bon

L'histoire ne dit pas si Jackie tomba amoureuse, car la question se pose autrement : elle n'aurait pu s'attacher ni à un pauvre, ni à un homme sans envergure. Elle quitte un riche et terne banquier à qui elle s'est fiancée comme elle a quitté l'écrivain américain, à qui elle confiera poétiquement : « Ce que je vais faire avec un politicien ennuyeux comme Kennedy ? Il est tellement plus riche que toi ! »

Les deux « solitaires dévorés par l'ambition », comme les décrit l'ami qui les a mis en présence, ont tout pour se plaire. Jackie a grandi en se rêvant une vie de princesse ; lui a été dressé par un père semi-mafieux à devenir un homme puissant. Mais John n'a pas le corps robuste : il souffre de la maladie d'Addison, qui atteint les surrénales et menace d'une insuffisance mortelle, traîne une blessure de guerre et des douleurs violentes au dos, au point de passer des mois alité et, une fois président, de s'aider de béquilles dès qu'il n'est plus en représentation. Faut-il voir dans son invalidité épisodique et son sursis permanent (il a reçu trois fois l'extrême-onction !) l'explication de sa rage de vaincre et de son hyper-activité sexuelle, accrue ensuite par des injections massives de cortisone ? En tout cas, il accumule les conquêtes. Un camarade de classe dira ne l'avoir jamais vu amoureux. Une tradition familiale. On vit le père durablement avec Gloria Swanson et brièvement avec moult starlettes ; on verra le fils, avant Jackie, avec Lana Turner, Joan Crawford, Gene Tierney, Judith Campbell, Joan Fontaine et même une espionne de l'Est soupçonnée de nazisme ! Le vieux Joe Kennedy attend la digne épouse, celle susceptible de servir l'ambition qu'il nourrit pour l'aîné survivant de la famille (un grand frère est mort à la guerre) : la présidentielle de 1960. Élu sénateur et député du Massachusetts pour le Parti démocrate, John butine (une femme par jour, star ou réceptionniste, qu'importe, cinq minutes à chaque fois, sans parole) et entretient des fréquentations douteuses jusqu'au bout de la nuit (amis incultes et buveurs de bière). Jackie, de son côté, évalue les candidats possibles au mariage. John lui a plu lors d'une *party*, mais tout bascule avec la fameuse interview menée par la journaliste débutante pour le *New York Times* en 1953 : « Y a-t-il un âge pour briguer le mandat suprême ? » demande-t-elle à l'élu de 38 ans. Un mois plus tard, le démocrate délaisse Audrey Hepburn, fraîchement oscarisée pour *Vacances romaines*, et câble trois mots sans ambiguïté à Jackie, qui se trouve à Londres afin de couvrir le couronnement de la reine Élisabeth : « Vous me manquez. » Il a besoin d'elle ; elle aussi (il est riche à hauteur de 400 millions de dollars selon le magazine *Forbes*). Janet Auchincloss exulte, Joe Kennedy bénit l'union. « Un sénateur renonce au célibat pour une journaliste photographe », titre le *Daily News* le 23 juin 1953. La légende naît, sans épiloguer sur cette forme d'amour qui peut lier deux êtres aux intérêts réciproques et bien compris.

Jackie, la femme parfaite

Jackie, par sa culture, est un formidable atout politique. Durant les sept ans qui le séparent de la présidentielle, elle émaille les discours de son époux de phrases de Voltaire ou de références historiques. Polyglotte, elle déploie des talents diplomatiques, quand John est un rustre pourvu d'un accent à couper au couteau. Très vite, il apprend à utiliser sa femme. À un de Gaulle subjugué, il annonce : « Je suis le mari de Jackie Kennedy ! » Il apprend même à aimer Jackie, à sa façon, non monogame, et elle le supporte pour avoir voulu ce *winner* à l'américaine, qui n'est pourtant pas sans faiblesses : en 1955, durant des semaines, Jackie reste au chevet de son mari, qu'elle a failli perdre à l'issue d'une lourde opération du dos. Elle en est mal remerciée puisque, à peine sur pied, l'époux boude leurs dîners, laisse sa femme enfermée à l'hôtel lors de ses meetings politiques et lui préfère, à l'été 1956, une joyeuse croisière – mixte – entre copains sur la Méditerranée, alors qu'elle est enceinte. Jackie accouche prématurément, un an après une première fausse couche, d'une petite fille mort-née. Au même moment, la femme de Bobby Kennedy, le frère de John, accouche à nouveau (elle aura onze enfants!). Le vieux Joe console Jackie à Hyannis Port, le paradisiaque domaine des Kennedy, en lui signant un (très gros) chèque, ce qui se reproduira à maintes reprises... chaque fois que Jackie menacera de partir. Voguant sur les flots, John apprendra le drame après la presse.

En novembre 1957, Jackie accouche enfin de l'enfant rêvé, Caroline, élément indispensable pour incarner l'image de la famille. Elle transforme sa maison en palace, couvre sa fille de tendresse, fait du shopping, des régimes, du sport (le cheval restera sa passion jusqu'à la fin de sa vie), pose pour les photographes avec un grand sourire et se cache pour pleurer. Car cela arrive. John ne prend pas la peine de dissimuler sa passion des femmes. Séducteur doublé d'un goujat, il placarde Marilyn grandeur nature sur la porte de sa chambre quand il est malade ou déclare en apprenant le mariage de Grace avec le prince Rainier : «Celle-là, j'aurais pu l'épouser.» Les *paparazzi* pourraient annoncer un adultère par semaine s'ils ne craignaient les représailles. On dira plus tard que Jackie elle-même «connut» Aristote Onassis dès 1955, ou que sa liaison ultérieure avec Bobby, jeune frère de John, qu'elle aima en secret toute sa vie, commença du vivant du président. Peut-être. Mais ses trahisons furent sans commune mesure avec celles de son époux. Les allusions que John Kennedy faisait à ses aventures en présence de Jackie, les piques qu'ils se lançaient à ce propos en public firent penser à certains que leurs aventures relevaient pour eux d'un jeu de pouvoir. En tout cas, une fois mère, et plus encore une fois établie à la Maison-Blanche, Jackie attend patiemment que le jeu cesse. Elle vise un objectif supérieur à ses intérêts particuliers : la présidence, une ambition qui ne va pas sans sacrifices et justifie de supporter certains outrages. L'écrivain Gore Vidal, alors emblème de l'homosexualité huppée outre-Atlantique, analyse froidement le couple : « Ils évoluaient dans un monde de pouvoir et d'argent, et pour les riches et puissants les valeurs vieillottes comme la fidélité et le bonheur familial n'existent simplement pas [...]. Mais on ne peut pas raconter ça à l'opinion américaine. » Que Jackie ait souffert ou non, l'opinion n'y a effectivement vu que du feu. N'était-ce pas l'essentiel ?

20 janvier 1961-22 novembre 1963 : les mille jours d'une reine

L'historien André Kaspi [35] décrit Jackie comme « incapable de saisir les complexités de la vie politique, dépensant sans compter, fuyant les obligations ». La première dame des États-Unis inaugura néanmoins une nouvelle manière de faire campagne, fondée sur la communication et la proximité. John Kennedy et elle se liaient facilement aux autres, mais Jackie, avec son sens de l'hospitalité et ses bonnes manières, lança chez les puissants la mode de faire partager leur vie privée au monde : c'est elle qui fit entrer les caméras de télévision dans l'intimité des personnalités politiques. Royale à ses heures, elle faisait chambre à part, traitait mal ses domestiques, mais la dignité primait en public. Quand, trente ans plus tard, sa bien-aimée Diana fit état publiquement de ses déboires conjugaux, elle qui maîtrisait le sujet opta pourtant pour le camp de Camilla, la maîtresse : dans la vie, il faut savoir ce que l'on veut ! Jackie le

---

35. André Kaspi, *Kennedy : les 1 000 jours d'un président*, Paris, Armand Colin, 1993.

savait. Elle n'y sacrifia toutefois pas ses enfants, qu'elle protégea autant que possible du destin qu'elle s'était choisi. Elle tint Caroline et John Junior (né en 1960) à l'écart du protocole, les laissant jouer dans le bureau présidentiel de la Maison-Blanche et ordonnant aux gardes du corps de rester à distance. Quand elle avait trop mal, elle détournait les yeux : lorsque Marilyn chanta « *Happy birthday, Mister President* », à moitié ivre, en 1961, elle s'était fait porter souffrante. Quand John l'emmenait charmer les foules en tailleur immaculé, elle charmait, et quand il était souffrant, elle ne faillissait jamais. Aucun défaut, Jackie ? Si, deux symptômes, tenus secrets, de son angoisse : elle se rongeait les ongles au sang, dépensant des fortunes en manucure, et fumait deux à trois paquets de cigarettes par jour. Interrogée sur son bonheur, elle s'en tirait par une pirouette – dans un sens : « Ma vie est un bonheur de toutes les secondes », ou dans l'autre : « Mon mari fait un métier pénible pour sa femme ». En réalité, il est probable qu'elle ne se posait pas la question du bonheur plus que celle de l'amour : elle avait la vie qu'elle avait voulue plus que tout au monde. Cette vie avait un prix, et elle le payait sans mot dire.

Une veuve sublime, une mère exemplaire

John et Jackie Kennedy se sont aimés en public, et perdus de la même façon, lorsque la mort a frappé en direct devant les caméras de télévision. À Dallas, le 22 novembre 1963, Jackie porte l'un de ses ravissants tailleurs clairs. Elle a accepté à contrecœur de venir soutenir John dans une ville acquise aux républicains, car depuis la fin de l'été le couple répugne à se désunir, éprouvé par la mort d'un petit garçon nouveau-né. Les coulisses de l'assassinat sont moins connues que la séquence filmée par les caméras. Jackie a raconté inlassablement, comme pour l'exorciser, comment, conduite avec son mari à l'hôpital le plus proche, elle avait tenu la cervelle du mourant entre ses mains, s'étonnant elle-même de ce geste : «Pas une seconde je n'ai été dégoûtée.» Pendant trente-six heures, le temps de soins désespérés, du transport à Washington, de l'autopsie et de la mise en bière, elle refuse d'être séparée un instant de son mari, de dormir, de quitter son tailleur ensanglanté, répétant obstinément : «Je veux qu'ils voient ce qu'ils ont fait.» Les photographes immortalisant la prestation de serment du nouveau président Johnson, dans la foulée selon l'usage, doivent maquiller les clichés, où Jackie porte encore le tailleur maculé. Avec le même sens de l'Histoire, elle écrit aux personnalités du monde entier, une peur au ventre, obsessionnelle : que l'on puisse oublier son mari. Elle fait ériger une flamme éternelle en sa mémoire au cimetière d'Arlington, travaille au projet d'une bibliothèque-musée John Kennedy (qui ne verra le jour qu'en 1979). Afin d'épargner son chagrin à ses enfants, elle fait prévenir John Junior, 3 ans, et Caroline, 6 ans, par leur nounou préférée, pour ne pas s'effondrer devant eux. Elle leur épargne le spectacle du corps abîmé et ne pleure qu'une fois, à la cathédrale. Un modèle de mère, un modèle de veuve... en apparence du moins. À son médecin (qui la traite à l'année pour maigrir, tenir le coup ou dormir), elle réserve les mots définitifs : «Ma vie est terminée.» Quand on la croise inopinément en privé, elle est rouge et bouffie. Mais quand elle reçoit, elle est Jackie. Dans sa nouvelle maison de Washington, elle fait refaire les chambres des enfants à l'identique de celles de la Maison-Blanche, afin de préserver leurs repères. Après quelques mois de deuil, elle se force à reprendre une vie sociale et sentimentale.

Savoir guérir

À 39 ans, Jackie, désormais à la tête d'une fortune de 20 millions de dollars, continue à envoyer ses factures au vieux Joe, en cachette de sa belle-mère. Se sentant toujours Kennedy, elle passe ses week-ends à Hyannis Port avec ses enfants. La raison officielle, et avérée, de ces séjours est de maintenir leurs liens avec leurs grands-parents. La raison secrète est que Jackie vit deux ans de tendre idylle avec Bobby, sincèrement amoureux d'elle bien que marié et père de famille nombreuse. L'oncle Bob fait un amant discret, et particulièrement bien placé pour entretenir la mémoire de John auprès de ses enfants. C'est sur son épaule solide que Jackie reprend goût à la vie, au point de s'offrir en parallèle une liaison avec Marlon Brando (tombeur, comme son mari), Peter Lawford (son beau-frère, marié à une sœur de John), mais aussi avec des figures culturelles new-yorkaises, ou encore avec Roswell Gilpatric, l'ancien vice-secrétaire à la Défense. Tous sont plus âgés qu'elle, et beaucoup ont été proches de son défunt mari… une façon de commémorer jusqu'à l'alcôve. C'est dans les chastes bras de son ami Truman Capote qu'elle passe les premiers anniversaires de décès, des nuits au champagne, pour oublier.

Mais, le 6 juin 1968, Bobby, l'amant de toujours pour ainsi dire, est assassiné par un activiste palestinien dans un hall d'hôtel à Los Angeles. Admirable soutien de famille, une fois de plus, Jackie console, mais elle n'en peut plus : de la politique, de cette famille maudite. « Mes enfants sont les prochains sur la liste », confie-t-elle à un proche. Il est temps pour elle de refaire vraiment sa vie, d'autant que le vieux Joe, la poule aux œufs d'or, affiche des signes de faiblesse physique. Six mois plus tard, Aristote Onassis, qui attend son heure avec sa Callas, ne peut mieux tomber ! Grec, il lui offre l'exil au bout du monde, et il est si riche qu'il va la protéger de la mort, elle en est sûre.

La fuite en avant

En octobre 1968, sur l'île paradisiaque de Skorpios, forteresse d'Onassis, Jackie dit oui à «Ari», vingt-neuf ans de plus qu'elle et sept centimètres de moins, mais trois bagues de 1 million de dollars aux doigts. Les invités sont couverts de cadeaux, Caroline et John Junior ont droit à des mini-poneys, des mini-motos, des mini-vedettes. Jackie a renoncé à son statut de veuve pensionnée des Kennedy après avoir négocié un forfait de 3 millions de dollars pour elle et 1 million par enfant. Quant au généreux Ari, il lui alloue pour ses emplettes personnelles 30 000 dollars par mois: «Dieu sait que Jackie a traversé une longue vallée de larmes. Elle a droit à tout ce qui peut lui donner un peu de bonheur», dit-il. Y compris le plus gros diamant jamais trouvé au monde (revendu par Jackie 500 000 dollars en 1996). «Pour Jackie, écrit Gore Vidal, la seule chose préférable à un homme riche était un homme tellement riche que c'en était écœurant.» Ari est assez laid mais plein d'humour et original, y compris lorsqu'il la tient dans ses bras, où Jackie découvre autre chose que l'expéditive «méthode John». Leur lune de miel dure un mois, à bord du *Christina*, un yacht de cent mètres. Après quoi Ari entend vivre librement. Travailleur acharné, il voyage beaucoup, adore les femmes et ne peut renoncer à aucune, surtout pas à la Callas chez qui il se précipite dès que Jackie regagne pour l'hiver son appartement de la Ve Avenue avec ses enfants. Épouser Jackie Kennedy était pour Ari un fantasme absolu: ex-première dame des États-Unis, encore jeune (42 ans), elle était aussi un passeport idéal pour le monde des affaires américain, où on l'appelait avec mépris «le Grec».

Aristote absent, Jackie, grisée par l'argent, sombre dans l'achat compulsif: son mari découvre un jour qu'elle revend ses robes haute couture pour arrondir ses «maigres mensualités». En 1970, la publication dans la presse de lettres équivoques de

Jackie à Gilpatric pique au vif l'époux prodigue : elle le ruine et, en prime, le ridiculiserait ? Aristote s'exhibe alors en compagnie de la Callas. Jackie ne manifeste aucune jalousie, mais elle devient caractérielle, anorexique, plus tabagique et dépensière que jamais, au point qu'Onassis, las d'être puni, spolié et humilié, pense au divorce. Mais, en janvier 1973, son fils de 18 ans, héritier de son empire, meurt dans un accident d'avion. Et l'exemplaire Jackie renaît de ses cendres, console et assiste, mais sans succès : le vieil Ari sombre dans la dépression, puis la folie, entre soirées homosexuelles sado-masochistes et violence conjugale. Jackie prend de la distance. Quand il meurt à Paris, le 15 mars 1975, Jackie sort tranquillement de chez le coiffeur à New York. La Callas, elle, s'effondre : « Me voilà veuve », dit-elle. Ari a toutefois pu prendre ses dispositions testamentaires au profit de sa fille, Christina, à qui Jackie va livrer une guerre sans merci. Bilan : un forfait de 20 millions de dollars, plus 6 millions pour ses impôts. Jackie Onassis va désormais changer de vie, tournant le dos aux amours rentables, mais tragiques.

Programmée pour s'amuser

C'est une nouvelle femme, de seulement 50 ans, qui naît après le décès de son second mari : un léger lifting quasi superflu, une vie sédentaire à New York, aucune union officielle, et surtout un travail, dont financièrement elle aurait pu se passer. Engagée chez un éditeur à un salaire normal, elle y reste jusqu'à sa mort, en 1994, non sans faire preuve d'un véritable flair : c'est elle qui a l'idée de la biographie de Michael Jackson (pas encore inculpé) et de celle de Camilla (qui décline l'offre). Elle reste sourde aux millions qu'on lui propose pour écrire sa vie, par égard pour la mémoire de John. Ne cherchant plus à se marier, elle papillonne, dans les bras d'un jeune journaliste, du fringant

Warren Beatty et de quelques autres, tous éloignés de son profil type de poids lourd de la finance. Très courtisée dans le milieu artistique et culturel new-yorkais, elle s'épanouit dans ses nouvelles fonctions de femme de personne et de mère comblée. Car Caroline, diplômée en droit, épouse le riche héritier Schlossberg et « John-John » accepte de renoncer au cinéma pour des études sérieuses, même si, sentimentalement, il tient un peu de son père. Jackie a écarté Madonna, mariée alors à Sean Penn, entre autres « grues qui ne valent rien » – celle-ci se vengera en prenant pour amant... Warren Beatty ! (Mais Jackie tolérera Daryl Hannah, dernière maîtresse qu'elle ait connue à son fils.)

Du début des années 1980 à sa mort, Jackie trouve son équilibre affectif dans les bras de Maurice Tempelsmann, diamantaire et marié, le seul sans doute à l'avoir aimée sans en attendre de bénéfice secondaire. Elle se mue en douce maîtresse et en grand-mère gâteau des trois enfants de Caroline, nés entre 1988 et 1994. Durant ses quinze dernières années, celle qui a passé son existence en représentation élit domicile plusieurs mois par an sur l'île de Martha's Vineyard, loin des mondanités de la capitale américaine. C'est au large de cette île que son fils John s'écrasera aux commandes de son petit avion, en 1999, à 39 ans. Jackie, disparue cinq ans plus tôt, le 19 mai 1994, après avoir lutté contre un cancer de l'estomac – héroïquement, on l'imagine –, a eu la chance d'être épargnée par ce dernier coup du destin. Elle est morte riche et sereine. C'est sans doute la fin réussie qu'elle se serait souhaitée.

Une somptueuse machine de guerre

par Patrick Lemoine*

Faire feu de tout sexe

On a coutume de dire que toute femme possède une part masculine et tout homme une part féminine. Or ce qui frappe chez Jackie est l'hypertrophie de sa part masculine autant que celle de sa part féminine : elle utilise des moyens traditionnels de femme, comme la séduction fondée sur la bonne éducation, les toilettes, les bijoux, ainsi que le(s) mariage(s), pour atteindre des objectifs traditionnels d'homme. Elle veut le pouvoir, la puissance, l'argent, et elle use de toutes les armes à sa disposition, s'affirmant pleine de vitalité, d'une solide virilité un peu machiste – un peu « bovine », pourrait-on oser en écho à son patronyme on ne peut plus masculin d'origine française. Jackie est bel et bien la petite Bouvier, « l'éleveuse de bœufs ».

On ne peut nier qu'un physique parle, prenne l'empreinte d'un vécu ou d'une psychologie. L'image des « dents qui rayent le parquet » a poussé, dit-on, certains hommes (et femmes) politiques à se faire limer les incisives ou les canines quand elles étaient très aiguisées…

La morphologie de Jackie n'a rien de subtil ni d'évanescent :

* Patrick Lemoine, psychiatre et écrivain, est notamment l'auteur du *Sexe des larmes* (Paris, Robert Laffont, 2002), de *Séduire* (Paris, Robert Laffont, 2004) et de *Quiproquos sur ordonnance* (Paris, Armand Colin, 2006).

mâchoire carrée, démarche bien arrimée au sol, un côté cen-
taure, mi-humain, mi-quadrupède. Elle trahit le tempérament
qui l'anime : Jackie Kennedy est une machine de guerre que rien
n'arrête quand elle poursuit son but, pas même arracher un
amant à sa sœur [36]. Le cheval a du reste été sa passion tout au
long de sa vie… Faire corps avec la bête, la dominer, qu'elle ait
deux ou quatre pattes, éprouver un sentiment de puissance, c'est
là son plaisir et son défi. Son corps est habité d'une âme de guerrière : les hommes, Jackie a décidé de « se les payer » et surtout
de les faire payer, dans tous les sens du terme, et ce sans doute
dès 15-16 ans, quand elle a découvert que c'était possible et
légitime, à ses yeux du moins. C'est vers cet âge où elle devenait
femme qu'elle a compris la violence infligée à sa mère par son
père : ivrognerie, jeu, adultères, banqueroutes… de quoi nourrir
une durable vindicte. Dans cette famille, les femmes sont fortes
et les vengeances éternelles : même devenue milliardaire, Janet,
épouse Auchincloss, ne cessera de haïr son ex-époux et de se
faire justice, le poursuivant devant les tribunaux, le punissant
autant qu'elle le pourra. Justicière comme maman, Jackie veut
réparer les blessures de sa génitrice en la vengeant des hommes,
de tous les hommes. Ou presque ! Vengeresse vis-à-vis des
mâles, elle se doit pourtant de préserver son géniteur en se montrant une bonne fille pour lui : question d'image !

Tant qu'elle doit accomplir son devoir de reproductrice, Jackie
jette classiquement son dévolu conjugal sur un homme qui
représente un bon capital génétique : JFK est un grand mâle
dominant, beau, riche, leader politique. Il fait l'amour « comme
un lapin », signe de bonnes capacités reproductrices. Mais ce
n'est pas un hasard si elle le choisit malade et faible, comme son
propre père : quand elle le rencontre, John souffre du dos, boite,
a déjà reçu deux fois l'extrême-onction. De bons gènes, une
mauvaise santé : tous les ingrédients sont réunis pour une ama-
zone ! Plus tard, lorsqu'il n'est plus question de reproduction,

36. Aristote Onassis fréquenta longtemps Lee Radziwill, la sœur de Jackie.

elle rencontre un autre leader plus sûrement encore milliardaire que John : Aristote Onassis. Si l'on en croit la rumeur, l'armateur grec est un vieil homme bien affaibli dont le cœur fragile est de toute manière pris ailleurs : Maria Callas le retient prisonnier au pays du *bel canto*.

Chez les Auchincloss, les femmes ont le dessus sur les hommes diminués par le vice, l'âge ou la maladie. Jackie ne manque pas de perpétuer la tradition. Le bénéfice secondaire qu'elle trouve auprès de ses deux maris diminués est identique : ils ne lui font pas courir le risque de perdre la tête. L'amour est raisonnable chez Jackie, il ne doit pas lui faire oublier ses objectifs. Elle distingue résolument le sexe conjugal, fondement de la vie sociale, et la vie intime, forme de distraction, sur le modèle longtemps prédominant des mâles occidentaux : on épouse pour fonder une famille, et l'on aime ailleurs. John, elle l'« aime utile » – *business is business* ; Bobby Kennedy, lui, c'est pour le *fun*, il est si romantique, si doux, si gentil !

Si le sexe raisonnable scelle une association d'intérêts, il ne faut pourtant pas tenir Jackie pour une profiteuse ou une cynique. D'abord parce que son choix n'était sans doute pas complètement conscient : elle a dû réellement s'attacher à John puisqu'il collait tout à fait à son fantasme ; ensuite parce qu'elle ne l'a pas volé, pas lésé, bien au contraire. Elle possédait en effet cette hypertrophie du moi féminin qui sied à un aspirant président des États-Unis. Elle a patiemment, judicieusement accumulé les atouts maîtres nécessaires à une *First Lady* de l'époque : élégance, culture, Américaine jusqu'au bout des ongles. John rêve de fonder une famille pour être présentable et avoir de beaux enfants solides ? Qu'à cela ne tienne, Jackie les lui fournira !

Contrairement à la Femme, qui cherche un porteur de bons gènes sans se préoccuper de l'état de santé du pourvoyeur de bonne semence, une seule « insémination » pouvant suffire en théorie, l'Homme, pour sa part, a besoin d'une partenaire qui dure : après les avoir engendrés, elle doit pouvoir veiller sur les enfants. De nombreuses études [37] ont défini les critères anthropologiques qui rendent une femme séduisante aux yeux d'un homme : un RTH (rapport taille/hanche) élevé – des hanches larges, une taille fine, donc l'écart le plus grand possible entre les deux mensurations. Ces critères annoncent une bonne fécondité et surtout une bonne santé, garantie que la reproductrice va suffisamment bien pour porter et élever ses petits. Même quand ils s'imaginent attirés par les *top models* blonds et filiformes, les hommes, inconsciemment, épousent de préférence de bonnes poulinières... les autres, ils les courtisent.

Jackie a presque tout de la mère porteuse idéale : un rapport taille/hanche favorable (« le bassin accueillant », dit-on), l'air juvénile, gage de longévité, une bouche épaisse. Pour être « parfaite », il lui manque la poitrine généreuse (RTP : rapport taille/poitrine, important aussi, mais moins déterminant). Elle a de toute manière d'autres arguments à faire valoir. Elle est une synthèse, « parfaite » cette fois, de la femme américaine, au carrefour du monde latin – c'est une Française, brune, vive – et du monde anglo-saxon, dont elle possède les manières et la culture. Quintessence du raffinement occidental, elle est d'une présentation irréprochable, n'affichant sa sensualité ni dans ses mouvements, ni dans ses tenues. Sans doute précocement consciente de ne pas avoir les moyens physiques de devenir un *sex symbol*, elle a d'emblée été animée par des ambitions viriles qui la préservaient d'un éventuel statut de femme objet.

Les adolescentes se livrent toutes, ou à peu près, à une forme de bilan de compétences : un revers amoureux sévère, un succès inespéré avec le garçon convoité et elles se structurent affectivement et socialement autour de cette expérience. Jackie, bien éduquée et bien née, s'est aperçue très tôt qu'elle pouvait nourrir de hautes ambitions. Devenir une épouse soumise et ignare était le lot de nombreuses jeunes filles de bonne famille de son

37. Lire à ce sujet Patrick Lemoine, *Séduire ! Comment l'amour vient aux humains*, Paris, Robert Laffont, 2004.

milieu. Mais en faisant des études assez poussées, Jackie a accru son capital initial et affiché sa volonté de se démarquer du banal chemin réservé aux autres. Elle a enrichi son bagage de femme « parfaite » en guettant l'homme de pouvoir qui voudrait bien l'associer à son entreprise.

On imagine mal John Kennedy marié à Marilyn. Certes, l'actrice possédait, elle aussi et plus encore, tous les critères anthropologiques de séduction (RTH, RTP, visage juvénile). Mais elle ne réunissait aucun de ceux d'une *First Lady*.

Jackie a naturellement adopté l'apparence et la prestance un peu ampoulées d'une femme de président. Elle correspond bien à l'épouse décrite par les romanciers du XIXe siècle, qui voulaient qu'une femme bien née soit d'apparence frigide, à défaut de l'être réellement. Une épouse « honnête » est sage au lit conjugal – ce qui ne l'empêche en rien d'être volcanique au lit adultérin. On imagine assez bien Jackie dans ce double rôle, même si on ne sait rien de sa vie intime. Après tout, peut-être était-elle portée sur la chose, sachant qu'elle n'a pas manqué d'avoir des amants une fois sa vie de génitrice derrière elle et son image d'épouse modèle révolue.

La féminité très étudiée qu'elle a adoptée lui a permis de se « donner » (façon de parler !) à John, autant que de se l'offrir. On reconnaît sa dimension masculine dans le fait qu'elle n'a jamais vendu son âme, à l'opposé d'une Lady Di qui mêla des rêveries de conte de fées à son ambition d'épouser un prince.

Cacher son ambition sociale derrière le sentimentalisme est une convention culturelle presque universelle. Il semble convenable qu'une union aux objectifs pragmatiques bien identifiés soit recouverte d'un vernis romantique, histoire de neutraliser le regard des autres, quand ce n'est pas pour s'illusionner soi-même. Bien que le rituel diffère selon les espèces, l'observation d'adolescents dans une cour d'école n'est guère éloignée de la parade amoureuse animale : telles des biches, des poules ou des lionnes, les jeunes filles s'agglutinent autour du plus fort, celui qui gagne au combat, attendant d'en être choisies. Et cela malgré la révolution des mœurs !

Flairant le bon patrimoine génétique et l'image politique adéquate chez John, Jackie l'a appâté et ferré. Bien des femmes n'auraient pas perçu cet homme comme un cadeau tant les contreparties étaient lourdes. Bien des femmes peut-être, mais pas Jackie, pas une *First Lady* !

Parfaite

Considérer le mariage de Jackie comme une forme de prostitution serait une erreur, sauf si l'on estime que tout mariage comporte sa part « prostituelle » : on se marie rarement contre ses intérêts, et même si l'on épouse plus pauvre que soi, on se « rembourse » ailleurs. L'intérêt de John était aussi grand que celui de Jackie. Examinons l'aspect familial, essentiel pour la photo officielle à la Maison-Blanche : John choisit la bonne mère porteuse, tandis que Jackie choisit le bon étalon, un leader grand et baraqué, malade certes, mais qu'importe, puisque cela n'altère en rien ses gènes ! Ce grand type avec une tête de GI a certes des failles, mais, à l'évidence, elles ne sont pas héréditaires. Aurait-elle épousé Aristote Onassis pour faire des enfants, lui qui affichait un mètre soixante-neuf au garrot ? Rien n'est moins sûr !

De son côté, Jackie avait de la culture, pouvait accueillir des chefs d'État, corriger les manières de son époux, parler plusieurs langues, rédiger des discours. Elle était une parfaite épouse de président. En échange de ce prestigieux statut, elle veillait à coller à sa fonction : elle soignait son mari quand il était malade, tolérait ses escapades au titre d'effets secondaires du pouvoir (le taux de testostérone ayant pour double conséquence la quête du pouvoir et une libido galopante). Elle est même parvenue à tenir son cerveau entre ses mains quand il est décédé. Tenir entre ses mains sans faillir ni défaillir le cerveau du président, quel symbole !

Après sa mort, elle honore sa mémoire et met leurs enfants à l'abri du besoin en épousant Onassis. Après avoir été une fille parfaite, une épouse parfaite et une mère parfaite, elle sera une veuve parfaite, une grand-mère parfaite, une retraitée parfaite, une cancéreuse parfaite, une agonisante parfaite. Tout au long de sa vie, Jackie fait preuve d'une hyper-adaptation aux situations qu'elle vit et endosse à merveille tous ses rôles. En fille modèle, elle n'a de cesse de soigner son vieux père, de lui tendre la main, de tenter de le sauver. C'est une position classique chez les filles d'alcooliques, qui subliment leur agressivité en la drapant d'un dévouement sans borne, ce que les psychiatres appellent une formation réactionnelle. Les alcooliques sont souvent des mâles peu dominants en recherche de compréhension, de pardon. Ils sont souvent dévorés par des épouses victimes néanmoins toutes-puissantes : les femmes moins déterminées claquent la porte.

Enfin, si, à l'autre bout de l'existence, Jackie vieillit bien, sans trop se révolter contre les outrages du temps, c'est justement parce qu'elle se coule dans son rôle de femme vieillissante, acceptant ses rides, se bornant à des liftings minimalistes. C'est dans ce contexte que se comprend l'irruption de son dernier amant, Maurice, le doux, le sage, le respectable, l'homme aux tempes argentées. Il est idéal, parfait pour une retraitée, une gentille grand-mère (presque) rangée.

Jackie reste en symbiose avec la réalité quoi qu'il arrive. Les souffrances, elle les accueille pour devenir en temps opportun une victime parfaite : après l'assassinat de John Kennedy, elle tient à garder son tailleur souillé de sang pendant une journée et demie. Il ne s'agit pas d'un froid calcul, mais d'un véritable talent de comédienne, bien supérieur à celui de Marilyn. Jackie sait en effet ce que vaut l'émotion face aux caméras. Elle s'en laisse habiter sans crainte. Plus que jouer un rôle, comme un comédien qui se prend pour un autre quand il veut et où il veut, Jackie *est* un rôle, le rôle de sa vie.

Un couple « libre »

Si Jackie a toléré l'infidélité de John, c'est précisément parce que la clause de fidélité ne figurait pas au contrat. Quand l'argent et plus encore le pouvoir sont en jeu, les règles changent. Le contrat d'exclusivité, c'est bon pour les couples bourgeois, ordinaires : en un mot vulgaires. Chez les Kennedy, c'est la raison d'État qui prévaut. Pour la grandeur du royaume de France, Catherine de Médicis a toléré Diane de Poitiers ; Jackie pouvait bien tolérer Marilyn. Les comportements des reines et des présidentes ne sont pas ceux du commun ! C'est en cela que Jackie et Camilla se sont reconnues : toutes deux ont sacrifié la possession d'un homme à des intérêts supérieurs. Comme Camilla la divorcée, la roturière qui a laissé Charles en épouser une autre plus titrée, plus conforme à l'image d'une princesse, Jackie s'est laissé tromper au vu et au su de l'univers tout entier. Le président des États-Unis n'est-il pas l'homme le plus puissant du monde ?

Et puis, contrairement à ce que l'on pourrait penser spontanément, cette « liberté » conjugale n'est pas une mode récente, mais une vieille convention bourgeoise. Jackie, qui a décidément nombre de traits communs avec l'épouse type du XIXe siècle, attend sans récriminer que son mari rentre de ses escapades. Et si on lui a volontiers prêté des amants, elle les a pris à un âge non moins conforme à la tradition, ne commettant l'adultère qu'une fois sa tâche de génitrice accomplie.

Les tromperies de John et de Jackie Kennedy n'ont rien d'un jeu érotique pour autant : ils ne cherchent pas à se les faire savoir. L'un comme l'autre tiennent leur engagement conjugal pour un état de fait nécessaire, à côté de quoi l'adultère est une détente, contingente et bienvenue à la fois. Pour John, mâle hyper-puissant, hyper-sexuel, « hyper-tout », c'est un exutoire. Si Jackie se tient plus tranquille, c'est parce que son orgasme est d'abord d'être la *First Lady* – puis, avec Ari Onassis, *First Wealthy* (première des nanties). La vie auprès de son président d'époux lui fournit d'ailleurs sa dose d'adrénaline. Son quotidien est plein d'excitations, de voyages en réceptions, de baie des Cochons en guerre du Vietnam. L'assassinat si spectaculaire de John K. en constitue le point d'orgue. Il lui assurera la postérité. Nous avons tous, imprimées sur la rétine, deux images historiques : Jackie à Dallas, dans leur décapotable, au côté de John mort, le tailleur maculé de sang ; Jackie en deuil à côté de John-John qui tient son petit drapeau américain. Elle a été servie au-delà de ses espérances, la jeune fille qui se rêvait une vie palpitante en flirtant à Paris avec son amant écrivain.

Les femmes aiment les hommes qui leur racontent ou, mieux, leur font vivre, des histoires extraordinaires. D'où le succès d'Ulysse auprès de Pénélope. Elles ne s'ennuient pas avec eux, leurs sagas les tenant en haleine. Ils ont bravé tant de dangers qu'elles se sentent protégées. Les femmes recherchent des hommes qui gagnent, des combattants capables de l'emporter : peu importe que leur terrain d'exercice soit sportif, social ou politique, du moment qu'ils montrent leur aptitude à la lutte. Peu importe qu'ils s'appellent Marcel Cerdan, Aristote Onassis ou John Kennedy, du moment qu'ils triomphent.

Certes, il existe des femmes en quête d'hommes chétifs à materner, auprès de qui elles tiennent un rôle d'infirmière, de maman, mais il n'est pas certain que ce soit ceux qu'elles épousent ou, plus exactement, ceux avec qui elles cherchent à se reproduire. Van Gogh, Toulouse-Lautrec n'ont guère compté de succès féminins ! Quant à Gainsbourg, s'il n'était pas un Apollon, c'était un aigle par le génie et le succès. Malgré son physique ingrat, il fut un gagnant et, à ce titre, il put avoir accès aux plus belles femmes de son temps et se reproduire au moins à deux reprises, avec Jane Birkin, puis avec Bambou.

Pour s'attacher un « gagnant », aimer un homme qui arbore son hyper-testostéronisme, il ne faut pas avoir peur de la sexualité. Or Jackie n'avait pas plus peur du sexe que du reste. La réputation de coureur de John Kennedy lui apportait en outre le bénéfice secondaire de flatter son narcissisme : passer la bague au doigt d'un séducteur, c'est coiffer au poteau toutes les autres postulantes. Quand Jackie affirme aimer les hommes subversifs, elle pose. La prétention a certes une saveur rebelle qui parfait son image. On ne peut néanmoins l'entendre au pied de la lettre : c'est sur des hommes plutôt conformistes et non sur des délinquants ou des révoltés qu'elle a jeté son dévolu. Sans doute a-t-elle même espéré, comme tant d'autres femmes confrontées à l'infidélité chronique de leurs époux, qu'avec l'âge son mari tempérerait ses ardeurs.

L'essentiel reste cependant qu'en choisissant John Kennedy Jackie sert sa propre cause, et nul autre que le président n'est mieux placé pour la servir, quels que soient les inconvénients qu'elle ait à en subir. À ce titre on peut noter que la *First Lady* ne s'est jamais montrée solidaire d'une cause féministe, alors qu'elle aurait pu s'ériger en exemple d'un relatif affranchissement (elle a fait des études, choisi son destin, son mari, ses maternités) à une époque où le féminisme était en plein essor. En réalité, la machine de guerre ne roulait que pour elle-même, sans aucune empathie pour les autres femmes, et sans doute pour quiconque. À sa façon, Jackie a fait carrière.

Une trajectoire inimitable :
le retour du refoulé

L'hyper-adaptabilité peut sembler enviable dans la mesure où elle permet de tirer le meilleur parti d'une situation et assure la réussite. Affirmer qu'elle garantit le bonheur serait pourtant abusif. On ne sait pas si Jackie s'estimait heureuse, mais on ne peut pas affirmer qu'elle était parfaitement équilibrée. Hyper-adaptée ne signifie pas épanouie. Jackie ne pouvait contenir totalement son angoisse : elle se rongeait les ongles, fumait plusieurs paquets de cigarettes par jour, était un peu anorexique, buvait parfois trop, consommait des médicaments. Si la plupart du temps elle compensait grâce à l'opium du pouvoir, on peut néanmoins voir un retour du refoulé dans ses conduites auto-destructrices et ses dépenses compulsives. Son inconscient devait bien receler une once de culpabilité pour que la première femme des États-Unis s'adonne à ces dérivatifs! Quant à son cancer de l'estomac, certes imputable à des causes physiolo-giques, il raconte assez bien qu'elle se «rongeait de l'intérieur».

La rage de perfection de Jackie Kennedy, sa remarquable cohé-rence ont quelque chose de terrifiant parce qu'elles dénotent une incroyable agressivité chez cette femme à qui rien ne faisait peur.

Sa folie de l'achat n'est pas non plus à lire comme la simple aliénation d'une victime de la mode, ni comme la volonté de jouir de la possibilité de (se) dire «l'intendance suivra[38]» en pointant les objets sans jamais se préoccuper de leur prix, mais plutôt comme une manière supplémentaire de punir les hommes, ces payeurs! Revendre des robes fraîchement acquises, voire jamais portées ne relève pas d'un souci exacerbé d'élégance: c'est une extrême violence faite à ses maris qu'elle sadise sans vergogne. La peur de manquer aurait plutôt conduit Jackie à thé-sauriser, à accumuler, si elle avait vécu seule. Par ses dépenses outrancières de femme mariée, elle fait payer les hommes, c'est une obsession. Elle en finit d'ailleurs avec l'achat compulsif dès qu'il s'agit de ses propres deniers.

La question de la souffrance

Quiconque découvre l'existence de Jackie Kennedy ne peut manquer de penser qu'à sa place il aurait beaucoup souffert. C'est un autre succès de la *First Lady*: quand on évoque sa vie,

38. Mot du général de Gaulle.

la plupart des gens s'émeuvent. Trompée, veuve, mal remariée : elle a été victime de tant de drames ! Mais Jackie n'était pas une personne comme tout le monde. Elle était habitée, transcendée par un destin de dimensions internationales. Sa rage de faire payer les hommes était telle qu'elle détient le record féminin mondial de la dépense. Dans ce contexte, la souffrance ne pouvait être à ses yeux qu'un sentiment trivial. Certes, elle manifestait les quelques symptômes décrits plus haut. Mais souffrir ? Fi ! Jackie n'a pas été heureuse à la manière du commun des mortels : la question du bonheur est une question de midinette. Jackie a eu un destin accompli, extraordinaire, et c'est ce qui lui importait. Elle voulait l'exception, pas la vie ordinaire d'une épouse qui a fait un beau mariage. Elle a réussi avec ce dont la vie l'avait dotée, son corps et sa tête, et, en outre, elle a réussi à « vendre » au monde entier l'idée qu'elle était hors du commun, « mieux que belle » : elle avait « beaucoup de classe », répétait-on partout à son sujet.

Mieux encore, cette femme de tête glorieuse, richissime et dépensière a trouvé le moyen d'accréditer l'idée qu'elle n'était que la courageuse victime de ses deux maris volages.

Prodigieuse Jackie !

Dalida (1933-1987) :
une blessée inguérissable

Dalida, vedette pailletée, jamais prise en défaut de laisser-aller, a mis fin à ses jours en mai 1987, à l'âge de 54 ans, laissant ses nombreux admirateurs accablés et surpris. Il semblait que la vie lui avait tant souri... Certes, elle avait dû se battre pour continuer à occuper le devant de la scène, mais elle y était parvenue, pendant trente ans, dans le monde entier. Elle avait survécu à ses amours trop souvent suicidées, au propre comme au figuré, mais les mauvais démons de Yolanda, la jeune fille partie de rien, auraient raison de Dalida, la star. Son mari fit d'elle une chanteuse vénérée, mais les hommes qu'elle aima plus passionnément ne lui laissèrent rien d'autre que des souvenirs, et parfois un goût de cendres. Aucun ne la fit mère ; elle y voyait le drame de sa vie, le signe qu'elle avait tout raté. Sublime aux yeux du monde, mutique sur ses blessures, la chanteuse mourut comme elle avait vécu : avec pudeur et élégance. Le soir de son suicide, elle prétexta une soirée mondaine pour écarter ses proches, après avoir déposé une lettre à son amant d'alors qui venait de lui faire faux bond. Elle rédigea un mot sobre : « La vie m'est insupportable. Pardonnez-moi. » On la retrouva dans son lit, en pyjama blanc immaculé, sa mythique chevelure dénouée sur l'oreiller, conforme à l'image d'une Belle au bois dormant. Celle qui estimait être passée à côté de sa vie a pourtant laissé le souvenir d'une étincelante réussite : quatre-vingt-dix millions de disques vendus à travers le monde, une voix et un visage imprimés dans les mémoires.

Le vilain petit canard était un cygne

Yolanda Gigliotti naît le 17 janvier 1933 dans une famille d'artistes immigrés italiens d'un quartier populaire du Caire. Son père est premier violon à l'Opéra, sa mère une couturière raffinée, son oncle projectionniste de cinéma. Yolanda grandit entre deux frères, Orlando, l'aîné, et Bruno, le cadet, qui deviendra le célèbre imprésario qu'on sait (de Dalida, d'Hélène Ségara et de tant d'autres) sous le pseudonyme d'«Orlando». Les premières années de Yolanda, on craint qu'elle ne perde la vue. Elle en sera quitte pour des lunettes à verres-loupes censées pallier une grave myopie et un léger strabisme. Enfant, elle ne quitte guère les jupes de sa mère, d'autant que la guerre lui arrache son père, déporté dans le désert par les Alliés car on le suspecte, à tort, d'être un sympathisant de l'axe Rome-Berlin. Il revient d'exil à la fois meurtri et déchu, aigri de devoir courir le cachet dans les cabarets. Déphasé en famille, il fait preuve d'une sévérité excessive. Yolanda a 13 ans quand il meurt. Ils sont restés des étrangers l'un pour l'autre. Le frère aîné, devenu chef de famille, pose un regard censeur sur cette adolescente dont le corps s'épanouit et l'humeur se fait frivole. On présumait un physique difficile, mais Yolanda devient belle, d'une sensualité qui favorise de petits flirts. Elle abandonne ses lunettes, préférant le brouillard à l'outrage esthétique, pour se présenter en cachette au concours de Miss Ondine. Son élection comme première dauphine la propulse à la une du journal… en bikini! Scandale dans le quartier, ire du frère, honte de la mère. Un seul espiègle s'en amuse: Bruno, qui a tout compris et comprendra toujours sa sœur mieux que personne. Yolanda prend goût au *glamour*, alimentant ses rêves en observant Rita Hayworth et Ava Gardner, ses idoles, dont elle visionne les films en boucle au côté de son oncle. Avec ses grands anneaux aux oreilles et ses cheveux au vent, loin d'imaginer ce que l'avenir lui réserve, elle s'inscrit sagement à des cours de sténo-dactylo. La surveillance de son aîné se relâche. C'est en professionnelle de l'élégance qu'elle défile pour des couturiers à ses heures perdues. En 1954, elle remporte le titre prestigieux de Miss Égypte, qui lui vaudra la couverture de *Cinémonde*, vêtue d'un subversif maillot panthère. Le jour même, elle se fait harponner par un cinéaste français, Marc de Gastyne, qui parvient à convaincre sa famille de la laisser s'envoler pour Paris, où le succès l'attend, il en est sûr. Là-bas, un ami imprésario veillera sur elle. La famille cède. Mais pour tous, excepté Bruno, ce départ est un crève-cœur : Paris est un lieu de perdition et de prostitution, c'est bien connu. Yolanda, elle, pense aux Champs-Élysées, à Juliette Gréco, aux grands couturiers... Pour l'instant, elle s'est contentée de quelques apparitions dans des films tournés en Égypte, mais elle est prête à tout donner pour arriver au firmament, ignorant encore qu'elle le trouvera sur la scène musicale et non à l'écran.

La déracinée se mue en orchidée

À son arrivée à Paris, sous la neige, à Noël 1954, Miss Égypte est effectivement prise en charge par un imprésario, mais il se borne à lui assurer le minimum vital. Yolanda cache la vérité à sa famille : elle écrit vivre près des Champs-Élysées sans préciser que c'est dans une chambre de bonne ; elle décrit ses rendez-vous dans le monde du cinéma sans spécifier qu'ils se soldent par des refus ; elle évoque son gentil voisin du huitième étage sans dire qu'il est son seul ami et qu'il peine autant qu'elle. Ils se reverront dans de tout autres circonstances, puisqu'il s'agit... d'Alain

Delon! Elle-même ne s'appelle pas encore «Dalida» mais «Dalila», le pseudonyme des films égyptiens, attribué en hommage à la Dalila de Samson. Sans cesse recalée au cinéma, Dalila travaille sa voix et s'essaie à la chanson. Son accent enchante lors d'une audition, à une époque où l'exotisme commence à réchauffer les cœurs. Après presque un an de lutte contre la nostalgie du Caire et l'envie de rentrer au pays, elle décroche la première partie d'Aznavour, puis de Juliette Gréco – sa référence! – dans un cabaret très coté, la Villa d'Este. Un soir d'avril 1956, trois hommes l'écoutent: Bruno Coquatrix, directeur de l'Olympia, Eddie Barclay, fondateur de la maison de disques homonyme, et Lucien Morisse, patron d'Europe 1. Ils ont monté un partenariat pour découvrir et lancer les talents de demain. Après le spectacle, ils se jettent littéralement sur la jeune femme, convaincus que sa forte présence orientale, ses cheveux noirs, ses yeux immenses bordés de khôl et cette voix brûlante vont envoûter le monde. Les deux premiers voient le potentiel de la chanteuse, le troisième est subjugué par la femme. Dalila a désormais toutes les cartes en main pour réussir. Rebaptisée Dalida – c'est plus tranchant –, elle enchaîne des chansons orientalisantes, judicieusement choisies: *Madona*, adaptation d'une chanson d'une reine du fado, et *Bambino* en 1956. Lors de la tournée estivale de 1957, elle se taille autant de succès que les vedettes dont elle fait la première partie, Annie Cordy et Gilbert Bécaud. En deux ans, elle sort quatorze 45-tours qui passent en boucle à la radio. Le coup de foudre professionnel du patron d'Europe 1, un homme tendre, mélancolique à la limite de la dépression, et par ailleurs marié, prend vite un tour sentimental: Lucien Morisse l'installe rue d'Ankara, dans le XVIe arrondissement de Paris, où il la rejoint bientôt après avoir quitté femme et enfants, lui assurant une vie bourgeoise dont elle n'osait pas même rêver. Elle n'en a plus le temps du reste, enchaînant les tournées sans prendre le temps de respirer, étourdie par un succès qui la dépasse et franchit les frontières: toute l'Europe l'adule. Car elle sait être un parfait caméléon. C'est l'une des rares artistes à chanter deux chansons dans toutes les langues : *Le Jour où la pluie viendra* et *Les Gitans* sont des tubes universels, et l'Égypte appelle son enfant chérie « la voix du siècle ». En 1960, avec *Les Enfants du Pirée*, elle est en tête de liste des ventes.

Or, à 27 ans, Dalida se trouve déjà face au paradoxe qui rongera son existence jusqu'à en venir à bout : comblée dans sa vie publique, elle n'a pas le temps de se demander ce qui ferait son bonheur dans l'intimité. Heureuse, elle ne l'est pas. Gâtée par son mari, elle se reconnaît une existence confortable, mais sans fantaisie. Elle finit cependant par accepter de consacrer leur union à la mairie le 8 avril 1961, après l'avoir différée durant des années. À l'issue d'une fastueuse et médiatique cérémonie, sa famille, venue d'Égypte, la croit établie sur le chemin sans fin de la félicité bourgeoise, quand en réalité elle a renoncé à l'amour fou. Qui va bien sûr la foudroyer illico : lors d'une tournée en septembre, elle rencontre à Cannes un beau peintre polonais, iconoclaste et délicieux. Elle chante *Itsy bitsy petit bikini*, surfant sur la vague yé-yé, mais son cœur n'est plus celui des jeunes filles en fleurs à la Sheila, Sylvie Vartan ou Françoise Hardy, ses rivales. Dalida est désormais une femme au cœur déchiré par un choix cornélien : continuer à vivre avec Lucien Morisse, par reconnaissance, ou rejoindre le divertissant Jean Sobiesky, par passion. Des rumeurs nuisibles l'accusent d'ingratitude, les jaloux lui envoient à l'Olympia, en décembre 1961, une couronne mortuaire : « À la chanson défunte, vive Édith Piaf ! » Dalida résiste, comme elle résistera à tout, avec son arme préférée : se donner à son public.

Une travailleuse acharnée dans une tour d'ivoire

Le succès venant, Dalida joue dans quelques films comme *L'Inconnue de Hong Kong* en 1962, aux côtés de Serge Gainsbourg,

mais elle préfère la scène, l'émotion en direct au bonheur dif-
féré. En amour, elle n'est pas différente. Elle quitte la sécurité
conjugale pour l'aventure avec son peintre dont les nuits sont
courtes et les journées oisives, une vie aux antipodes de la
sienne. Après avoir juré de détruire sa carrière, en la boycottant
sur ses ondes notamment, Lucien Morisse reviendra finalement
à de meilleurs sentiments. Épisodiquement, la France boude
ses disques, ce qu'elle surmonte en effectuant des tournées
triomphales en Europe et, au fil de sa carrière, au Vietnam, aux
Antilles, au Brésil, en Israël. Et elle revient, avec un nouveau
succès « exotique », un sirtaki repris de la bande originale de
Zorba le Grec, film de Michael Cacoyannis : *Amore scusami*,
le tube de l'été 1964. Jean Sobiesky, avec qui elle a partagé le
meilleur durant un an, ne se révèle pas le compagnon idéal pour
une tornade doublée d'un bourreau de travail. Alors, pendant
deux ans et demi, Christian de La Mazière, jeune homme de
bonne famille, devient l'amant attitré, celui sur qui elle peut
compter, comme Lucien autrefois, même si Christian l'accompagne comme une ombre plus qu'il ne la promeut. « Il est
l'Homme », dira-t-elle de lui. Il lui fait lire des livres, l'aide à
y voir plus clair dans ses contrats et surtout encourage son nouveau genre, femme fatale, loin des carreaux vichy adoptés un
temps par effet de mode. En août 1964, elle fait teindre ses longs
cheveux en blond, vamp élue par le magazine *Elle* « chanteuse
préférée des Français ». À la rentrée, les critiques musicaux
saluent son Olympia : « Elle a remplacé Piaf ! » Dalida entendra
tout et son contraire au fil de sa carrière. On la boude, on l'adule
– on ne l'ignore jamais. « Le public est mon mari et les chansons
sont mes petites filles », déclare-t-elle quand on l'interroge sur
sa vie privée, sans nouveau mariage et sans enfant. « À 35 ans,
j'arrête la chanson », ajoute-t-elle, comme s'il suffisait de dire
adieu à la lumière pour devenir épouse et mère.

En attendant, Dalida vit entre deux repères : sa maison rococo
du 11 *bis*, rue d'Orchampt, surplombant Montmartre, et bientôt
sa famille. Sa mère, son frère Bruno, alors chanteur sous le nom

d'Orlando, et sa cousine Rosy la rejoignent à Paris. Bruno devient l'artisan d'une nouvelle Dalida, plus profonde, et Rosy sa secrétaire. La maison de la rue d'Orchampt sert de lieu de réunion, de fête avec la garde rapprochée, d'asile pour ses amours. Elle deviendra le refuge contre ses douleurs, et finalement son cercueil, puisque Dalida s'y donnera la mort. Jean le peintre et Christian le gentilhomme y viendront l'aimer, mais aucun homme ne lui fera plus quitter son paradis.

Le grand amour et la grande faucheuse

En août 1966, seule depuis quelques mois, Dalida connaît le premier coup de foudre de sa vie. Elle en rêvait comme d'un mythe, mais jusque-là elle ne se prenait pas de passion pour le premier venu. Elle chavire subitement à Rome, à un comptoir de bar, au premier regard de Luigi Tenco, musicien et chanteur de toute beauté âgé de 28 ans (elle en a 33). Un peu anarchiste, il revendique avant l'heure une sexualité débridée, dénigre le système tout en voulant y briller, dévoré de contradictions, solaire et autodestructeur à la fois. Dalida est bouleversée par cet homme complexe dont elle croit pouvoir faire le bonheur. Elle le materne plus qu'elle n'est maternée, un juste retournement du destin, songe-t-elle. Les deux amants ne se quittent plus. Présenté à Paris dans le métier, Luigi ne convainc pas, mais Dalida s'empresse de le parrainer au festival musical de San Remo, où elle interprétera à sa suite la même chanson que lui, selon la règle. Orlando, Lucien Morisse, tous les proches de Dalida sont là le grand jour de janvier 1967, mais la chanteuse n'a d'yeux que pour Luigi. Au pied de l'estrade, le jeune homme ne veut plus se produire. Il hait ce monde pailleté. Dalida l'encourage. Puisqu'elle l'aime, il réussira ! Mais Luigi perd ses moyens, la salle se moque, et Dalida s'accusera toujours de leur mauvaise note commune : elle estime n'avoir pas assez bien chanté. Brisé et furieux contre lui-même, le jeune homme rentre seul à l'hôtel, laissant Dalida à son dîner obligatoire. À son retour, au milieu de la nuit, elle retrouve le corps de son amant en sang dans sa chambre : il s'est tiré une balle sans laisser un seul mot. Orlando jugera : « L'enfer a commencé à ce moment-là. » Il reste de belles années de gloire, mais la mélancolie, bien enfouie jusqu'alors, ne quittera plus jamais la chanteuse. Un mois plus tard, elle tente de se suicider à son tour, à l'hôtel Prince-de-Galles, là où Luigi aimait descendre à Paris, « pour le rejoindre ». Miraculée après cinq jours de coma, elle confie ses nouvelles résolutions à *France-Soir* : « J'ai décidé de vivre d'autant plus qu'il est mort. » Mais la peine demeure. Quand elle retrouve l'amour, c'est pour un autre Italien de 22 ans, idolâtre de Luigi Tenco. Le souvenir du disparu les rapproche. Enceinte de lui par accident, elle se fait avorter sans même consulter ce jeune garçon qui ne ferait jamais un père rassurant. À 34 ans, elle estime avoir encore le temps de devenir mère. Son frère aîné, le véritable Orlando, appellera plus tard son fils Luigi, en hommage au défunt que sa sœur aima tant.

La sainte et son drôle de comte

Profondément éprouvée par un deuil et un avortement, la star entame à l'aube des années 1970 une quête spirituelle qui creusera sa veine mélancolique, la convainquant de la futilité et de la vanité de la gloire. Le déclic vient de son maître en philosophie bouddhiste, bientôt son amant, un homme marié qui ne quittera jamais sa femme, mais ne leurrera jamais Dalida sur ce point. La sincérité de cet hédoniste, qui prône l'amour universel sans engagement contingent, n'empêche pas la chanteuse d'espérer, durant les deux ans de leur relation, que l'homme serein qui lui fait découvrir les œuvres de Freud et Jung, ou les ashrams indiens, lui offrira l'équilibre sentimental. En 1970, mûrie par les leçons d'indépendance de son amant et par les encouragements d'Orlando, son manager depuis 1966, elle met fin à son contrat chez Barclay et monte avec son frère une maison de disques. Une autre page du passé se tourne la même année avec le dramatique suicide de son ex-mari, demeuré son confident, Lucien Morisse. Quelques jours plus tôt, faute de temps, elle lui a refusé un déjeuner. Après avoir failli auprès de Luigi, se reproche-t-elle, c'est auprès de Lucien, qui a tant fait pour sa carrière, qu'elle n'a pas su être. Dalida radiographie sa vie sans indulgence et devient une femme souffrante. Elle ouvre l'Olympia en chantant le nostalgique *Avec le temps* de Léo Ferré, reléguant aux oubliettes le pimpant *Bambino*. On la surnomme «la Callas de la chanson française» ou «la Phèdre moderne».

C'est à ce moment qu'elle rencontre Richard Chamfray, auto-proclamé comte de Saint-Germain, incarnation de la légèreté et de l'inconséquence. Ce sympathique noctambule de sept ans son cadet est illuminé, noceur et infidèle, mais Dalida croit avoir développé une forme de distance à l'égard de l'amour, pardonne chaque fois l'amant inconstant, se console dans l'amitié de ses proches, son frère Orlando ou Pascal Sevran, alors connu comme parolier, qui lui donne le fabuleux *Il venait d'avoir 18 ans* ou l'adaptation de *Besame mucho*. C'est aussi l'époque de *Paroles, paroles* (1973), puis de *Gigi l'amoroso* (1974). Dalida connaît un succès sans précédent jusqu'au Japon, grâce à l'avisé Orlando qui détecte les compositeurs et paroliers parfaits pour sa sœur, ose les reprises (*J'attendrai* date de 1937) ou les adaptations. Pendant ce temps, le «comte» s'illustre dans les pages faits divers des quotidiens : surprenant l'amant de l'employée de maison en pleine nuit, il le prend pour un rôdeur et tire, laissant l'homme handicapé. C'est le scandale. Il faudra plusieurs années à Dalida pour accepter que s'envole cet oiseau qui, s'il n'est de malheur, ne lui aura jamais apporté le bonheur. Elle fête ses vingt ans de carrière avec de bons amis, entre ses deux coins de paradis, la rue d'Orchampt et sa nouvelle demeure de Porto-Vecchio.

Le firmament et la chute

De 1977 à 1987, c'est la consécration pour Dalida, avant ce qu'elle juge être sa « dégringolade ». Elle fait un retour remarqué en Égypte avec *Salma ya salama*, encore une trouvaille du visionnaire Orlando qui lui donne aussi *Monday Tuesday*, le tube disco que les adolescents ont remis à l'honneur avec la *Star Academy* dans les années 2000. Aux États-Unis, elle remplit le Carnegie Hall. À Paris, le palais des Sports, cinq mille places, avec un show à l'américaine qui ne laisse rien ignorer de sa silhouette de rêve, gainée de voiles et de paillettes dans des décors ultra-kitsch. Dalida, 45 ans cette année-là, garde sa ligne grâce à la méthode dite « romaine » : elle vomit tous ses repas et se nourrit accessoirement de thé. L'opération d'un fibrome ne lui permet plus de se faire d'illusions sur une hypothétique maternité qui eût déjà été tardive. Dalida s'inquiète de ce qui lui restera quand son corps l'aura trahie. La musique ? Elle n'y croit pas, inconsciente de son empreinte, certaine de l'imminence de la fin de sa carrière.

Après 1981 son strabisme ressurgit, et même si une opération efface ce handicap, Dalida sent qu'elle n'a plus la force physique d'enchaîner les shows acrobatiques dont elle sort épuisée. On la critique pour de prétendues positions politiques, en fait une idylle plus ou moins secrète avec François Mitterrand, l'amitié du jeune Bertrand Delanoë ou son engagement pour les radios libres, NRJ étant tenue par Max Guazzini, son ancien assistant et ami. On la soupçonne même d'intriguer au profit de sa carrière. Dalida est fatiguée et paraît à bout de souffle en mai 1983, dans le show télévisé des fameux Maritie et Gilbert

Carpentier. À cette époque, Richard Chamfray, l'éternel jeune homme, met fin à ses jours pour couper court à l'effrayant processus de la décrépitude. C'est le troisième homme de sa vie qui se suicide… un sujet de méditation qui ne la quitte plus. Le rôle d'une grand-mère courage, proposé par son compatriote Youssef Chahine dans *Le Sixième Jour*, achève de la miner : la voilà qui joue les grand-mères sublimes sans avoir su être mère ! Son dernier amour la déçoit encore, deux années avec un médecin divorcé qui l'aime de loin, réticent au monde du show-business.

Durant ses six derniers mois, Dalida vit au ralenti, enregistrant comme une automate des disques qui ne marchent plus, des chansons auxquelles elle ne croit plus. Elle demande à Orlando de veiller sur son souvenir après sa disparition, sait-on jamais… Il cautionnera notamment la biographie signée par Catherine Rihoit [39] et organisera une belle rétrospective à l'Hôtel de Ville de Paris, au printemps 2007. À bout de forces, Dalida interrompt sa tournée en Turquie. Rue d'Orchampt, avec sa dame de compagnie un peu dépressive, son chien, ses somnifères, et, malgré ses amis, elle ne supporte plus son lit vide et le silence assourdissant la nuit. Le samedi 2 mai 1987, l'annulation d'un rendez-vous galant la précipite dans la mort, mise en scène avec un souci esthétique, comme s'il n'y avait décidément d'elle qu'une image à sauver. Non loin de sa maison, dans le XVIIIᵉ arrondissement, il existe aujourd'hui une place Dalida.

39. *Dalida*, Paris, Pocket, 1997.

La mort osa…

*par Jean-Pierre Winter**

Une quête d'effacement

Dalida a choisi très jeune de se rendre absolument visible par tous les moyens : mannequinat, puis chanson, puis cinéma. Comme dans la nouvelle d'Edgar Poe « La lettre volée », elle se donnait à voir pour mieux se rendre invisible. Rien ne vaut mieux pour se cacher que se placer sous les *sunlights*, comme le raconte l'acteur François Berléand dans son autobiographie *Le Fils de l'homme invisible* [40]. Le soleil, qui finit par effacer les lettres d'or sur la tranche des livres, se fait noir pour plonger l'être adoré dans la nuit de la mélancolie. Ainsi Dalida semble-t-elle chercher à effacer quelque chose tout au long de sa vie, bien avant de se suicider. Il ne nous appartient pas de décréter la nature du secret, mais les éléments ne manquent pas pour supposer quelque mystère autour du père et du frère aîné, le « vrai » Orlando. L'absence de celui-ci à partir d'une certaine date dans la quasi-totalité des biographies de Dalida et le flou autour des

* Jean-Pierre Winter est psychanalyste. Il a publié notamment *Les Errants de la chair* (Paris, Calmann-Lévy, 1998), *Choisir la psychanalyse* (Paris, La Martinière, 2001), *Les Images, les mots, le corps : entretiens avec Françoise Dolto* (Paris, Gallimard, 2002).
40. Dans *Le Fils de l'homme invisible* (Paris, Stock, 2006), François Berléand raconte l'influence d'une blague de son père sur son psychisme, et les angoisses qui en ont découlé. Celui-ci lui avait lancé, alors que le futur acteur était âgé de 11 ans : « Toi, de toute façon, tu es le fils de l'homme invisible. »

années de guerre vécues par son père constituent de véritables énigmes pour détective amateur.

Le peu que l'on sait du « vrai » Orlando, son effacement par rapport à son frère cadet dans la vie de Dalida, amène à se poser la question de son statut au sein de la famille Gigliotti, et plus précisément à s'interroger sur le lien qui l'unissait à sa sœur. Quand il est mentionné dans les biographies, c'est souvent comme père de substitution après la mort du père Gigliotti, comme interdicteur et gardien des bonnes mœurs. Puis il semble ne plus avoir d'ascendant sur sa sœur quand elle débute dans un milieu très exposé, à un âge où il aurait au contraire semblé naturel qu'il redouble de vigilance. L'un des mystères qui entourent Orlando réside dans l'emprunt de son prénom par son cadet, Bruno, mystère d'autant plus épais qu'on ne sait plus rien de lui à partir de ce moment où son prénom sert à son frère. Il est même arrivé que certains le tiennent, à tort, pour mort. Quelle était la relation des deux frères pour que Bruno puisse s'approprier le prénom d'Orlando ?

Changer son propre prénom, quel qu'en soit le motif avoué, n'est jamais sans conséquences psychiques. Si cela entraîne en outre une inversion des places dans la fratrie, on peut prévoir sans grand risque d'erreur des dommages directs et collatéraux, tant pour celui qui change son prénom que pour celui qui cède le sien, ou encore pour ceux qui sont les témoins passifs de ce changement. L'histoire d'Orlando n'a sans doute pu être transmise que dans la confusion. Plus que cela, prendre son prénom, c'était prendre sa place, ce qui équivaut à un meurtre symbolique. D'autant que cela revient à dénier au désir parental, qui a été à l'origine de la naissance et de la place d'Orlando, la force de Loi qui aurait dû demeurer la sienne.

En ce qui concerne Dalida, ces changements de prénom, en modifiant les places de chacun, légitiment imaginairement l'ascendant que Bruno, devenu Orlando, aura sur elle. C'est également à l'aune de ces bricolages généalogiques qu'il faut prendre la mesure du sens que peut avoir pour Orlando-le-vrai le choix de baptiser Luigi son propre fils, Luigi étant l'amant suicidé de sa sœur, celui qui la laissera inconsolée ! Si pour l'un Luigi incarne la vie, pour Dalida il incarne la mort, au point qu'elle lui dédia sa première tentative de suicide. Or Bruno-Orlando repérera lui-même en ce Luigi funeste celui qui a fait basculer l'existence de la chanteuse dans la détresse qui la conduirait un jour à ne pas rater son suicide. Donner à un enfant le prénom d'un proche mort dans des circonstances dramatiques voue très souvent cet enfant à se vivre comme l'ombre d'un autre dont parfois, pour se trouver une forme de consistance, il épousera le destin. En témoigne douloureusement l'histoire de Vincent Van Gogh qui portait le prénom d'un frère mort un an avant sa naissance et qui se suicida quelques jours après que son frère Théo lui eut annoncé la naissance d'un fils qu'il prénommerait Vincent.

Autre mystère, autre secret plausible : les liens entre Dalida et son propre père qui a disparu plusieurs années, déporté, accusé à tort, dit-on, puis décédé prématurément à l'âge de 42 ans. Un père dont la chanteuse dira se sentir coupable de n'avoir pas cherché à mieux le connaître. Mais dont on peut se demander de quoi elle le protégeait, ou se protégeait, en l'évitant.

Quand quelqu'un investit son image au point où l'a fait Dalida, c'est généralement pour masquer une défaillance symbolique, c'est-à-dire d'importantes occultations de l'histoire d'un sujet, des impossibilités ou des incohérences dans le dire de cette histoire. En l'occurrence, la défaillance symbolique est à chercher du côté du père, du côté de sa disparition, mais aussi des frustrations qu'il a vécues entre sa déportation et son décès. Il paraît assez clair en effet que Dalida reprend le flambeau de son père. Elle commence comme lui en courant les cabarets, épouse finalement une carrière musicale, tentant de racheter la déchéance paternelle. Les millions de recettes qu'elle récoltera n'y suffiront pas, évidemment, puisque cette déchéance ne saurait être compensée par quelque fortune que ce soit. Dalida est très sensible à l'origine italienne de son père. Ainsi ira-t-elle se faire fêter dans le village natal paternel, berceau des Gigliotti, ainsi multiplie-t-elle les petits amis italiens, interprète-t-elle de nombreux titres dans la langue de son père. On reconnaît dans ses relations amoureuses des hommes qui sont autant de figures paternelles ou fraternelles, et l'on peut supposer quelque chose de familialement fusionnel dans ses amours si l'on fait de la seule relation qui nous soit bien connue, celle qui l'unit à son frère Orlando-Bruno, le paradigme de ces liens dans lesquels l'un ou l'autre est appelé à disparaître. Les journalistes – qui eux aussi ont un inconscient! – ne s'y sont pas trompés en comparant Dalida à Phèdre, une héroïne tragique marquée par le désir incestueux. Ils auraient pu la comparer aussi à la chanteuse Barbara, qui, après avoir vécu l'inceste avec son père, fit également carrière sans patronyme et, comme Dalida, véhicula une image de femme secrète et souvent douloureuse.

Quand Dalida se tue, elle laisse un mot lourd de multiples sens. Le «pardonnez-moi» peut s'entendre au pied de la lettre: «pardonnez-moi de vous abandonner», ou comme un aveu de culpabilité, si l'on admet que tout suicide peut être interprété comme un meurtre détourné. Qui a fauté? En quoi? Si la peine est proportionnelle au poids de la faute, il a fallu que celle-ci soit bien lourde dans le psychisme qui ne connaît que la loi du talion. De même, qui dit «la vie m'est insupportable»? Dalida ou son père? Ou bien sa mère, ou l'un de ses frères qu'elle aurait mélancoliquement incorporé? Car souvent celui qui se suicide, réellement ou socialement, cherche inconsciemment à tuer celui auquel il s'est identifié. Se tuant, il tue celle ou celui à qui il n'a pas su, ou pu, dire les reproches dont il s'accable alors. Dans la mesure où tout suicide s'accompagne d'une mise en scène pensée comme ce qui se gravera dans les mémoires – l'arme du suicide, le lieu, le mot d'adieu –, on ne peut qu'interpréter ce que Dalida a voulu laisser à la postérité: l'image d'elle qu'elle a choisi d'immortaliser, immaculée, en pyjama blanc, semble investie et construite pour tout effacer d'un passé entaché.

La volonté d'effacement portée par Dalida est apparemment partagée par l'ensemble de la fratrie, même si Orlando-Bruno la met sur le compte de la discrétion. Le couple des parents Gigliotti a eu trois enfants, dont deux n'ont pas eu de descendance, entraînant le nom de famille dans la disparition. Celui-ci est gommé d'une autre façon encore, au profit de l'adoption de pseudonymes : Dalida, Orlando sont des artistes sans ascendance. Et sans enfants. Dans la décision formelle ou implicite de ne pas faire d'enfants, il y a la part consciente – et les mille raisons qu'on se donne pour se raconter une histoire crédible à ses propres yeux – et la part inconsciente : des enfants qu'on protège de la répétition en ne les faisant pas naître dans la trame trouée de l'impossible récit de l'histoire de leurs ancêtres.

Yolanda et Bruno Gigliotti ont peut-être senti obscurément quelque chose à quoi il fallait mettre fin, et ils l'ont fait en manifestant une volonté de changer la donne. C'est en ce sens qu'il faut entendre une sentence de la sagesse antique, qui disait, non sans une certaine violence : « Qui ne fait pas d'enfant est un meurtrier. » Ce qui témoigne qu'on peut être meurtrier par amour.

Le miroir et la mort

Dalida a été ravie par l'image d'elle qu'elle a soigneusement élaborée, et peut-être s'y est-elle réduite au point de ne pouvoir imaginer survivre à sa dégradation fantasmée. Le public tient lieu de miroir à ces stars inscrites dans une démarche sacrificielle : comme Narcisse, elles se mirent en lui. Dalida le revendique, et il faut la prendre au pied de la lettre : « Je me donne à mon public. » C'est dire qu'elle finira par s'y noyer. Le jour où le public renvoie une image dégradée, la reine du pays, comme dans *Blanche-Neige et les sept nains*, se trouve face à une alternative : tuer Blanche-Neige ou se tuer elle-même pour exister enfin au-delà de son image, et durer. Auprès de qui ? Force est aujourd'hui de constater que Dalida est devenue une icône pour les gays, c'est-à-dire ceux pour qui elle n'aurait jamais pu être un objet de désir. Sans doute ce public lui renvoie-t-il l'ambiguïté de son propre message : être désirée sans être touchée. On peut dire de Dalida qu'elle incarnait le drame de notre société, qui donne au plus grand nombre la possibilité de chercher, et d'éphémèrement trouver, une consistance de soi par la seule image. Un jour, il faudra tuer ou se résoudre à mourir. *A contrario*, les stars qui vieillissent bien, telles Charlotte Rampling, Jeanne Moreau, Lauren Bacall ou Jane Fonda, ont en commun d'avoir investi d'autres horizons que celui de leur image pelliculée. Elles restent érotisantes d'avoir eu la chance de saisir que le désir vise, au-delà de l'image, le registre du signifiant, c'est-à-dire du langage qui donne sa place à un sujet dans une parole humanisante. Dalida a-t-elle bien réalisé qu'après avoir effacé une partie de son histoire en devenant une icône, elle se tenait en lévitation au-dessus du vide, qu'il lui faudrait se construire, donner du sens à sa vie, se structurer, s'étayer solidement ? Sans doute. Elle souffrait de n'être pas assez cultivée et s'est entourée d'amis intellectuels, s'est mise à lire, entre autres Freud et Jung. Mais elle a surtout compté sur quelques maîtres à penser exotiques dont il est légitime de se demander vers quel néant ils l'ont entraînée.

Freud explique pourquoi il faut se tenir à distance des philosophies orientalistes qui ne nous sont rien culturellement. En témoigne un jeune poète qui, séduit par l'Orient extrême et par *L'Interprétation des rêves*, raconte son unique consultation avec Freud dans ses « Souvenirs sur Sigmund Freud [41] ». Voici comment il rapporte les propos que lui tint le psychanalyste : « La *Bhagavad-Gita* est un poème grandiose, très profond, et c'est un abîme terrifiant. "Et sous mes pas l'abîme ouvrait encore des ténèbres purpurines", dit le Plongeur de Schiller, qui ne revient plus de sa deuxième aventure. Car si vous vous enfoncez dans le

41. In *La Psychanalyse*, n° 5, 1959, p. 48.

monde de la *Bhagavad-Gita* sans le secours d'un esprit péné-
trant, là où rien ne paraît être ferme et où tout se dissout l'un
dans l'autre, vous vous trouverez soudain devant le néant.
Savez-vous ce que cela veut dire, être devant le néant ? Savez-
vous ce que cela veut dire ? Et pourtant ce néant n'est qu'une
méprise européenne : le Nirvana indien n'est pas le néant mais
l'au-delà de tous les contraires. Ce n'est nullement un divertisse-
ment voluptueux comme on l'admet si volontiers en Europe,
mais une vue dernière, surhumaine, une vue qu'on imagine à
peine, glacée, où tout est résumé. Or quand on ne la comprend
pas, c'est le délire. Ah, ces rêveurs européens ! Que savent-ils de
la profondeur orientale ? Ils divaguent, ils ne savent rien et ils
s'étonnent alors, quand ils perdent la tête et qu'ils en deviennent
fous, littéralement fous, *in-sen-sis* ! »

Quelle sagesse dans ces mots du maître viennois ! Car nous
avons tous été conçus, élevés, tenus par un certain nombre de
signifiants et de codes culturels, transmis de génération en génération, des concepts qui ont pris une cohérence entre eux au fil
du temps. Or on ne peut pas davantage balayer le passé que son
héritage familial, entrer dans un nouveau système de références
par le seul effet de sa volonté sous prétexte d'atteindre un nirvana de pacotille. On ne peut tricher ainsi avec l'existence.
Même si la vie, comme ce fut le cas pour Dalida, nous a pro-
menés d'Italie en Égypte, d'Égypte en France, et qu'on s'en est
arrangé en chantant dans toutes les langues. Une conversion religieuse est déjà compliquée s'il s'agit de passer d'une religion
monothéiste à une autre. Passer de l'un des trois monothéismes
aux philosophies orientales de la vie est une vaste entreprise qui,
si elle ne conduit pas nécessairement à la mort, en a fait délirer
plus d'un.

Dalida, toujours en quête de sens, a également tenté une psychanalyse qui, conduite avec rigueur, aurait pu lui permettre de
se réapproprier sa propre histoire sans chercher à se greffer sur
des systèmes de pensée qui lui étaient radicalement étrangers.
Malheureusement pour elle, la thérapie, entamée avec le docteur

Guy Pitchal, un de ses amis, dont elle fréquentait le couple en privé, a tourné court. Jacqueline, l'épouse du psychanalyste, en fait état dans son livre, intitulé... *Tu m'appelais petite sœur*[42] – titre dont on peut saisir maintenant qu'il en dit sans doute plus long que son auteur ne l'imagine ! On appréciera ce volet inattendu de l'histoire familiale, une confusion supplémentaire dont il semble que l'« analyste » de la chanteuse l'ait déniée en lui proposant de nommer son traitement « psychothérapie » plutôt que « psychanalyse » si elle tenait à conserver des liens étroits avec son épouse !

Dalida était consciente d'être dans une impasse : elle ne s'est jamais très bien reconnue dans l'image de la star adulée que le public lui renvoyait, même si elle a tenté de s'y confondre autant que possible. Elle découvrait avec ces philosophies et ces psychothérapies peu académiques que son personnage public était à ses propres yeux une imposture. Clivée, elle savait qu'il était illégitime qu'on l'aime, non au pied de la lettre évidemment, mais parce qu'elle ressentait vivement que c'était une autre qu'elle-même qui était vénérée. De plus, elle se percevait comme quelqu'un d'autre, un être sans identité du fait des bricolages de sa filiation mentionnés plus haut. Et puis il n'est pas besoin d'être Dalida pour avoir l'impression de n'être pas aimé pour soi, pour être persuadé qu'il y a erreur sur la personne, qu'on ne mérite pas l'amour qu'on reçoit. Nous ne sommes jamais à la hauteur de nos idéaux inconscients et quand l'écart entre ce que nous sommes et ce à quoi nous aspirons est trop important, il devient persécutant. Cet écart gâche la vie de bien des gens, mais sous les *sunlights* il est difficile de ne pas y voir une béance. Finalement, la fin de la vie de Dalida voit le retour du refoulé, le retour de sa famille autour d'elle, à Paris, le retour de ses problèmes de vue, qui peuvent être interprétés comme un symptôme, apparu précocement, de ce quelque chose ou de ce secret qu'il ne fallait pas qu'elle voie...

42. Paris, Didier Carpentier, 2007.

Être la fille ? Être le père ?

Dalida entretient des relations amoureuses avec deux types d'hommes. Dans une première partie de sa vie, ceux sur qui elle peut compter, avant que la tendance ne s'inverse au profit de jeunes gens vis-à-vis desquels elle va occuper une position qu'elle imagine peut-être plus facile à tenir : donner, et non recevoir. Elle vit ainsi partagée entre l'image d'un père idéal qui lui a fait défaut, père protecteur et fort, dont se rapprochera un personnage comme Lucien Morisse, et la volonté de « paterner », d'avoir un léger ascendant sur son compagnon. D'un côté, elle s'identifie à la petite fille du père ; d'un autre, elle s'identifie au père. Quand elle se tient par un amour sécurisant dans son rôle de petite fille, l'écart entre le père idéal à qui elle fait ainsi place et le vrai père apparaît trop grand, et elle bascule alors dans la passion où elle tient le rôle de père, une passion éprouvée pour un jeune homme à qui elle promet une carrière, de l'argent, du succès, ou pour qui elle en rêve. La plupart des femmes gèrent à leur façon l'incompatibilité entre l'objet d'amour et l'objet de désir, divisées entre le fantasme du vieux père tranquille et le mythe du beau légionnaire, dilemme partagé par les hommes, qui l'ont depuis longtemps résolu par leur aller-retour entre vie conjugale et fréquentation des prostituées, amour gratuit et sexe payant.

Il est vrai que, pour aimer, il faut idéaliser l'objet, le placer très haut, le vénérer, tandis que pour désirer, il faut l'objectaliser, le réduire, le rabaisser. Jusqu'à récemment, du fait de leur statut historique et social, l'objet de désir des femmes restait le plus souvent fantasmatique : elles imaginaient leurs étreintes avec le jardinier et passaient rarement à l'acte. Ou bien, jusqu'au XIXᵉ siècle notamment, Dieu était l'objet d'amour, en sorte que le mari pouvait, un temps, satisfaire le désir : comparé à Dieu, n'importe quel homme fait figure de domestique. Ce qui fit écrire à Balzac, dans la *Physiologie du mariage*, ces fameuses

222

phrases : « Lorsqu'une jeune femme reprend tout à coup des pratiques religieuses autrefois abandonnées, ce nouveau système d'existence cache toujours un motif d'une haute importance pour le bonheur du mari. Sur cent femmes il en est au moins soixante-dix-neuf chez lesquelles ce retour vers Dieu prouve qu'elles ont été inconséquentes ou qu'elles vont le devenir.[43] »

Ce qui rend difficile la continuité de l'amour et du désir, c'est qu'elle réclame deux opérations contradictoires : élever l'objet pour l'aimer, le rabaisser pour le désirer. Inconsciemment, il se peut que Dalida ait résolu le problème en tombant amoureuse d'hommes qui, en se suicidant, faisaient le choix d'anéantir l'un des termes de cette diabolique alternative.

Une femme « fatale »

Dalida était une femme fatale, dans tous les sens du terme. Les hommes de sa vie étaient profondément attirés par la mort, ils finirent tous par mettre fin à leurs jours, et ils aimèrent Dalida probablement parce qu'ils percevaient en elle cette dimension tragique, cette formidable présence de son absence à elle-même. C'est vraisemblablement ce qui a également fasciné Mitterrand, lui-même habité, comme on le sait, par la préoccupation de la mort, intellectuellement d'abord, puis très concrètement à compter de 1981, quand il s'est su atteint d'un cancer. L'un de ses premiers actes officiels de président ne fut-il pas de se rendre au Panthéon, accompagné notamment de Dalida ? L'un de ses derniers fut d'aller en Égypte, où se déroula aussi l'une des dernières productions auxquelles participa Dalida, le film de Youssef Chahine *Le Sixième Jour*. L'Égypte, ce lieu où la mort est la plus présente au monde ; pays des Pyramides qui, en nous parlant de l'immortalité, ne nous donne à contempler que des

43. In *La Comédie humaine*, tome 7, Paris, Éditions du Seuil, coll. « L'Intégrale », 1966, p. 422.

tombeaux géants et des momies figées pour l'éternité dans l'attente d'une improbable résurrection. C'est cette dimension fatale, plus qu'une prétendue réticence à l'égard du show-biz, qui a sans doute poussé le dernier amant de Dalida, le médecin, à se tenir à l'écart. Quand les détracteurs de la chanteuse lui envoyèrent une couronne mortuaire portant l'inscription «À la chanson défunte, vive Édith Piaf!», ils ne s'y trompaient pas – inconsciemment, bien entendu. Dalida et Piaf avaient toutes deux une parenté avec la mort. Avec cette différence notable que Piaf incarnait la vie qui lutte contre la mort, tandis que Dalida finit par se confondre avec la statue glaciale de la grande Faucheuse.

Ce qui nous ramène au narcissisme, justement, qui a partie liée avec la mort. Lacan parlait dans ses *Écrits* [44], dans l'article «Propos sur la causalité psychique», de «la mystérieuse tendance suicide du narcissisme»: «C'est dans ce nœud que gît en effet le rapport de l'image à la tendance suicide que le mythe de Narcisse exprime essentiellement. Cette tendance suicide qui représente à notre avis ce que Freud a cherché à situer dans sa métapsychologie sous le nom d'*instinct de mort* ou encore de *masochisme primordial*, dépend pour nous du fait que la mort de l'homme, bien avant qu'elle se reflète, de façon d'ailleurs toujours si ambiguë, dans sa pensée, est par lui éprouvée dans la phase de misère originelle qu'il vit, du *traumatisme de la naissance* jusqu'à la fin des six premiers mois de *prématuration physiologique*, et qui va retentir ensuite dans le *traumatisme du sevrage*.» Narcisse se noyant dans sa propre image, se perdant dans ce qu'il a tant aimé, dans la détresse de son advenue au monde. Détresse qui s'est sans doute répétée pour Dalida dans la façon dont, pour traiter ses yeux malades, on l'a, enfant, longtemps privée de lumière. L'image et la mort se superposent alors chez la chanteuse au point qu'elle mettra en scène son suicide avec un rare souci d'esthétisme lumineux, et, si ce n'était sa voix, grave et envoûtante, elle n'aurait laissé d'elle que cette image de la douleur.

44. Paris, Seuil, 1966, p. 186.

Françoise Sagan (1935-2004):
une vie d'excès

C'est l'histoire d'une enfant gâtée, qui l'a merveilleusement rendu au monde en écrivant de charmants romans et en défrayant gaiement la chronique : une enfance douce malgré la traversée de la guerre, une adolescence libre et joyeuse, et un succès littéraire soudain, dès la première tentative, prélude à une vie de femme et d'auteur épanouie. Les ombres sur son existence, c'est elle qui les y a projetées, comme pour refuser l'évidence trop lisse d'un bonheur annoncé : des accidents parce qu'elle aimait rouler trop vite, quelques maux physiques pour avoir abusé des paradis artificiels, une dépression parce que l'amour de la vie et celui des sensations fortes ne vont pas toujours très bien ensemble. Françoise Sagan fait dire à l'une de ses héroïnes [45] : « J'ai beaucoup aimé la cocaïne, j'ai beaucoup aimé les gouapes dans les ruelles, j'ai beaucoup aimé les excitants : j'entends, les gens et les comprimés excitants. » Car cette vie à jouer avec les toxiques, la vitesse ou l'argent fut aussi une vie de rencontres et de longues amitiés. Entière, parfois jusqu'à la provocation, Françoise Sagan fut aussi célèbre pour ses livres que pour ses reparties médiatiques pleines d'humour – ainsi aux étudiants de Mai 68 qui lui reprochaient de rouler en Ferrari : « Ah non ! C'est une Maserati ! » Pétillante et légère comme une bulle de

---

45. Zelda, dans sa pièce de théâtre *Il fait beau jour et nuit*, Paris, Flammarion, 1978.

champagne, Françoise Sagan connut aussi des souffrances et des moments d'intense solitude, mais elle fit de ses «bleus à l'âme», titre de l'un de ses romans, une raison supplémentaire de vivre le présent intensément. Follement dépensière, tête brûlée et souvent scandaleuse, l'écrivain s'éteignit à 69 ans sur sa chère côte normande, ce qu'elle aurait sans doute jugé «pas si mal biologiquement».

Des parents formidables

Sagan elle-même les qualifiait ainsi, non sans raison. Née en 1935 dans la maison familiale de Cajarc (Lot), où des générations de nouveau-nés ont vu le jour avant elle, Françoise est la «petite dernière», et à ce titre la plus choyée: sa grande sœur, Suzanne, est née en 1922, son frère en 1925, et on n'attendait plus d'enfant depuis le décès à la naissance d'un petit Maurice en 1930. Les parents de Françoise, Marie et Pierre Quoirez, appartiennent tous deux à la grosse bourgeoisie, terrienne du Sud-Ouest pour Marie, industrielle du Nord pour Pierre. Ils se sont mariés en 1923 sur un coup de foudre, âgés respectivement de 16 et 22 ans, et ils s'aimeront plus de cinquante ans, jusqu'à ce que la mort les sépare, selon l'expression consacrée. Ils vivent avec cette drôlerie et cette légèreté dont Françoise héritera. On retiendra ce bon mot du père à un ami de sa benjamine devenue jeune fille: «Si vous pouvez enlever ma fille ce soir? Oui! Mais alors ne la ramenez jamais!»

Françoise grandit dans l'aisance boulevard Malesherbes, dans le XVIIe arrondissement de Paris, grâce au salaire de son père, ingénieur et cadre dans de grosses entreprises. Les parents fantasques envoient parfois leur progéniture à Cajarc chez les grands-parents, tandis qu'ils roulent pied au plancher vers la côte normande. Durant la guerre, la famille se replie dans le Lot, puis à Lyon. Soumis à la pénurie comme la plupart des Français, Marie et Pierre affichent une forme d'insouciance pour préserver les enfants, un stoïcisme dans l'adversité dont Françoise Sagan saura retenir l'exemple. Le couple ne manque pas de convictions, aide à cacher des juifs, s'élève à la Libération contre le traitement dégradant infligé aux tondues. Françoise Sagan en gardera une certaine conscience politique, sans jamais devenir toutefois une militante active, se contentant d'être une sympathisante prolixe. La gauche de la gauche lui reprochera son âme légère de « petite-bourgeoise ».

De retour boulevard Malesherbes à 10 ans, « Kiki », dite aussi « Francette », enfant sauvage et efflanquée aux allures de garçon manqué, s'accommode mal de l'institution catholique où elle est scolarisée. Elle fait l'école buissonnière, et on la renvoie. Dans les différents pensionnats de province où on l'expédie dans l'espoir de la voir s'assagir, elle s'illustre surtout par la rapidité avec laquelle elle lie des amitiés, par le nombre de livres qu'elle dévore (Camus, Colette, Gide…) et par son inventivité en matière de bêtises. Au grand soulagement de ses parents, elle obtient finalement son baccalauréat à Paris, grâce à un établissement de bachotage pour élèves récalcitrants.

Pour elle, la fête commence. Avec son amie de classe Florence Malraux, la fille d'André, rencontrée en 1952, elle célèbre sa liberté toute neuve dans les caves de Saint-Germain-des-Prés, fume (trop) et boit (trop également). Pour tuer l'ennui, mère des talents autant que des vices, Françoise écrit. *Bonjour tristesse*, commencé durant sa première année d'études à la Sorbonne, est achevé à l'été 1953. Ses parents n'ont pas le privilège de lire le manuscrit, mais jugent « sympathiques » les nouvelles qu'elle envoie aux journaux sans en obtenir de réponse. Françoise passe l'automne dans une grande insouciance, sans obligation universitaire puisqu'elle a manqué ses examens de fin d'année. C'est dans le plus grand secret qu'en janvier 1954 elle dépose *Bonjour tristesse* chez Julliard et chez Plon (on s'est montré désagréable avec elle chez Gallimard, elle est repartie avec le manuscrit sous le bras !). René Julliard est le plus rapide, il lui signe un contrat, tire quatre mille cinq cents exemplaires du roman qui paraît à la mi-mars, assorti d'un bandeau annonçant la révélation d'un jeune prodige. En mai huit mille exemplaires ont été vendus grâce au bouche à oreille, et à Noël ils seront... deux cent mille ! Ce qui plaît, c'est le ton estimé subversif : une si jeune fille parlant d'amour, de sexe et d'adultère ! Le très conservateur François Mauriac loue à la une du *Figaro* « un charmant petit monstre », et le livre obtient le convoité prix des Critiques. Devenue riche alors qu'elle n'a jamais été pauvre, Françoise va désormais pouvoir faire n'importe quoi... n'importe quoi de « distrayant », son maître mot.

Françoise Quoirez n'est plus : vive Françoise Sagan !

Juste avant la publication du livre, les parents Quoirez ont poussé leur fille à adopter un pseudonyme pour n'être pas dérangés par le téléphone « au cas improbable où... ». Sage recommandation. Françoise emprunte son nom d'auteur au prince de Sagan de *À la recherche du temps perdu*. C'est sous son nouveau nom qu'elle défraie la chronique. Arrêtée boulevard de Courcelles à cent soixante-dix kilomètres à l'heure au volant de sa première Jaguar, elle atterrit à l'hôpital pour le premier séjour d'une longue série. Mais Sagan survit aux accidents de bolides comme aux stigmates des fêtes, et n'en sort pas tempérée. Elle n'a aucune idée de l'argent colossal qu'elle gagne et encore moins de celui qu'elle dépense, profitant d'un succès d'une ampleur inédite pour un écrivain français contemporain de son âge. En France, on lui propose d'adapter son livre au théâtre et au cinéma ; aux États-Unis, on compare son aura à celle de Piaf ou du parfum N° 5 de Chanel.

Alors que Saint-Tropez devient un lieu à la mode, elle y achète une villa. C'est là qu'elle rencontre Brigitte Bardot, un autre «charmant petit monstre», à qui elle prêtera la maison pour le tournage d'*Et Dieu créa la femme*[46]. «Au fond, on est affreusement saines toutes les deux», expliquera Sagan quand on s'enquerra de leurs points communs. Sur la Côte d'Azur se forme ainsi une belle bande d'amis, qui l'accompagneront tout au long de sa vie de noceuse, intellectuels, artistes ou simples faiseurs de mode qui, pour être sains, n'en sont pas moins «affreusement fêtards», l'un n'allant pas sans l'autre chez Françoise Sagan : Florence Malraux et l'écrivain Véronique Campion, Bernard Frank, auteur et journaliste, ami bientôt intime, Jacques Chazot, l'ex-premier danseur de l'Opéra devenu mondain de profession, Régine, «la Reine de la nuit», le musicien-compositeur Michel Magne, avec qui Françoise Sagan écrira des chansons pour Annabel, épouse du peintre Bernard Buffet, avant de le faire pour Juliette Gréco, Mouloudji et tant d'autres. Le principe de ralliement est simple : la nuit, l'alcool, le rire, l'oubli. La bande ne réunit que des insouciants qui s'empruntent des sommes folles, les jouent, les perdent, se disputent et se réconcilient, dans une vie où l'on fait la course au bonheur.

En 1956, *Un certain sourire*[47], le deuxième roman de Françoise Sagan, voit malgré tout le jour : encore un succès, copieusement fêté et dilapidé. Sagan elle-même le reconnaît : ses dépenses sont inquiétantes. Mais comme les rentrées suivent, pourquoi changer ? À 21 ans, elle loue de somptueuses villas sur la côte normande ou méditerranéenne, peu importe, pourvu que se trouve un casino dans les parages. Plus tard, elle deviendra turfiste et achètera des chevaux de course.

L'année suivante, un second coup de freins interrompt son élan : son cabriolet quitte la route avec ses trois occupants. Le corps brisé, quelques jours entre la vie et la mort, Sagan assied

46. Un film de Roger Vadim, 1956.
47. Paris, Julliard.

sa place dans la mythologie, entre la rubrique littérature et la chronique *people*. Voilà « la nouvelle Colette » rebaptisée « la petite sœur de James Dean » ! C'est à l'hôpital que l'un de ses visiteurs, le cœur ébranlé par la peur de la perdre, lui déclare sa flamme, après un flirt sans lendemain des mois auparavant. Jusque-là, Sagan a expliqué aux journalistes n'avoir pas de temps pour l'amour, car dans cette vie trépidante « les êtres passent trop vite ». Est-ce d'avoir frôlé la mort ? Elle accepte la compagnie de Guy Schoeller durant sa convalescence à la campagne. Il faut dire qu'il est brillant, occupe un haut poste chez Hachette, vit comme elle dans le culte de la joie, entre les livres, le vin et les femmes. Peu importent alors leurs vingt ans d'écart : ils appartiennent au même monde et se sentent faits de la même pâte.

Le charme des amours bourgeoises

Françoise Sagan a toujours écrit sur les sentiments, l'essentiel de son œuvre décryptant les relations amoureuses, les couples qui se font et se défont, auscultés avec distance, voire avec cynisme. De la même manière que les excès n'excluent pas la conscience de la mort, l'amour chez Sagan inclut l'hypothèse de la douleur, sans que celle-ci constitue un obstacle : « L'important, c'est d'aimer. » Elle aurait pu reprendre la formule à son compte, et c'est avec l'enthousiasme débordant de ses 22 ans qu'elle épouse Guy Schoeller en mars 1958, dans une intimité perturbée par les premiers *paparazzi*, massés devant la mairie du XVIIe arrondissement. Très vite, à leur domicile de la rue de l'Université, les deux conjoints ne font que se croiser : elle rentre de ses soirées quand lui se lève pour gagner son bureau. Prompte à s'épanouir au milieu d'une faune nocturne plus ou moins stimulante pour ses neurones, Sagan s'ennuie ferme avec les intellectuels que Guy Schoeller convie pour de longs dîners bourgeois : après quelques mois rien ne va plus, et elle s'installe seule rue de Bourgogne. Elle déménagera systématiquement tous les trois ou quatre ans, toujours au sein des VIᵉ ou VIIᵉ arrondissements. En juin 1960, le divorce est prononcé. Nullement éprouvée, Françoise fait Paris-Saint-Tropez d'une traite dans sa Jaguar pour aller fêter l'événement avec un autre homme. Mais Guy descendant à son tour sur la Côte, elle « trompe finalement son amant avec son mari », selon ses propres aveux amusés. Elle se remarie en janvier 1962, avec Robert Westhoff, un jeune noctambule américain mannequin et sculpteur, rencontré grâce à son ami Charles de Rohan-Chabot, avec qui il se murmure que Robert aurait entretenu une amitié particulière. Elle-même ne quitte pas Paola Saint-Just, une riche héritière, alimentant des commentaires allant dans le même sens. Or Charles épousera finalement Paola, comme si, dans le petit monde de Sagan, l'anarchie comportait une forme d'ordre. En 1963, Françoise et Robert divorcent, mais restent amants six ans de plus, conformément à l'adage de l'écrivain : « Je n'aime que les amants célibataires ! » Il est vrai que de leur union est né un fils, Denis, le 27 juin 1962. Françoise prend soin de le confier à ses propres parents pour lui assurer une vie régulière, et comme il porte le nom de son père, il ne pâtit pas de la réputation sulfureuse de sa mère, une mère certes originale, mais profondément aimante et attentive à ses heures. Après Robert Westhoff, on ne connut plus à Françoise Sagan ni mari, ni amant officiel. Sans doute parce que « les êtres passent trop vite » et qu'elle vécut quelques amours occultes et fugaces, à l'abri de la presse. Elle nia, par exemple, être l'auteur d'*Un ami d'autrefois*, récit d'une mystérieuse maîtresse du président Mitterrand cachée sous le pseudonyme « Jeanne Dautun », paru en 1998 chez Plon, son éditeur d'alors.

En avril 1969, Sagan déclare à Pierre Dumayet pour le magazine *Elle* : « Pour moi, vieillir, c'est que plus personne ne vous plaît et ne plus plaire à personne. En espérant que les deux coïncident ! » Il semble que ce fut sa chance. Sa personnalité, solidement structurée par des parents à qui elle ne manqua jamais de rendre hommage, lui avait permis de se perdre souvent en retrouvant chaque fois son chemin. Certains critiques lui ont reproché de décrire dans ses livres des personnages riches et désœuvrés, à son image ; mais comment auraient-ils pu ne se consacrer qu'à l'amour s'ils avaient été différents ? Si l'on a haï Sagan, c'est souvent en vertu de ce dilettantisme revendiqué, un art de la légèreté, le mépris des convenances, et la tendance n'allait pas s'inverser avec l'âge, même si sa vie sentimentale devenait moins tapageuse.

Jouir sans repentir

Sagan a aimé les paradis artificiels et ne s'en est jamais défendue, expliquant dans une interview, dès 1969 [48] : « On se drogue parce que la vie est assommante, parce que les gens sont fatigants, qu'il n'y a plus tellement d'idées majeures à suivre, qu'on manque d'entrain. On met un petit coton entre la vie et soi. » Interdite de boissons alcoolisées après une pancréatite aiguë en 1976, elle se met au Coca-Cola et en finit avec la vie nocturne, mais les déclarations fracassantes continuent, dans *Libération* par exemple, à la fin des années 1980 [49], au sujet de la cocaïne : « J'en prends un peu… comme tout le monde. » Condamnée une première fois en 1990 pour détention et usage de stupéfiants, une seconde en 1995, Françoise Sagan continue à proclamer qu'elle est libre de se détruire, tout en niant les faits et en refusant de se soumettre aux expertises toxicologiques : « Rien ! Vous n'aurez pas un cheveu ! Mon coiffeur est jaloux ! » Quant à sa passion du jeu et de la vitesse, Sagan s'en félicite

---

48. *Le Magazine littéraire*, n° 34, novembre 1969.
49. Cité par Sophie Delassein, *Aimez-vous Sagan ?*, Paris, Fayard, 2002.

dans *Avec mon meilleur souvenir*, un livre en forme de pied de nez paru en 1984[50]. Et même quand on lui demande dans un questionnaire de Proust comment elle aimerait mourir, elle donne cette réponse à double sens : « Vite ! »

Sagan revendique sa « morale » : elle hait le monde aseptisé qui se dessine à l'horizon, refuse l'idée qu'il faudrait vivre sainement pour reculer indéfiniment l'échéance de la mort, et brûle la vie par les deux bouts, de peur qu'elle ne s'arrête. Dès 1972, au moment de la parution des *Bleus à l'âme*, elle avoue : « Ce que je trouve infect, c'est de mourir un jour. Mon désespoir vient de là, en grande partie. » Car celle qui vivait trop vite connaît la dépression : une première fois en 1973 – on la dit « fatiguée », en réalité elle est aussi abattue psychologiquement qu'usée par sa polytoxicomanie ; une seconde fois en 1981, année où elle est condamnée dans une obscure affaire de plagiat pour *Le Chien couchant*. Le plagié ne peut prouver la faute, mais l'éditeur de Sagan, Flammarion, prend position contre elle. Elle n'obtiendra gain de cause qu'à l'issue d'une rude bataille juridique. Dès lors, elle affiche sa liberté en changeant d'éditeur comme bon lui semble (Ramsay, Robert Laffont, Gallimard) et en dilapidant ses droits d'auteur, à hauteur de plusieurs millions : chacun de ses livres se vend à près de deux cent cinquante mille exemplaires, sans compter *Bonjour tristesse*, qui a atteint les deux millions, ni les multiples adaptations de ses titres au cinéma et au théâtre. Sagan dépense sans compter, fait régler ses frais courants par ses éditeurs jusqu'à ce qu'ils l'invitent à considérer dans quelles proportions elle est débitrice ! Au petit matin d'une longue nuit de jeu où la chance lui a souri, elle achète le manoir normand dont la location expirait le jour même. Un autre matin, se découvrant criblée de dettes, elle mise tout sur son cheval, Hasty-Flag, et les éponge quand il remporte le grand prix de haies d'Auteuil. À l'opinion inquisitrice elle assène : « Le jeu m'a sauvé la vie » ! Après un premier redressement d'impôts

---

50. Paris, Gallimard.

colossal en 1973, elle annonce haut et fort vouloir s'expatrier en Irlande, fiscalement plus clémente envers les auteurs, mais ses démêlés avec l'administration française continuent, jusqu'au scandale historique de l'affaire Elf : elle est soupçonnée d'avoir introduit un intermédiaire d'Elf, André Guelfi, auprès du président de la République d'alors, François Mitterrand, en échange de 5 millions de francs qu'elle a « omis » de déclarer aux impôts. Ce que ses détracteurs ne lui pardonnent pas, c'est que son avocat ne ment pas en plaidant lors du procès, en février 2001, qu'« elle ne fait guère la différence entre 100 000 francs et 1 million ». Elle écopera d'un an de prison avec sursis.

Son amitié avec François Mitterrand fit aussi beaucoup jaser. En 1985, lors d'un voyage officiel du président français en Colombie, on rapatrie son invitée, Françoise Sagan, en urgence, après qu'on l'a retrouvée inanimée sur son lit (suite à un œdème pulmonaire assorti de complications cardiaques, semble-t-il). On découvre à l'occasion de cette escapade que Sagan, parmi d'autres, voyage souvent aux frais de l'État. Au-delà de sa sympathie, partagée, pour le président, Sagan n'est pas mitterrandolâtre, contrairement à la rumeur : en 1965, elle signe l'appel à voter pour de Gaulle en expliquant n'avoir aucune confiance en François Mitterrand ! C'est en 1974 qu'elle prend parti pour lui, « contre le grand capital », position qui scandalise certains au regard de sa situation financière et son projet d'exil fiscal. Leurs relations personnelles, de nature incertaine – fut-elle ou non sa maîtresse ? –, se nouèrent en 1980, lors d'une rencontre à l'aéroport dans leur Sud-Ouest commun. En 1981, Françoise Sagan soutient le PS dans la presse, et glisse même régulièrement son billet dans le journal officiel du parti. De thés au domicile de Sagan en dîners à l'Élysée, le président et l'écrivain restent liés, mais Sagan ne se sentira jamais assujettie idéologiquement. Pas plus au socialisme qu'à d'autres causes auparavant : en 1971, elle s'offusque d'être assimilée à une féministe parce qu'elle a signé dans *Le Nouvel Observateur* le « Manifeste des 343 » pour le droit à l'avortement ; en 1960, elle part en éclaireur à Cuba et revient alarmée quand l'engouement est de mise ; la même année, elle soutient le FLN et le domicile de ses parents est plastiqué. On lui reprocha sans cesse d'être inconstante, imprévisible. Mais, sur ce point encore, elle affichait une lucidé tranquille : « Ma voix n'a jamais paru très sérieuse, en tout cas mêlée à d'autres, je ne sais pas pourquoi [51]. » Sans doute parce qu'elle envisageait chaque question au coup par coup, sans se soucier de cohérence ou d'esprit de caste, n'appartenant à rien qu'à elle-même.

La fin

Rescapée d'innombrables accidents de voiture, de chutes, de consommation abusive de toxiques, Françoise Sagan fut régulièrement hospitalisée, mais sembla chaque fois renaître de ses cendres avec un livre en main : elle publia une quinzaine de romans, plusieurs pièces de théâtre, écrivit des dialogues de films, etc. La pudeur la poussa à parler davantage de ses bacchanales que de ses exils campagnards passés à travailler longuement en tête à tête avec la page blanche. Les quatre dernières années de sa vie, quand l'heure d'alimenter la légende fut révolue, la santé l'abandonna et Françoise Sagan se retira dans la plus complète solitude. Hébergée avenue Foch par des amis charitables, ruinée, elle n'écrivit plus, comme si le sel qui avait pimenté son existence avait aussi nourri sa plume. Clouée au lit tout l'été 2004, elle s'éteignit le 24 septembre à la suite d'une embolie pulmonaire à l'hôpital de Honfleur, près de son cher manoir du Breuil, dont la vente n'avait pas suffi à éponger ses dettes colossales. L'auteur à succès avait trop bien vécu.

51. Dans *Derrière l'épaule*, son dernier livre, Paris, Plon, 1998.

Une conduite à risque

*par Philippe Grimbert**

La conduite à risque de l'adolescence

Cette période de crise qu'on appelle l'adolescence se caractérise par un penchant pour les conduites à risque, parmi lesquelles l'appétence pour l'alcool, le tabac, les toxiques en tout
genre, la recherche des limites et, bien sûr, un goût immodéré
pour la vitesse. Lorsque l'on évoque Françoise Sagan, on est
tenté d'entendre ce terme de «conduite à risque» au propre
comme au figuré, en imaginant la romancière au volant de l'un
de ses bolides, lancée à corps perdu sur les routes au petit matin,
après une nuit d'excès. Ce type de comportement est l'un de
ceux, nombreux, qui laissent envisager chez elle une fixation à
cette période précoce de la vie, dans un rapport au monde qui
s'installera, au fil du temps, sous la forme d'une éternelle adolescence. Le destin viendra renforcer sa prédisposition à ce style
de vie, lorsque le succès foudroyant donnera à la jeune romancière les moyens d'en exploiter toutes les facettes.

* Philippe Grimbert est psychanalyste, essayiste et écrivain. Il travaille en privé,
ainsi qu'en institution auprès d'enfants et adolescents psychotiques ou autistes. Il
est l'auteur de *Psychanalyse de la chanson* (Paris, Les Belles-Lettres, 1996), *Pas
de fumée sans Freud* (Paris, Armand Colin, 1999), *Évitez le divan* (Paris, Hachette
Littératures, 2001) et *Chantons sous la psy* (Paris, Hachette Littératures, 2001),
ainsi que de deux romans : *La Petite Robe de Paul* (Paris, Grasset, 2001) et *Un
secret* (Paris, Grasset, 2004), couronné par le prix Goncourt des lycéens, le prix
Wiso et le grand prix des Lectrices de *Elle*, et adapté au cinéma par Claude Miller.

À peine sortis de l'enfance, les jeunes gens doivent en général limiter leurs ambitions à la mesure de leurs faibles moyens financiers et de leur relative autonomie. Ils sont souvent contraints de rêver leurs excès plutôt que de les vivre. Le succès, au rendez-vous dès son premier roman, permet à la jeune Françoise de mettre en acte ce qui reste généralement, pour ceux de son âge, dans le domaine du fantasme : à la bière elle peut substituer le champagne, à la mobylette la Maserati, à la boîte de nuit du coin un temple nocturne comme Castel, à la colle la cocaïne. Mais le succès lui en apporte aussi les moyens logistiques, quand, libre de son temps et de ses mouvements grâce à sa vie de romancière, elle s'offre le luxe de ne jamais grandir. Elle peut réaliser – au sens propre du terme – des débordements qui demeurent des rêveries adolescentes ou qui trouvent en général leurs limites dans des nécessités indépassables : non seulement elle « n'aura pas école », mais elle ne sera pas davantage astreinte, dans sa vie ultérieure, à une régularité professionnelle.

La conduite à risque, qui correspond chez l'adolescent ordinaire à un ensemble de rites de passage vers l'âge adulte, abandonnés lorsqu'ils ont rempli leur fonction, a pu ainsi devenir pour elle un véritable mode de vie, voire être revendiqué comme tel.

L'une des missions du romancier est de nous faire échapper au conformisme, nous aider à nous évader du quotidien, et si, comme c'est le cas pour Sagan, il ne se soumet pas lui-même aux règles d'une réalité trop prosaïque, il devient un personnage emblématique, le héros même de l'un de ses romans, y compris pour le monde médiatique. Sagan, personnage du roman parisien ? On doit pourtant se garder de penser qu'elle y a vu une posture idéale pour servir sa notoriété. Certes, elle a pu en forcer le trait pour faire de sa vie un véritable *mot* d'esprit, mais avec trop de constance pour que l'on puisse imaginer que telle n'était pas sa nature profonde. Si certains adolescents jouent avec le risque par goût morbide, par recherche inconsciente d'un flirt avec la mort, d'autres, auxquels Sagan s'apparente, le font pour trouver un «plus de jouir», en quête des sensations fortes qui les aident à satisfaire des pulsions en pleine effervescence. L'explication officielle que Sagan a fournie sur ses conduites addictives – la drogue présentée comme «un coton entre la vie et soi» – n'est pas très crédible lorsque l'on sait qu'il s'agit de quelqu'un qui ne détestait rien tant que la vie ouatée. Mais elle offrait avec cette explication une version socialement présentable de ses vices, le jour où il lui a semblé nécessaire sinon de s'excuser, du moins de se justifier. On peut d'ailleurs s'amuser à examiner point par point ce qu'elle en dit, et il apparaît alors que chaque assertion sonne comme un déni. «On se drogue parce que la vie est assommante»: elle avouait elle-même sa phobie de la mort; «parce que les gens sont fatigants»: elle vivait entourée de personnes choisies parmi les plus «distrayantes» possible; «parce qu'il n'y a plus tellement d'idées majeures à suivre»: elle y adhérait si bien, à ces idées, qu'on lui reprochait de passer trop vite aux suivantes; «parce qu'on manque d'entrain»: si Françoise Sagan manquait d'entrain, alors nous sommes tous très dépressifs! En revanche elle décrit avec beaucoup de justesse, dans *Avec mon meilleur souvenir*, comment la vitesse a pu lui tenir lieu d'orgasme, et même le dépasser en intensité. C'est donc du côté d'une jouissance accélérée et non d'une souffrance recherchée que la portaient ses excès: du côté de la vie, soulignée d'un double trait d'alcool, de fumée et de vitesse. Une vie traversée pied au plancher, au-delà de la limite autorisée, Éros triomphant toujours chez elle de Thanatos. Ce qui la différencie probablement des purs «addicts», qui tentent de colmater un manque jamais comblé à l'aide de substances qui les retranchent du monde et les mènent à une mort inconsciemment consentie. En ce sens, les accidents de Sagan ne témoignent donc pas d'une intention suicidaire.

Au lieu de les repérer et de les respecter, elle a fait reculer les limites, toujours plus loin, en espérant que sur aucune des bornes ne vienne s'inscrire le mot «fin». Le jeu pour elle ne devait jamais s'arrêter, et c'est un trait juvénile qui se manifeste là encore une fois. Elle aima donc les jeux d'argent, autre conduite à risque à propos de laquelle elle lança d'ailleurs un défi aux exégètes freudiens, dans *Avec mon meilleur souvenir* : « Je découvris avec étonnement que mes numéros favoris étaient le 3, le 8 et le 11 – détail que j'ignorais sur moi-même et qui se révéla définitif. Je découvris que je préférais le noir au rouge, les impairs aux pairs, les manques aux passes et autres choix instinctifs sûrement passionnants pour des psychanalystes. » Freud se serait lancé avec plaisir dans l'analyse de ces trois numéros, dont il aurait évidemment dit qu'ils n'étaient pas choisis au hasard, mais célébraient sans doute d'inconscients anniversaires. Pour le reste, amusons-nous à relever le gant que Françoise Sagan nous lance en imaginant le noir de la part d'ombre préféré au rouge des passions évidentes, l'impair que l'on commet préféré à la sage ordonnance du pair, ou, pourquoi pas, l'impair lancé comme un défi au père… et, bien sûr, le manque, qu'elle a tenté de combler sa vie durant et qui lui a donné son sens, préféré au « passe », mot qu'elle a dû rarement prononcer à la table de jeu où elle consumait ses nuits !

L'écriture au secours d'un corps embarrassant

C'est l'adolescence, toujours elle, qui se prolonge dans le corps de Sagan, dans le rapport qu'elle entretient avec lui, embarrassée de cette anatomie androgyne, encombrante. Ce corps qu'une jeune fille cache le plus souvent à l'intérieur d'une chrysalide de vêtements informes avant de le révéler au monde et à elle-même, elle le conservera toute sa vie. Elle ne franchit jamais ce cap qui ouvre sur la féminité : rarement maquillée, les cheveux portés court, vêtue de ces tenues dont on ne parle pas, à une époque et dans un monde de fêtes où les excès sont permis, voire recommandés. Souvenons-nous que sa jeunesse fut contemporaine de la minijupe, lancée par la couturière anglaise Mary Quant, des cheveux longs et des accessoires ultra-féminins à côté desquels elle passera, protégée par le rempart de ses pulls et de ses pantalons.

Se montrant à la fois ingérable et adorable, Sagan est en somme une femme « entre deux âges », à ceci près qu'en ce qui la concerne, les deux âges en question sont l'adolescence et l'âge adulte ! Elle navigue ainsi entre l'indépendance de l'adulte et l'obéissance de la jeune fille de bonne famille. Qu'on se souvienne par exemple de cet entretien avec Pierre Desproges, sketch-piège où on la voit désemparée, désarmante de gentillesse, timide et bien élevée, alors qu'une célébrité de cet acabit aurait eu tôt fait de rembarrer un journaliste aussi consternant. Ses bafouillages et ses embarras lors des interviews télévisées sont également demeurés célèbres. C'est sans doute cet aspect juvénile qui l'a rendue si attachante et sympathique aux yeux du public, c'est cette fragilité qui a dû toucher Guy Schoeller, un mari qui avait l'âge d'être son père, c'est son androgynie qui a dû séduire Robert Westhoff, compagnon de fête, homosexuel à l'occasion – deux figures peu communes pour de futurs époux. Il serait tentant de dire qu'elle a épousé un père – venu à son chevet la réparer après un accident – avant d'épouser un frère – qui lui donnait tous les gages d'une relation de bonne camaraderie. Elle semble d'ailleurs marquer une forme d'indifférence à la dimension sexuelle des relations, mélangeant volontiers amitié et amour, intervertissant le mari et l'amant, flirtant avec la future femme de l'ex de son futur mari ! Comportements toujours typiques de l'adolescence, où les amitiés amoureuses versatiles font souvent fi du sexe de l'élu. On peut avoir parfois le sentiment qu'elle vit ses amours pour pouvoir les raconter, provoquant le bon mot ou la formule spectaculaire : « Je n'aime que les amants célibataires », « J'ai trompé mon amant avec mon mari ». Quand elle s'engage, dans le mariage ou la maternité, c'est sans assumer pleinement le rôle d'épouse ou de mère au sens traditionnel. À peine mariée avec Guy Schoeller, elle passe ses nuits dehors ; son fils, elle le confie à ses parents, attitude typique des jeunes filles devenues mères avant l'âge. Et si elle affronte sereinement le vieillissement, du moins sans souffrir particulièrement des outrages du temps, c'est sans doute parce qu'elle n'a jamais investi son corps comme outil de séduction, et pas davantage comme outil charnel : sa vraie jouissance est ailleurs. Elle est tenue, dans tous les sens du terme, par l'écriture. Sans sa plume pour tuteur, Françoise Sagan se serait consumée à grande vitesse et aurait probablement disparu plus tôt, à l'image de ceux qui ont rendez-vous de bonne heure avec la gloire *via* un fort investissement de leur personne physique, chanteurs ou stars de cinéma. Cette plume constitue l'élément phallique de la vie de Sagan, activité où elle n'est ni homme, ni femme, comme débarrassée de son corps. L'écriture a-t-elle été, comme la vitesse, son meilleur amant ? Sans doute, mais elle fut aussi pour elle une direction, une destination bien au-delà de toutes les autres : chaque livre, chaque pièce présentait à ses yeux un nouveau risque, provoquant la même excitation que le jeu, et c'est le public qui, tel le croupier, lui annonçait si sa mise était gagnante. La fonction tutorale de l'écriture a bien sûr chez elle une dimension inconsciente : elle écrit de façon pulsionnelle, comme les ados écrivent leur journal intime, enfermés dans leur chambre. Du reste, les livres de Sagan ne sont pas éloignés de cette forme de récit, accompagnés de cette fameuse « petite musique » qui lui est propre : des comptines, des histoires dont le contenu parfois terrible, cruel, est énoncé sur un ton léger, ponctuées par une morale qui peut se révéler tout à fait… amorale.

Une enfance étayante

Si Sagan peut se permettre de prendre de tels risques dans l'existence, c'est sans doute parce qu'elle a derrière elle le soutien d'une enfance solide, entourée de parents aimants, générant un sentiment profond de sécurité affective. Sa vie durant, à l'exception de phases de clairvoyance qui l'angoissent, elle se sent invulnérable. N'oublions pas que Françoise Sagan est née, comme une heureuse surprise, cinq ans après le deuil d'un garçon mort-né. Enfant miracle dans l'inconscient parental, elle est celui qui vient combler le deuil de façon inattendue. Enfant de remplacement, née après un garçon dramatiquement « manqué », le « garçon manqué » qu'elle devient s'applique à la réussite ! Ce qui n'est évidemment pas sans lien avec l'aspect androgyne et le caractère casse-cou qu'elle gardera toute sa vie. De la même façon, quand elle cherche un pseudonyme en feuilletant Proust, elle choisit comme par hasard, dira-t-elle, celui d'un prince, et non d'une princesse. Même si ses parents ne manifestent pas explicitement leur admiration pour le talent littéraire de leur fille, quelle meilleure preuve de confiance qu'un père qui la prie de changer de nom de famille, de peur que la maisonnée ne soit importunée par les médias ? En 1954 ! À une époque où les *paparazzi* sont rares et les écrivains tout à fait hors de la sphère *people* ! Faut-il que celui-ci soit convaincu d'avoir engendré un « charmant petit monstre » qui va faire fureur ! Sans avoir lu *Bonjour tristesse*, les Quoirez ont aussi dû déceler chez leur fille, à travers ses nouvelles envoyées aux journaux, outre son talent, un sens aigu de son époque. Le secret des grands succès artistiques tient souvent à une empathie de l'auteur avec son temps, qui lui permet de se tenir au seuil de ce que le public peut entendre de novateur : pas au-delà, mais à la frontière. Françoise Sagan, qui faisait scandale auprès de quelques bien-pensants, décrivait une réalité qui préfigurait de façon visionnaire la révolution sexuelle et féministe qui aurait lieu une dizaine d'années plus tard et qui n'en était alors qu'à son... adolescence ! L'héroïne de *Bonjour tristesse* n'est pas seulement maîtresse de son destin, mais aussi de celui de ses proches, qu'elle manipule à volonté. Ce premier livre montre la formidable liberté de penser et d'agir qui a été inculquée à la jeune Françoise par l'exemple,

242

ses parents étant des Justes à leur manière (ils ont aidé des juifs), qui ont refusé la soumission et même l'abattement puisqu'ils ont persisté à entretenir pour leurs enfants un climat relativement insouciant, traversant la guerre avec élégance et courage à la fois. À leur contact, Sagan a été touchée par la grâce des contrastes, d'où son mépris par la suite de tout souci de cohérence au regard des autres et son goût pour le paradoxe : le « charmant monstre » se dira « affreusement sain », Sagan endossera, dans les combats qu'elle ralliera, la part qui lui convient. Ses parents se sont montrés à leur façon iconoclastes et provocateurs, jusque dans leur histoire amoureuse : parents bourgeois, ils s'offraient des « virées » conjugales à Deauville, mariés alors que la mère avait 16 ans, ce qui n'a sans doute pas été sans faire jaser dans leur milieu conservateur en 1923. L'héroïne de *Bonjour tristesse*, très avertie pour ses 18 ans, a paru fort précoce aux esprits bien-pensants, mais elle comptait tout de même deux années de plus que la propre mère de l'auteur quand elle a entamé sa vie sexuelle. Sagan, par son livre, fait son entrée à 18 ans dans la vie sociale, dans la vie – symboliquement – adulte, à l'image de sa mère : l'une a fait un livre, l'autre un enfant.

Un œdipe sans fin

À la lueur de ces étranges coïncidences avec l'adolescence, on peut se risquer à aller plus loin. Qu'est-ce en effet que l'adolescence, sinon la sortie du conflit œdipien ? C'est-à-dire, pour la fille, le moment où le désir d'éliminer la mère rivale pour vivre le grand amour avec le père s'éteint afin de se lancer à la recherche d'autres objets. *Bonjour tristesse*, relu à cette lumière, offre un scénario édifiant : dès le départ, la mère de l'héroïne est morte (une façon de jouir sans attendre, et Sagan n'aimait pas que les choses traînent !). Mais un obstacle se présente sous la forme des maîtresses du père, ou du moins de celle qu'il veut épouser, haïe entre toutes puisqu'elle ravit tout espoir à l'adolescente. La fille machiavélique va alors précipiter son propre amant dans les bras d'une ex-maîtresse du père, plus quelconque, en sorte que celui-ci, piqué par la jalousie, s'en rapproche et abandonne tout projet de mariage. Hélas – si l'on peut dire –, c'est la promise au mariage qui, comprenant le changement, se suicide en jetant sa voiture dans un ravin ! Et un mot vient à l'héroïne, lorsqu'elle songe à sa culpabilité : « Bonjour tristesse. » Hommage funèbre, un peu court certes, mais suffisant à lancer une carrière ! Relations incestueuses par procuration, jalousie de la fille, meurtre indirect, voilà qu'avec des accents d'aujourd'hui le scénario d'un mythe originel se réveille. Sagan s'offre le luxe d'en devenir la marionnettiste. Si l'Œdipe de Sophocle commet l'inceste à la suite d'une prédiction divine, dans *Bonjour tristesse* c'est l'héroïne qui fait office de divinité, tirant les ficelles d'une machination qui lui permettra de jouir seule du parent de sexe opposé, héroïne animée, bien sûr, par la romancière toute-puissante qui régit le destin de ses personnages. Dans la réalité de sa vie d'auteur, Françoise s'est-elle travestie en garçon réussi ? Ainsi le petit prince Sagan aurait offert à son père le garçon qu'il avait perdu, en restant à jamais suspendu à cette période de sortie de l'œdipe. Cela face à un père sans doute ambivalent à son égard, si l'on pense à sa phrase saisissante adressée à un ami de Françoise : « Si vous pouvez enlever ma fille ce soir ? Oui ! Mais ne la ramenez jamais ! »

La problématique œdipienne pourrait se lire encore ailleurs, dans la prise de risques, la quête de la limite, qui est si souvent, à la sortie de l'enfance, un appel au père : Sagan n'arrête jamais sa course folle avant d'avoir rencontré l'accident, qui a pour effet de l'envoyer écrire dans sa chambre (l'écriture recelant toujours une dimension paternelle). Sanction imposée, à la manière d'un père sévère punissant son enfant en le privant de sortie. Plus tard, Sagan se rapprochera de François Mitterrand, figure paternelle et même « père de la nation ». Elle traitera ses éditeurs en pères protecteurs, chargés de payer ses factures. Refusant la responsabilité de tenir un budget, elle attendra qu'ils prient leur fille insouciante de mettre fin à ses dépenses excessives. Ainsi les figures paternelles se succèdent, assurant la même fonction de rappel à l'ordre.

Sagan semble souvent jouir de cette position hors-la-loi, hors de cette loi qui figure symboliquement la parole paternelle. Elle provoque : avec la drogue – «J'en prends, comme tout le monde» –, comme si elle attendait qu'on lui assure le contraire avec véhémence ; avec le fisc – menaçant de s'exiler –, comme si l'on pouvait échapper géographiquement au père, avant de renoncer à son projet, évidemment, car elle ne peut se résoudre à quitter sa «patrie». Provocation typique de l'adolescence, mélange d'angélisme naïf et d'excès d'une tête brûlée.

Tel serait le trouble de caractère de Françoise Sagan, s'il fallait vraiment lui en trouver un : cette adolescence à laquelle elle est restée à jamais fixée. Difficile de diagnostiquer chez elle une pathologie avérée, de la même façon qu'il est difficile de formuler un diagnostic précis, emprunté à la nosographie adulte, lorsque l'on se penche sur des adolescents qui présentent des conduites psychopathiques. «Affreusement saine», jouissant de tout dans un jeu qui la place au-delà de la punition, Sagan n'était pas immorale, mais a-morale, comme ceux de cet âge. Sur un divan, sans doute aurait-elle gagné quelques années de vie et se serait-elle allégée de quelques soucis matériels, mais on comprend qu'elle n'en ait pas vu la nécessité, tant son mal de vivre était le moteur d'une existence qui ne l'a jamais poussée au désespoir absolu : Françoise Sagan n'a jamais fait de tentatives de suicide, juste des tentatives de vie.

Lady Diana (1961-1997) :
héroïne d'un vilain conte de fées

Elle avait déclaré, en annonçant son retrait de la vie officielle et son renoncement à ses prérogatives royales, vouloir devenir la «princesse des cœurs». C'était en décembre 1995. Elle se consacra alors plus que jamais à l'action humanitaire internationale, et, le 31 août 1997, sa mort tragique et brutale laissa à la postérité l'image d'une femme accomplie, à la fois généreuse et *glamour*. On en oublia son enfance perturbée, son mariage raté, ses troubles du comportement alimentaire, ses dépressions et ses tentatives de suicide, pour ne retenir que sa bonté et l'amour flamboyant de ses derniers jours avec Dodi Al-Fayed. Sept cent cinquante millions de téléspectateurs suivirent ses funérailles à travers le monde, plus nombreux encore qu'à l'occasion de son mariage princier quinze ans plus tôt. Une majorité d'entre eux cherchait un motif à l'accident fatal – un complot, une traque –, car les princesses des cœurs ne sauraient mourir «bêtement».

La vie de Lady Diana fut placée sous le signe du paradoxe, à commencer par celui d'être assez bien née pour devenir princesse sans réaliser que ne deviendrait jamais charmant un prince aimant ailleurs ; ou par sa volonté que tout le monde l'aime, sans prendre conscience que tout le monde, c'est personne.

Un pedigree de princesse, un quotidien mal assorti

Diana Spencer naît le 1er juillet 1961, d'un sang plus purement britannique que celui des Windsor. Les époux Spencer se sont mariés à la cathédrale Saint Paul, en familiers de Buckingham Palace où la grand-mère maternelle, Lady Fermoy, est dame de compagnie de la reine mère, une haute fonction honorifique. La famille paternelle possède le glacial domaine d'Althorp, cent quatre-vingts hectares au nord de Londres, mais Diana grandit à Sandringham, un paradis proche d'une des résidences de la reine. Enfant, elle y aperçoit Charles, prince de treize ans son aîné. Elle se promène à cheval dans le parc familial, s'y livre à ses rêveries ou à l'observation des lapins et autres hôtes de ses bois, un quotidien qu'elle décrira comme féerique malgré les disputes de ses parents. Entre autres motifs d'affrontement, le père accuse longtemps son épouse d'incapacité à engendrer l'héritier mâle. Après Lady Sarah et Lady Jane, nées en 1955 et 1957, John, le garçon tant attendu, décède dans les heures qui suivent sa venue au monde, en 1958. Trois ans plus tard, Lady Diana apparaît : encore une fille… Elle deviendra la préférée de son père, en dépit de la naissance de Charles, l'unique fils, en 1963. Les conflits conjugaux ne cessent pas pour autant. Dès 1965, la mère s'entiche de Peter Shand Kydd, un milliardaire drôle, gentil, beau et intelligent, qualités qui manqueraient à l'époux Spencer. Contre toute convenance, elle s'affiche pendue à son cou, avant de prendre l'initiative d'un divorce. En 1969, après des années d'un combat juridique féroce, le jugement punit la coupable, qui perd la garde de ses enfants. L'ensemble de l'*establishment* a témoigné contre elle, sa propre mère comprise ! Diana a 8 ans. Elle verra désormais la fautive lors de week-ends volés à Londres ou lors de vacances au domicile du couple banni, sur une île paradisiaque au nord de l'Écosse. En 1975, au décès du grand-père Spencer, elle est arrachée à son cher Sandringham pour le sinistre domaine d'Althorp. Elle fréquente les meilleurs établissements sans résultat notable et rejette les meilleures nurses une à une, comme autant de piètres substituts de sa mère. Elle souffre encore davantage lorsque Raine, la fille de l'auteur de romans roses Barbara Cartland, mariée et mère de quatre enfants, divorce pour épouser son père en 1977. La créature au *look* extravagant serait, aux dires de la fratrie, une marâtre pire que celle des contes de fées, d'un conservatisme, d'une âpreté au gain et d'une cruauté sans pareils. En 1978, elle leur interdit l'accès de l'hôpital où leur père survit tout juste à une attaque cérébrale. Au sein des établissements scolaires de la *high society*, Diana est une marginale : une mère indigne, des parents divorcés et remariés, des familles recomposées. Des années après le divorce, elle persiste à écrire sur ses dessins : « Pour papa et maman. »

Diana, une naïve exemplaire

À 16 ans, en novembre 1977, Diana, bien éduquée mais rougissante et boulotte, n'a rien pour plaire au prince Charles, déjà célèbre pour ses frasques. Parmi ses nombreuses conquêtes, on compte notoirement Camilla, jugée trop roturière pour faire une épouse, et Lady Sarah, la propre sœur de Diana. En novembre 1978, il donne un grand bal d'anniversaire à Buckingham Palace. Il y convie Lady Diana et Lady Sarah, mais file alors le parfait amour avec une catholique, qui ne peut, elle non plus, être agréée. À vrai dire, le prince n'est pas pressé de convoler, tandis que Diana, nourrie depuis toujours de romans à l'eau de rose, a été programmée pour. Jugée trop grande (un mètre soixante-quinze) pour faire de la danse une profession, elle va renoncer et suit la parfaite formation de maîtresse de maison à l'institution suisse de Videmanette. Elle sait disposer les couverts, hiérarchiser les titres et placer à table. Mais la sage Diana attend le « bon », celui dont on ne divorce jamais. À 17 ans, après avoir été jeune fille au pair de luxe, elle vit avec deux amies à Sloane Square, en parfaites *sloane rangers*, riches héritières BCBG qui font du shopping, écoutent Sting les yeux humides et regardent des *soaps* à la télé entre deux crises de fou rire. L'année suivante, elle emménage avec deux autres vieilles amies au 60, Coleherne Court, bientôt l'une des adresses les plus célèbres d'Angleterre. Employée dans un jardin d'enfants, Diana parlera de cette époque comme de la plus insouciante de sa vie, même si l'attaque cérébrale de son père l'ébranle alors profondément.

En juillet 1980, lors d'une *party* organisée chez un ami du prince Philip dans le West Sussex, elle se retrouve en tête à tête avec Charles. « Vous aviez l'air si triste lors des funérailles de votre oncle... », lui dit-elle, compatissante. Lord Mountbatten a en effet été assassiné par l'IRA l'année précédente. On ne saura jamais quelle conviction soudaine frappe le prince : il embrasse subitement Diana et lui propose de l'accompagner dès le lendemain à Buckingham. On le soupçonne d'avoir établi avec Camilla une liste des jeunes vierges du royaume susceptibles de faire une épouse. Les autres, comme Lady Sarah, s'annonçaient-elles moins malléables ? Un premier week-end à Balmoral, demeure estivale de la famille royale, quelques rendez-vous à Londres, et les *paparazzi* se mettent à guetter Diana jour et nuit, à la prendre en filature en voiture, déjà... Lady Fermoy, la grand-mère de Buckingham, la prévient : « Vous devez comprendre que leur humour et leur style de vie sont différents des nôtres, je ne pense pas que cela vous conviendra. » La jeune femme n'entend pas, ni ne s'étonne que Charles se dispense de lui faire la cour : ni cadeaux, ni fleurs, ni coups de téléphone, juste de froides rencontres hâtives.

Le 6 février 1981, il la demande officiellement en mariage au château de Windsor. Elle rit, accepte, et ajoute : « Parce que je vous aime. » Il corrige : « Pour ce que l'amour signifie, oui... »

Jusqu'au 24 février, où l'on annonce officiellement leur union, elle ne s'émeut pas de son silence. Ce jour-là, alors qu'elle s'installe dans un appartement privé à Buckingham en attendant la cérémonie, elle trouve sur son lit une invitation de Camilla à un déjeuner dont le sujet central sera : « Aimez-vous la chasse ? » Et pour cause : c'est à l'occasion d'une partie de chasse que la liaison de Charles et Camilla reprendra ! Tous deux apprécient la pluie et les chemins creux quand Diana rêve de show-biz et de bals sur parquet ciré. De bonnes âmes invitent la future épouse à tirer les conclusions de divers indices d'une liaison parallèle, en vain. Charles lui dit qu'elle est grosse, alors elle se fait vomir, sans s'interroger sur sa goujaterie. Elle passe de soixante-dix-huit à cinquante-quatre centimètres de tour de taille entre la date de leurs fiançailles et celle de leur mariage, le 29 juillet 1981.

Le mariage du siècle

Au bras de son père vacillant, Diana effectue sa marche nuptiale : trois minutes jusqu'à l'autel, diffusées par les télévisions du monde entier, mobilisées par un amour présumé proportionnel à la longueur de la traîne – sept mètres ! Personne n'imagine le voyage de noces concocté par Charles à bord du yacht royal : une intimité impossible au milieu de trois cents hommes d'équipage, trente officiers royaux à table et Charles tout le jour plongé dans la lecture de Laurens Van der Post, son philosophe fétiche, un aventurier aux thèses rousseauistes. Diana se goinfre pour compenser sa détresse, mais maigrit à vue d'œil. Charles, pas dupe, préfère se concentrer sur l'horizon : il n'est pas psychiatre et légitimera toujours ainsi son inertie. Du reste, Lady Sarah, la sœur de Diana, était anorexique, et Diana fait depuis l'adolescence des crises de boulimie. À Buckingham, puis au palais princier du couple à Kensington, le personnel découvre très vite les raids nocturnes de Diana en cuisine et ses régurgitations scrupuleuses. Seulement on ne dénonce pas une princesse : la bonne éducation interdit généralement d'évoquer tout ce qui a trait au corps ou à la psychologie. Affaiblie, Diana peine à suivre la tournée de présentation au pays de Galles, où on lui fait un triomphe. Dès son retour à Londres, Charles, las de tant de sima-grées, travaille tard et oublie tout égard : des photos de Camilla tombent de son portefeuille, il arbore les boutons de manchette gravés de deux C enlacés, offerts par sa maîtresse... Diana s'étiole, ne peut décemment pas se confier à sa famille ni à ses amies, moins encore à la reine, qui la tient pour une « gourde ». Conseillée par une rédactrice de *Vogue*, elle achète chaque année pour des millions de livres de vêtements, mais garde un air godiche, celui de son malaise. En janvier 1982, enceinte de trois mois, elle se jette de l'escalier d'honneur de Sandringham sous les yeux de Charles, qui ne prend pas la peine de descendre de cheval, et de la reine, au bord de l'apoplexie. Même mourant, on reste digne au palais ! Elle est si choquée qu'elle réconforte Diana, mais une idée pointe : et si sa bru était folle ?

Les joies de la maternité

La naissance d'un héritier, le prince William, le 21 juin 1982, puis celle du prince Harry, le 15 septembre 1984, ménagent des trêves conjugales. Diana, tout aux joies de la maternité, voit Charles rentrer plus tôt de son bureau. C'est après la naissance de Harry, selon ses aveux ultérieurs, qu'il reprend sa liaison avec Camilla. Souvent seule, Diana s'occupe des enfants sans déléguer à quiconque le soin d'aller les chercher à l'école du quartier, préférée aux chic pensions excentrées. Très maternelle, elle rêve toujours d'une famille idéale, poursuit Charles de ses prières, pleurs et crises de nerfs – elle va jusqu'à se taillader les bras sous ses yeux. Un été, à Balmoral, elle quitte prématurément la demeure haïe pour Londres et fonce chez un psychiatre, le premier d'une longue liste. Tous se borneront à lui conseiller du repos et des plantes. Aucun d'eux ne traitera la princesse comme une personne normale, avant une perle rare, en 1989, une fois Diana mûre, il est vrai, pour entendre la vérité : la vie n'est pas un conte de fées, surtout pas la sienne. Le dédain de Charles est aiguisé par la contrariété de *Queen Mum*, obligée de communiquer désormais sur des sujets répugnants : non, Diana n'est pas anorexique.

Camilla, elle, incarne la joie de vivre. Elle et son mari sont des invités permanents des week-ends princiers à Highgrove, la maison de campagne de Charles. Si Diana est retenue à Londres, le compréhensif époux de Camilla juge bon de l'être aussi. La liesse populaire désigne Diana comme la préférée des Anglais, au grand dam de Charles, jaloux, voire hostile, quand son épouse se livre à des extravagances démocratiques, comme lui fausser compagnie en plein opéra royal, à Covent Garden, pour participer à la chorégraphie vêtue d'une robe argentée. Diana tente-t-elle d'éblouir Charles ? De s'en faire aimer ? Ou reprend-elle goût à la vie telle qu'elle l'entend ?

Diana sur le chemin de la raison, la presse à sa suite

La reine n'est pas une femme sans cœur, mais la fonction a fini par dévorer l'individu, et Diana ne fait rien pour préserver l'image éthérée de la Couronne. Quand les *paparazzi*, d'ordinaire muselés, publient dans le *Sun* l'une des innombrables photos en leur possession d'un Charles radieux face à Camilla, Diana devrait garder la tête haute. Au lieu de quoi, le soir même, au Royal Albert Hall, elle manque à l'appel après avoir fait une scène, pour finalement s'y présenter avec une heure de retard, les yeux rougis, sous le regard glacial de Charles et de mille six cents témoins. L'adultère du prince est une chose, le manque de savoir-vivre de Diana en est une autre ! Dorénavant, la presse ne lâche plus le couple royal, mais Diana va vite l'utiliser à son profit.

Car Diana évolue. En 1989, enfin orientée par sa seule vieille amie, Carolyn, vers le psychanalyste adéquat, elle rend les armes dans la sphère privée pour guerroyer dans la sphère publique. La presse sert désormais ses engagements contre la drogue, le sida et l'exclusion, causes dédaignées par la Couronne. Si elle n'est pas encore la militante humanitaire qui fera la une des tabloïds quelques années plus tard, elle gagne son autonomie et la bienveillance de son peuple. Signes de sa mue, elle se met au sport, se coupe les cheveux, consulte des astrologues et se soigne avec les plantes : un renouveau aux accents *New Age*, mais l'essentiel est qu'elle va mieux. Et même bien ! Cette même année 1989, elle parle à Camilla, yeux dans les yeux, pour lui dire qu'elle sait, et qu'elle en souffre. Camilla ne nie pas, mais ne comprend pas plus que Charles et la reine pourquoi la jeune femme s'est mariée par amour, ni ce que la fidélité vient faire là-dedans. Diana décide de reprendre une vie amoureuse, mais le manque de clairvoyance la pousse dans les bras de James Hewitt, capitaine d'un régiment de cavalerie, qui vendra leur histoire pour payer des dettes de jeu. *Princesse amoureuse*, publié en 1994 [52], est un récit approximatif regorgeant de détails torrides plus ou moins vraisemblables. La surenchère dans l'indécence n'aura plus de fin.

---

52. Livre d'Anna Pasternak, Paris, Presses de la Cité.

Kensington Palace,
théâtre de boulevard ?

À partir de 1990, Diana ne se contrôle plus. Il ne s'agit plus de disputes ou de chantage, mais d'une guerre conjugale. Au sein du couple, on se vole les discours officiels, on court-circuite les rendez-vous ou les messages, et Diana fête ses 30 ans en célibataire, avec sa sœur. Depuis un voyage officiel au Portugal, on sait que le couple fait chambre à part. La reine elle-même ne se donne plus la peine de saluer la princesse en public, et réciproquement. Charles non plus, mais c'est la routine ! Durant l'été 1991, Diana abandonne Balmoral pour courir au chevet d'un grand danseur de ballet qui se meurt du sida. Elle emmène parfois ses fils visiter les malades des hôpitaux pour familiariser les petits princes avec la souffrance, loin de leur quotidien. Épouse ingrate et mère scandaleuse, elle se remémore le sort de sa propre mère jusqu'à la paranoïa, soupçonne le domicile de Kensington d'être truffé de micros, se croit prise en filature sur ordre de Buckingham, et craint que le palais ne monte contre elle un dossier à charge qui lui ferait perdre la garde de ses enfants en cas de divorce. C'est pour se prémunir qu'elle décide de se confier en cachette à Andrew Morton, le Stéphane Bern britannique, mais sans jamais le rencontrer, afin de pouvoir invoquer son irresponsabilité devant le grand déballage à venir. Un intermédiaire fournit les questions du journaliste et récupère les réponses que Diana enregistre sur un mini-magnétophone ! Elle livre également les coordonnées de toutes les personnes susceptibles d'étayer ses propos, dont Carolyn. Le document, édifiant et incroyable pour les profanes, paraît en feuilleton chaque dimanche à compter du 7 juin 1992 dans le *Sunday Times*. C'est le scandale. Mais à Kensington Palace l'électrochoc a du bon : Charles, pas dupe, a compris que son épouse irait jusqu'au bout. À l'automne, Morton, traité par certains d'affabulateur sacrilège, publie la saga dans un livre : *Diana, sa vraie histoire* [53]. En vérité, les écarts de poids de Diana, la froideur publique des époux, les rumeurs d'un *Camillagate* : la fiction sonne trop juste pour en être une. Dans son discours du 9 décembre 1992, la reine, qui exhorta en vain à la paix du ménage, se résout à officialiser la séparation.

Les tractations entre Diana et la famille royale seront longues et éprouvantes, même si Charles a quitté Kensington Palace, dont Diana garde la jouissance. Le divorce est enfin prononcé en août 1996, après divers coups bas, des aveux publics de Charles sur son amour impérissable pour Camilla, des photos de Diana au bras d'un homme, puis d'un autre, des livres ignobles, des tabloïds pires encore, des sondages populaires (« Diana a-t-elle été poussée à la faute ? », « Diana est-elle trop dépensière ? », etc.). Diana détient la palme avec ses confessions à la BBC le 20 novembre 1995. Tout y passe : l'anorexie, l'automutilation, les tentatives de suicide, Camilla et le « procédé Morton ». Dans ce divorce, la morale n'est pas sauve, mais la garde des enfants partagée, ce qui importait plus que tout à Diana. Charles, lui, voulait la paix.

L'héroïne des pauvres
s'amourache d'un milliardaire

En juillet 1997, Charles et Diana sont heureux. Séparément. Charles fête en grande pompe les 50 ans de Camilla, également divorcée ; Diana, elle, s'épanouit dans les œuvres de bienfaisance, tourne un spot de campagne contre les mines antipersonnel, vend toute sa garde-robe officielle aux enchères chez Christie's au bénéfice d'une association caritative. Elle profite

53. Paris, Orban, 1992.

de son passage à New York pour saluer mère Teresa, hospitalisée, et, moins charitablement, s'amuse que le peuple ne fête guère Camilla, une briseuse de ménage, moins jeune et jolie qu'elle. Diana accepte avec joie l'invitation au paradis tropézien de Mohammed Al-Fayed, le patron de la maison Harrod's, honni par la reine qui lui refuse toujours son passeport britannique. Entre bannis de la Couronne, on se comprend ! Le charmant fils de Mohammed, Dodi, 40 ans, producteur aux États-Unis – playboy gâté en réalité –, est justement de passage sur la Côte d'Azur. C'est le coup de foudre, au point que Dodi en oublie sa fiancée mannequin. Dodi et Diana prennent aussitôt le large sur un yacht, des vacances immortalisées par les célèbres photos vendues 250 000 livres pour une première parution dans le *Sunday Mirror*, puis à des tarifs astronomiques à travers le monde après le drame. Chacun vit un rêve : Dodi flirte enfin avec le Gotha britannique qui l'a toujours rejeté, éperdu devant une Diana belle et mince ; la princesse, elle, tient enfin sa romance à la Barbara Cartland (qui lui offrira un brillant hommage posthume dans un livre[54]). Dans ces romans-là, on vit d'amour et d'eau fraîche, on prend un jet pour un week-end à Paris loin des *paparazzi*, on hésite entre dormir dans le palace Al-Fayed proche de l'Étoile ou la sublime maison de Neuilly, on reçoit des bijoux d'une valeur vertigineuse, on consulte des voyantes le cœur battant pour savoir si tout cela va durer, on dîne au Ritz, on rentre dormir vers l'Étoile en roulant dans une limousine à cent soixante kilomètres à l'heure pour semer les *paparazzi* et, parfois, il se peut qu'on en meure.

Diana est morte heureuse, insistera son frère Charles dans son éloge funèbre. Quant à l'autre Charles, le prince, il déploiera toute son énergie pour protéger ses enfants, le prince William, 15 ans, et Harry, 13 ans. C'est lui, avec Tony Blair craignant un soulèvement populaire après cinq jours de silence royal, qui poussera la reine à exprimer publiquement sa tristesse. La

54. *Diana : la biographie du souvenir*, Paris, J'ai lu, 1998.

monarchie, comme les contes de fées, s'en trouvera à jamais abîmée. Le 31 août 1997, Diana, la « princesse des cœurs », est devenue une légende.

Un conte d'adulte

Le conte de fées

Comme beaucoup de ceux qui ont eu une enfance malheureuse, Diana Spencer vit dans la nostalgie d'un bonheur qu'elle n'a pas connu, et reconstruit le passé en un heureux conte de fées, sur la base de quelques souvenirs joyeux (les promenades dans les bois, les animaux en liberté). Elle a vécu des moments de douceur privilégiés, d'innocence en l'occurrence, loin des déchirures parentales, mais elle entretient le mythe du paradis perdu. L'attitude est classique, à ceci près que Diana est une *lady*, fille de comte, qui peut d'autant mieux s'identifier aux personnages des contes que son rêve peut devenir réalité.

Tout conte de fées contient une part de cauchemar, le caractère merveilleux de l'issue étant proportionnel au quota d'adversité. Le cauchemar de Diana se dessine à l'occasion du divorce de ses parents, avec la privation physique de sa mère alors qu'elle est à peine âgée de 7 ans. Nous retrouvons là une analogie avec les personnages d'orphelins, ou d'enfants abandonnés des contes. On peut même supposer qu'avant, dès la quatrième année de la petite fille, sa mère est « ailleurs », puisqu'elle aime

* Didier Lauru est psychanalyste et psychiatre. Il est notamment l'auteur de *Jim Morrison : l'état limite du héros* (Paris, Bayard Culture, 2003), *Folies d'amour* (Paris, Calmann-Lévy, 2004), *Père-fille, une histoire de regard* (Paris, Albin Michel, 2006).

un autre homme que le père de ses enfants et projette déjà de changer de vie. De quelque sexe qu'il soit, un petit enfant qui grandit sans sa mère en subit nécessairement des conséquences néfastes. S'il peut être profitable au fils de parents séparés de vivre auprès de son père à l'adolescence, du fait de sa quête identificatoire, des perturbations liées à la puberté et des remaniements psychiques propres à cet âge, le climat affectif maternel est indispensable à son épanouissement auparavant. Or, privée précocement des soins et de la présence de sa mère, Diana reste traumatisée, dans une quête affective qui la hantera toute sa vie. Cette privation du contact maternel est sans doute le pivot de son évolution personnelle, et rend compte de son immaturité, trait majeur de sa personnalité. Diana est bien loin, en effet, de trouver en son père un giron de substitution : sa personnalité, comme son éducation, en font un homme distant, et il ne lui témoigne pas l'amour dont elle pourrait se nourrir. Privée physiquement de sa mère, partageant le quotidien d'un père froid et peu affectueux, elle recherche un étayage affectif. Elle se réfugie alors dans la nature, qu'elle personnifie en nourrice universelle, à la façon rousseauiste. Mais, rebondissement malheureux du conte de fées, on la prive brutalement de cette nature protectrice et enchanteresse : à 15 ans, elle doit déménager pour le « terrifiant » domaine d'Althorp, imaginairement identifié à un château hanté ! Et, dernier ingrédient du conte, c'est dans ce décor que fait irruption la figure de la marâtre, en la personne de la belle-mère glaciale et majestueuse, dont on sait qu'elle vit avec un souci extrême de sa propre image : « Miroir, mon beau miroir, qui est la plus belle du pays ? » Seule son élection par un prince pourrait répondre à la question ! Fantasme classique de tout enfant de couple divorcé, Diana rêve de réunir ses parents, et peut-être ce fantasme la poursuit-il encore à l'adolescence. Peu importe les faits : remariages, enfants du second lit, les enfants d'un premier lit renoncent difficilement à ce rêve de ré-union du couple parental. Ainsi, petite fille, Diana persistait-elle à désigner son père et sa mère codestinataires de ses dessins.

Diana survit parce qu'elle vit clivée des réalités. Elle alimente son rêve d'un avenir radieux avec les romans de Barbara Cartland, illustrations de son modèle sentimental, contes de fées pour adultes où l'amour triomphe malgré les difficultés, et autre forme de déni du destin conjugal réservé à ses propres parents. Elle mettra très longtemps à se dégager de ces schémas romanesques. Le pire pourra lui arriver, trahisons, preuves patentées que son mari aime ailleurs, elle continuera à éprouver les faits à travers le prisme déformant de son imaginaire sentimental de pacotille.

Des blessures narcissiques profondes et originaires

Un point essentiel de la biographie de Diana, dont elle-même sous-estimait sans doute l'importance, voire niait tout à fait l'impact, c'est qu'elle est un enfant de remplacement. Sa naissance survient immédiatement après le décès de Maurice, le fils tant attendu. Elle a beau se mettre à vivre, à parler, s'épanouir et devenir une jolie petite fille, elle ne comblera jamais le vide laissé par cette disparition, ni le désir lui préexistant, nourri par ses parents. Non seulement sa présence particulière n'y suffit pas, mais elle n'est pas un garçon. Quand le garçon tant attendu naît enfin, deux ans plus tard, la mère s'en va, le cœur comme soulagé de la mission accomplie. Il est probable que le contexte de la naissance de Diana ne fut pas sans incidence sur son psychisme.

Tous les enfants de remplacement souffrent d'une blessure narcissique, habités qu'ils sont par cette question plus ou moins consciente : « Serais-je né si l'autre n'était pas mort ? M'a-t-on voulu, moi ? » À moins que leurs parents aient eux-mêmes suivi une thérapie leur permettant de faire le deuil du disparu, les enfants de remplacement qui viennent en analyse vivent avec l'ombre portée de ce frère ou de cette sœur qui n'est plus, comme s'ils n'étaient pas tout à fait eux-mêmes, comme si, plus ou moins consciemment, ils ne se sentaient pas autorisés à l'être. Un enfant de remplacement existe à la fois pour lui-même, mais aussi pour incarner, réincarner, pourrait-on dire, la présence du disparu. Il est lui-même tout en étant secondaire, réalisant dans l'imaginaire des parents la continuité de la vie de celui qui a précédé. Comment exister quand on porte ainsi la mort en soi, malgré soi ? C'est le dilemme de nombre de ces enfants de remplacement. On a longtemps voulu rassurer les parents endeuillés par un discours aussi faux que sordide : « Faites-en un autre et vous n'y penserez plus. » Mais les choses ne se résolvent pas aussi simplement. Loin de surinvestir affectivement le nouveau venu parce qu'il rouvrirait à la vie après la perte et le deuil, les parents lui superposent inévitablement l'image du défunt : ses premiers pas, ses premiers biberons, ses premiers mots ravivent la mémoire du disparu. Les enfants de remplacement vivent ainsi comme divisés dans le regard des parents. Or, comme tout enfant, ils tentent de repérer où se situe l'attente parentale et ce qu'il faudrait être ou faire pour se montrer à sa hauteur. Mais quand ils perçoivent, plus ou moins confusément, que leur présence ne fera jamais revenir le mort et ne comblera jamais cette perte irrémédiable, il s'ensuit un certain nombre de retentissements, en particulier sur l'image de soi, et une propension plus fréquente à la dépression.

Dans le cas de Diana, il y a en outre fort à parier que la grossesse de la mère fut vécue dans un climat assez dépressif puisque gâté par le récent deuil. On peut dire avec certitude que la tristesse d'une mère fraîchement endeuillée n'est pas sans conséquences psychiques sur la capacité d'ouverture au monde et de développement de l'enfant à naître : l'élan vital du bébé, la communication entretenue avec lui, c'est l'ensemble de la relation mère-enfant qui va être perturbé. De nombreuses études l'attestent : avoir eu une mère dépressive lors de la petite enfance entraîne des conséquences psychopathologiques sur le futur adulte.

À cette blessure narcissique originelle vient s'en ajouter une seconde pour Diana : sa mère est privée de la garde de la fratrie. Le soupçon de la petite fille est inévitable : « Ma mère s'est-elle battue pour me garder, ou me préfère-t-elle sa liberté ? » Une liberté payée d'un douloureux sacrifice pour la mère de Diana. La petite fille a sans doute porté toute sa vie cette position sacrificielle, consciente d'avoir été mise dans la balance et de n'avoir pas fait le poids. Le sentiment d'avoir été sacrifiée au bonheur de sa mère pourrait expliquer une tendance prononcée à répéter cette position de sacrifiée, avec le vœu inconscient que, désormais, l'autre la sauvera au détriment de son plaisir personnel. Au regard de l'histoire de Charles avec Camilla, cette hypothèse ne manque pas d'intérêt.

L'immaturité affective

L'immaturité affective de Diana est lisible durant presque toutes les périodes clés de sa vie – à chaque fois qu'elle a une décision à prendre –, mais l'une de ses déclarations l'illustre merveilleusement, son fameux « Je veux être la princesse des cœurs ». Diana passe en effet de la volonté d'obtenir l'amour d'un seul – au prix d'un combat presque à mort, entre autres contre la rivale, à la façon des héroïnes classiques – au vœu de recevoir l'amour universel. On peut voir dans cette quête la recherche d'un colmatage de ses failles narcissiques, que sa vie conjugale a ravivées, pour sauver son équilibre psychologique fragile. Mais ce positionnement dénote avant tout une naïveté adolescente : « Comme j'ai un grand cœur et beaucoup à donner, je vais être récompensée », « Puisque j'aime tout le monde, tout le monde m'aimera ». Or il n'y a que dans les romans pour adolescentes, justement, que l'amour est mathématique et que l'on finit toujours par recevoir à hauteur de ce

263

que l'on a donné. Faute d'avoir pu obtenir l'amour de Charles, Diana entend récolter l'amour de tous ses sujets. Un projet bien sûr étayé par sa popularité, réelle. Car c'est tout le drame de Diana : elle ne délire pas, elle a les moyens de ses fictions. Son rêve de princesse a pris les couleurs de la réalité grâce à sa noble extraction ; elle est devenue un personnage important du royaume, et a désormais le droit de rêver combler ses désirs. Parce qu'elle a été lésée sur le plan affectif, elle s'est réfugiée dans un univers de midinette, et ce d'autant plus facilement qu'elle a malgré tout grandi protégée, à l'abri des contingences matérielles, entre nurses et châteaux. Elle est dans le fantasme, jamais dans la folie puisqu'elle garde un ancrage dans le réel. Une fois la main mise sur Charles, elle déroule le fil de son conte de fées sans se soucier en aucune façon des avertissements de son entourage, des propos extrêmement explicites du prince, de ses signes d'indifférence et de son absence patentée de marques d'affection. Elle va jusqu'à feindre d'ignorer ce qu'on appelle l'«inceste du deuxième type[55]» dont Charles s'est rendu coupable, puisqu'il eut une liaison avec Lady Sarah, la propre sœur de Diana. Or, c'est la règle – implicite dans nos cultures et explicite dans certaines sociétés traditionnelles –, un homme ne mêle pas ses humeurs avec plusieurs personnes du même sang (mère et fille, père et fils, frères et sœurs). Ce fait du passé ne témoigne pas de la perversité du prince, car sa structure psychique ne semble pas le conduire à la transgression et aux plaisirs interdits, comme l'atteste sa relation prolongée avec Camilla, mais il dénote en revanche une forme de désinvolture dans ses pérégrinations pour trouver l'épouse adéquate. Sur ce point fâcheux, Diana passe l'éponge, aveuglée, non par l'amour mais par la volonté de ne pas interrompre son conte de fées. Les preuves de l'infidélité de Charles se multiplieront, mais elle restera longtemps incapable d'évolution, ou de prise

55. Cf. Françoise Héritier, *Les Deux Sœurs et leur mère : anthropologie de l'inceste*, Paris, Odile Jacob, 1997.

de conscience, accrochée à son rêve contre toute raison, comme c'est la caractéristique des névrosés.

Vient tout de même l'époque où elle ne parvient plus à croire à sa romance sentimentale et éprouve de la jalousie, comme acculée à la réalité. Il est délicat de faire des hypothèses sur ce changement de point de vue scopique, sinon en l'expliquant par la répétition de ses déconvenues, par le souhait de se positionner autrement que comme une victime subissant les caprices du désir des autres, en particulier de son mari. Mais, là encore, Diana se montre incapable de négociations, d'aménagements, de réorganisation psychique. Elle se laisse submerger par la douleur en multipliant les comportements destructeurs (tentatives de suicide, scarification, anorexie, vomissements provoqués...). Son immaturité psychique est accrue par son manque d'expérience, ainsi que par le manque de modèles autour d'elle : ses relations amicales immatures ne savent pas davantage qu'elle ce qu'est aimer. Charles, lui, sait. Il aime Camilla, qu'il a dû laisser épouser un rival. Il connaît la passion, l'attachement, le compromis, la douleur. Paradoxalement, c'est lui qui pourrait offrir à Diana un modèle d'amour, si elle n'était trop ancrée dans ses modèles identificatoires. Dans les romans de Barbara Cartland, on ne transige pas avec les sentiments : on meurt d'aimer quand on n'est pas aimé, et c'est à ce destin que se conforme Diana.

Qu'espère-t-elle au moment de sa mutation subjective, lorsqu'elle provoque un face-à-face avec Camilla ? Elle croit sans doute, encore et toujours, à son scénario de l'amour récompensé. À moins de partager Charles, il n'y avait rien à attendre de cette confrontation. Mais là encore on peut supposer que Diana poursuivait son fantasme de réparation, animée par l'espoir d'obtenir enfin l'amour tel qu'elle le rêvait, et d'être choisie. Le scénario de ce genre de scène vaudevillesque est invariable : la légitime, bafouée dans son désir, tente de faire valoir ses droits – comme si le droit était en vigueur en amour ! À quoi l'illégitime, dans son bon droit (celui de l'amour) pour ainsi dire, fait valoir la

265

force de ses sentiments. Toutefois, faire face à la rivale a sans doute permis à Diana d'entériner ce qu'elle avait enfin accepté de savoir, lui interdisant à tout jamais de pouvoir fermer les yeux, un effort probablement si conséquent pour elle qu'on peut y lire les fruits de sa thérapie.

La princesse de la réparation

Diana a vécu sous le joug de la répétition et dans le vœu de la réparation, deux grands classiques du registre névrotique. Pris dans la répétition, le sujet a tendance à répéter les mêmes symptômes ou à adopter indéfiniment des comportements semblables, en particulier dans ses demandes à l'autre, pour finir inlassablement par être déçu dans ses attentes. Le processus de la réparation, toujours mêlé de culpabilité, amène à croire reconnaître indéfiniment la situation de dommage, réel ou supposé, déjà vécue et à tenter d'en modifier l'issue. On repère ces deux tendances chez Diana et l'on devine les blessures dont elle a pu souffrir au travers des souffrances qu'elle cherche à épargner à ses enfants. Elle veut être une mère parfaite, là où sa mère a échoué, elle veut réussir son divorce quand ses parents se sont lamentablement déchirés. Sa propension à se positionner en bonne mère aimante et protectrice, à l'inverse de ce qu'elle a connu avec sa propre mère, explique que Diana, dès qu'elle a été en âge de materner, a émis le désir de s'occuper d'enfants, de les protéger, comme c'est fréquemment le cas de ceux dont l'enfance a été affectivement carencée. Tout le monde s'accorde à dire que Diana avait un « grand cœur », c'est-à-dire la volonté de se mettre dans une position de mère idéale, généreuse, pas seulement envers quelques individus, mais envers l'humanité entière, prodiguant les soins et les attentions d'une nourrice universelle. C'est ce passage réussi du singulier au pluriel, caractéristique de cette princesse sensible, qui lui a valu sa popularité. C'était déjà la sollicitude maternelle qui la jetait dans les bras de Charles : elle voulait le consoler de la peine qu'elle imaginait sienne après le deuil de Lord Mountbatten, malgré ses conquêtes, pas toutes secrètes. C'est sincèrement qu'elle a voulu guérir Charles, en lui prêtant le sentiment d'abandon qu'elle avait elle-même éprouvé. Mais si Diana projette, elle sait s'identifier tout aussi spontanément, avec la même sincérité, aux opprimés qu'elle aide dans la seconde partie de sa vie, portée par la conviction de comprendre intimement le rejet dont ils sont victimes, animée de la certitude que sa dévotion ne sera pas trahie. Tous ces rôles de soignante tentent de colmater son narcissisme défaillant et répondent à son intense besoin de réparation. Il ne faut toutefois pas négliger l'opportunité réelle de son comportement, fût-il névrotique, au service des causes qu'elle défendait : une simple photo d'elle au côté d'un malheureux rapportait beaucoup plus d'argent, et beaucoup plus sûrement, que de longues campagnes médiatiques. Elle a sans doute également été consciente de la valeur ajoutée qu'elle pouvait représenter pour Charles, qui aurait pu trouver un bénéfice durable à l'aura de son épouse si, de façon infantile, il n'en avait pris ombrage. Mais il reste certain que le coup de projecteur qu'elle dirigeait vers les mal-aimés – et sur sa générosité du même coup – la flattait en offrant d'elle une image positive au monde entier. Après des années de mauvaise estime de soi, elle avait trouvé une solution pour vivre plus sereinement.

Diana franchit un nouveau cap quand, avec Dodi Al-Fayed, elle semble se détourner de la quête de l'amour universel pour vivre l'amour au singulier. Avec Charles aussi il s'agissait d'amour au singulier, mais qu'il fallait partager, non seulement avec Camilla, mais aussi avec la famille royale et le peuple britannique. Peut-être que sans l'accident qui lui coûta la vie, Diana aurait poursuivi dans cette voie, tournée vers son couple plutôt que vers les bonnes œuvres, parce que enfin réconciliée avec elle-même et avec son image. Une fois réparée narcissiquement par la réponse collective à son don d'amour, elle aurait pu passer à l'amour d'un seul, avec tout le risque qu'il comporte, sans en attendre l'étayage de sa propre estime de soi.

La thérapie

Diana s'est probablement débattue avec un fond dépressif, qui expliquerait bon nombre de ses symptômes et de ses phases de repli sur soi. Elle se montrait instable sur le plan émotionnel, sombrait volontiers dans le repli sur soi, traversait des phases de tristesse et de pleurs parfois inexpliqués, et se trouvait souvent confrontée à une image très dévalorisée d'elle-même. Cette tonalité dépressive est sans doute liée à plusieurs facteurs : au fait qu'elle soit un enfant de remplacement ou que sa mère fut peu ou prou déprimée à sa naissance, comme lors de la longue procédure de divorce ou de la perte du droit de garde. Chez la mère de Diana, il y avait sans doute concomitance du deuil et de la joie de vivre (un enfant meurt, un autre paraît ; elle perd la garde de ses enfants, elle se remarie), et on retrouve cette ambivalence chez Diana, qui, sans en être spécifique, participe de sa tendance dépressive. Quand elle fait la connaissance du prince Charles, elle évoque avec lui le deuil qu'il vient de traverser : curieux thème pour une rencontre amoureuse ! Quand elle fait la fête avec Dodi, c'est la course à l'oubli, à l'excès, un type de comportement qui dénote fréquemment une personnalité encline à la dépression. Elle meurt « pleinement heureuse », comme l'a souligné son frère, mariant malgré elle le deuil et l'euphorie.

Cette tristesse latente se développe souvent à l'adolescence, en plein questionnement de l'image de soi. L'adolescence est en effet une période de questionnement narcissique et existentiel important, propice à développer ce que les psychanalystes d'adolescents nomment « dépressivité », forme mineure et passagère de dépression, voire même d'authentiques dépressions, identiques à celles des adultes. Autre problématique adolescente, Diana reste sujette toute sa vie à des troubles du comportement alimentaire (des crises de boulimie suivies de vomissements provoqués). La remarque désobligeante que lui fait Charles à propos de ses rondeurs, au début de leur mariage, ne fait que réactiver le vieux conflit jamais résolu entre elle et son image, dont de tels comportements témoignent. Bien entendu, son insatisfaction profonde est avant tout psychique, et non physique ; l'image dans le miroir n'est pas le fond du problème. La boulimie est fréquemment symptomatique d'un lien insatisfaisant avec la mère, c'est une tentative de combler une carence affective maternelle précoce. Les accès de remplissage alimentaire visent alors à éprouver physiquement une sensation de comblement jamais ressentie sur le plan psychique, comme si cette sensation de réplétion organique pouvait tenir lieu *a posteriori* de chaleur maternelle. Mais le malaise physique qui s'ensuit est tel que le vomissement, libérateur, s'impose. S'installe alors une spirale où alternent crises de boulimie et vomissements. Les boulimiques, au contraire des anorexiques, ne se privent pas de nourriture ni ne s'affament ; si elles perdent du poids par suite des régurgitations, ce n'est pas jusqu'à devenir maigres, ce que Diana ne fut jamais. Lorsque la reine Élisabeth annonce dans un communiqué officiel que la princesse de Galles n'est pas anorexique, elle ne se rend pas coupable de mensonge. En revanche, qu'elle et ses proches soient restés témoins de cette anarchie alimentaire sans chercher à provoquer le dialogue revient à nier la souffrance et à entretenir le mal par la loi du silence.

Les problèmes de comportement alimentaire, la volonté d'avoir un destin à part, de devenir une princesse, la passion du soin porté aux enfants, mais aussi à la propreté et à l'ordre, l'idéal ascétique et le vœu de bonté universelle à la Bernadette Soubirous, tout cela est cohérent : ce sont des traits hystériques classiques. Chez les patients hystériques, nous retrouvons cette volonté qu'avait Diana de se mouler au désir de l'autre, cette personnalité plastique, changeante au gré des interlocuteurs, ce souci de son image, ce désir obsédant de plaire. Le psychanalyste qui, arrivé après nombre de ses pairs, est parvenu à aider Diana a sans doute su rassembler ces éléments en faisant abstraction de ce qu'il savait d'elle par les médias, pour n'écouter que sa souffrance singulière, et ce qu'elle en disait. Avoir une image négative de soi, attendre de son prince charmant qu'il en renvoie un reflet embelli, se sentir bafouée par l'adultère de son mari, céder aux avances d'amants peu intègres dans un désir de plaire, être en quête effrénée d'amour, etc. : nombreuses sont les Lady Diana dans notre société ordinaire, nul besoin d'être princesse pour manifester de semblables symptômes.

La mort prématurée de Diana interdit de savoir si elle aurait continué à développer ses symptômes, en vertu d'une insatisfaction chronique. Elle avait en tout cas appris, semble-t-il, à reconnaître celui qui la comblerait, même s'il gardait quelques traits du prince charmant : Dodi était un play-boy ; il était attentionné ; il avait délaissé un mannequin pour Diana, alors qu'il plaçait la beauté au-dessus de tout ; et, version moderne du prince charmant, c'était un rebelle, en rupture avec l'*establishment*, comme sa princesse. Mais si Diana semblait en avoir fini avec ses rêves d'adolescente d'un amour désincarné, elle demeurait dans la répétition : divorcée, elle s'amourachait d'un milliardaire prévenant, comme sa mère ; qui lui offrait des bijoux et la couvrait de mots d'amour, comme dans un de ses romans pour jeune fille. Sa thérapie ne l'avait pas radicalement transformée. Mais elle lui avait appris à ne plus se laisser bercer par un rêve quand on ne lui offrait qu'indifférence (Charles) ou escroquerie sentimentale (ses amants qui tiraient profit de leur liaison avec elle en la rendant publique).

Le bénéfice majeur et incontestable de la psychothérapie de Diana, c'est la désinhibition dont elle fait preuve en ébranlant la cour, où le silence et une pudeur mortifère sont la règle : la reine Élisabeth, le prince Charles, ferment les yeux sur leurs propres

douleurs comme sur celles des autres, un mode de fonctionnement auquel Diana n'a pas réussi à se plier. Après avoir parlé à
son psychanalyste, avoir fait sienne sa propre histoire, Diana
parle à Camilla, parle à son journaliste-confesseur Edward
Morton, parle à la BBC et parle même à son mari. En crevant
l'abcès de sa souffrance, elle balaie l'hypocrisie générale, réta-
blissant la vérité contre la version officielle et les ragots. Par ces
actes, elle rompt avec une rébellion adolescente qui ne lui donnait pas les moyens d'accéder à la liberté : jusque-là, elle rejetait
silencieusement le système sans prendre le risque de la révolte,
refusant d'en payer le prix, sans doute pour pouvoir rester à
l'abri du sérail, mais surtout parce qu'elle était incapable de
remettre en cause les cadres précaires entre lesquels elle s'était
maladroitement construite, comme la position sacrificielle qui
lui était si familière. Dans une certaine mesure, Diana ne pouvait
s'en sortir que par le scandale : le feu avait couvé trop longtemps. Encore qu'on ne puisse exclure qu'elle ait aussi cédé à
la tentation d'enflammer volontairement la situation par esprit
de vengeance. Mais encore fallait-il qu'elle réussisse à renverser
les consciences en sa faveur : elle osa prendre le risque de tout
perdre.

Une jeune femme conforme à son époque

Diana n'a pas fait d'études propices à structurer son imaginaire autrement que selon l'imaginaire collectif, et elle a parfaitement épousé les codes de son temps : le clinquant, l'argent, la
passion, les coups d'éclat, et jusqu'aux symptômes psychopathologiques contemporains, comme la scarification, la tentative
de suicide comme appel au secours ou le désordre du comportement alimentaire, typique de nos sociétés occidentales. Certes,
nombre d'études spécialisées et de textes anciens montrent que

l'anorexie et la boulimie ont toujours existé ; reste que la propor-
tion de femmes atteintes de cette affection devient préoccupante,
et qu'elle augmente avec la diffusion de notre modèle culturel,
comme en témoignent des confrères maghrébins. Mais, de notre
temps, Diana a saisi instinctivement l'impact des médias, leur
possible manipulation. Ils la traquaient, exploitaient son image ;
elle semble avoir compris comment retourner la situation : se
montrer, mais pour servir sa liberté.

Elle commence par montrer sa douleur pour accéder au statut
de victime, la sainte dans sa version contemporaine. Être plaint,
dans le contexte actuel, c'est devenir intouchable et être aimé un
peu. Diana estime aussi, comme la majeure partie des membres
de notre société, que le bonheur est un droit, non assorti de
contraintes : le royaume, d'accord, mais sans en assumer le destin,
avec toutes ses lourdeurs. Consciente de sa notoriété, dans une
société qui offre une prime au plus célèbre, elle « retourne »
intelligemment la presse qui s'est servie d'elle : elle a très bien
compris que le peuple a besoin de contes de fées et, chose
encore plus subtile, qu'il aime voir déboulonner ses idoles, que
les contes de fées sont encore plus crédibles s'il s'y glisse un
peu de frisson. Elle dit donc aux gens ce qu'ils ont envie d'entendre : la reine est méchante, le prince est un traître, l'or cache
la misère, la belle princesse a voulu mourir, etc. Reste le courage d'aller parler aux médias, car si elle les manipule, elle livre
son intimité, ses maladies et ses tourments, sa vie de couple sous
ses pires aspects, autant de sacrifices que sa thérapie a rendus
possibles. Par la suite, même de ses œuvres de charité elle fait
des spectacles. Elle perpétue la tradition de charité chrétienne,
mais y ajoute une dimension symbolique quand elle vend ses
robes de princesse au profit d'une œuvre caritative. La première
princesse patronnesse ! Par cette dimension altruiste, elle se
démarque des plus célèbres princes d'Europe et restera sans
doute la princesse du siècle : d'elle on retiendra en effet qu'elle
n'était pas seulement *glamour*, mais infiniment bonne.

Diana a pu devenir un modèle identificatoire pour les jeunes filles et femmes de son temps grâce au combat qu'elle mena contre ses maux psychiques, avant de s'atteler à ceux du monde entier, mais son assurance de rester dans l'Histoire, la grande et la petite, celle des cœurs, elle l'a gagnée au prix de sa vie : fauchée en pleine jeunesse et en pleine gloire, le propre des héros malgré eux.

Bibliographie

Colette

CHALON, Jean, *Colette : l'éternelle apprentie*, Paris, Flammarion, 1998.
DEL CASTILLO, Michel, *Colette, une certaine France*, Paris, Stock, 1999.
DUFOUR, Hortense, *Colette, la vagabonde assise*, Paris, J'ai lu, 2005.
SARDE, Michèle, *Colette libre et entravée*, Paris, Seuil, 1984.
KRISTEVA, Julia, *Le Génie féminin*, t. III : *Colette*, Paris, Fayard, 2002.

Virginia Woolf

LEE, Hermione, *Virginia Woolf ou l'aventure intérieure*, trad. de l'anglais par Laurent Bury, Paris, Autrement, 2000.
LEMASSON, Alexandra, *Virginia Woolf*, Paris, Gallimard, 2005.
MANNONI, Maud, *Elles ne savent pas ce qu'elles disent*, Paris Denoël, 1998.
MOUSLI, Béatrice, *Virginia Woolf*, Monaco, Éd. du Rocher, 2001.

Marlène Dietrich

DIETRICH, Marlène, et REMARQUE, Erich Maria, *Dis-moi que tu m'aimes* (correspondance), éd. établie par Werner Fuld et Thomas F. Schneider, trad. de l'allemand par Anne Weber, Paris, Stock, 2002.
RIVA, Maria, *Marlène Dietrich par sa fille*, Paris, Flammarion, 1993.

Joséphine Baker

BAKER, Joséphine et SAUVAGE, Marcel, *Les Mémoires de Joséphine Baker*, Paris, Dilecta, 2006.

BAKER, Brian B., et TRICHARD, Gilles, *Joséphine Baker : le regard d'un fils*, Paris, Patrick Robin, 2006.

PESSIS, Jacques, *Joséphine Baker*, Paris, Folio biographies, Gallimard, 2007.

Simone de Beauvoir

BEAUVOIR, Simone de, *Mémoires d'une jeune fille rangée*, Paris, Gallimard, 1958.

BONAL, Gérard, et RIBOWSKA, Malka, *Simone de Beauvoir*, Paris, Seuil, 2001.

CLAUDE, Francis, et GONTIER, Fernande, *Les Écrits de Simone de Beauvoir*, Paris, Gallimard, 1980.

COSTA-PRADES, Bernadette, *Simone de Beauvoir*, Paris, Maren Sell, 2006.

MONTEIL, Claudine, *Les Sœurs Beauvoir*, Paris, Éd. N° 1, 2003.

Édith Piaf

BRIERRE, Jean-Dominique, *Édith Piaf*, Paris, Hors collection, 2003.

DUCLOS, Pierre, et MARTIN, Georges, *Piaf : biographie*, Paris, Seuil, 1993.

LANGE, Monique, *Édith Piaf*, Paris, Jean-Claude Lattès, 1993.

PIAF, Édith, *Au bal de la chance*, présentation et annotation de Marc Robine, préface de Jean Cocteau, postface de Fred Mella, Paris, L'Archipel, 2003.

Maria Callas

LELAIT-HELO, David, *Maria Callas*, Paris, Payot, 2002.

MONESTIER, Martin, *La Callas, de l'Enfer à l'Olympe*, Paris, Le Cherche-Midi, 2002.

RÉMY, Pierre-Jean, *Callas, une vie*, Paris, Ramsay, 1978 ; rééd. Paris, Albin Michel, 1997, et 10/18, 2002.

Jackie Kennedy

ANDERSEN, Christopher, *Jackie et John : les jeunes années*, trad. de l'américain par Laurence Kiéfé, Paris, Ramsay, 1996.

–, *Jackie après John : une héroïne américaine*, trad. de l'américain par François Corre, Paris, Jean-Claude Lattès, 1998.

KASPI, André, *Kennedy : les 1 000 jours d'un président*, Paris, Armand Colin, 1993.

VIDAL, Gore, *Palimpseste, Mémoires*, trad. de l'anglais par Lydia Lakel, Paris, Galaade, 2006.

Dalida

LELAIT-HELO, David, *Dalida : d'une rive à l'autre*, Paris, Payot, 2004.

ORLANDO, SERVAT, Henry-Jean, *Dalida*, Paris, Albin Michel, 2003.

PASQUALINI, Jean-Pierre, *Platine Magazine*.

RIHOIT, Catherine, *Dalida*, Paris, Pocket, 1997.

Françoise Sagan

DELASSEIN, Sophie, *Aimez-vous Sagan ?*, Paris, Fayard, 2002.

LAMY, Jean-Claude, *Françoise Sagan : une légende*, Paris, Mercure de France, 2004.

MOLL, Geneviève, *Madame Sagan*, Paris, Ramsay, 2005.

VIRCONDELET, Alain, *La Jeunesse de Sagan*, Paris, Flammarion, 2004.

Lady Diana

CAVALIÉ, France, *Lady Diana : une princesse foudroyée*, Monaco, Éd. du Rocher, 1997.

Collectif, *Diana : la biographie du souvenir*, trad. de l'anglais par Évelyne Châtelain, Paris, J'ai lu, 1998.

FARRELL, Nicholas, et ROCHE, Marc, *Diana : une mort annoncée*, Paris, Scali, 2006.

MORTON, Andrew, *Diana : sa vraie histoire*, trad. de l'anglais par Édith Ochs, Claude Nesle et Louise Lenormand, Paris, Orban, 1992.

PASTERNAK, Anna, *Princesse amoureuse*, Paris, Presses de la Cité, 1994.

Remerciements

À chaque psychanalyste, psychiatre ou psychothérapeute qui m'a suivie dans cette belle aventure, en y insufflant son enthousiasme, sa sagacité et son grand talent.

À Philip Ward, pour sa science biographique.

Entre autres.

C. S.

Table

RÉALISATION : PAO ÉDITIONS DU SEUIL
NORMANDIE ROTO IMPRESSION SAS, À LONRAI
DÉPÔT LÉGAL : OCTOBRE 2007. N° 94026 (072781)
Imprimé en France